Сумеречный Дозор

Сергей ЛУКЬЯНЕНКО

Сумеречный Дозор

АСТ ЛЮКС ПХЕ
ИЗДАТЕЛЬСТВО
Москва • 2005

УДК 821.161.1-312.9
ББК 84 (2Рос=Рус)6-44
Л84

Компьютерный дизайн А.А. Кудрявцева

Подписано в печать с готовых диапозитивов 25.11.04.
Формат 84×108^1/$_{32}$. Бумага газетная. Печать офсетная.
Усл. печ. л. 23,52. Доп. тираж 20 000 экз. Заказ 3205.

Лукьяненко, С.В.

Л84   Сумеречный Дозор : [фантаст. роман] / Сергей Лукьяненко. — М.:
АСT: ЛЮКС, 2005. — 445, [3] с.

ISBN 5-17-025716-3 (ООО «Издательство АСT»)
ISBN 5-9660-0826-4 (ОАО «ЛЮКС»)

Рожденный человеком — не способен стать Иным.

Так было всегда.

На этом стоит равновесие между Ночным и Дневным Дозорами. Между
Светлыми и Темными магами.

Что случится, если кто-то сможет превращать в Иных самых обычных людей?

Если Светлый маг Гесер и Темный маг Завулон будут вынуждены
действовать вместе?

Если в элитном жилом комплексе «Ассоль», в маленькой подмосковной
деревушке и в скором поезде Москва—Алматы будет поставлено на карту
само существование Иных — и людей?

УДК 821.161.1-312.9
ББК 84 (2Рос=Рус)6-44

Данный текст безразличен делу Света

Ночной Дозор

Данный текст безразличен делу Тьмы

Дневной Дозор

История первая

НИЧЬЕ ВРЕМЯ

Пролог

Настоящие дворы исчезли в Москве где-то между Высоцким и Окуджавой.

Странное дело. Даже после революции, когда в целях борьбы с кухонным рабством в домах ликвидировались кухни, на дворы никто не покушался. У каждой гордой «сталинки», развернувшейся потемкинским фасадом на ближайший проспект, обязательно был двор — большой, зеленый, со столиками и скамейками, с дворником, скребущим асфальт по утрам. Но пришла пора панельных пятиэтажек — и дворы съежились, полысели, когда-то степенные дворники сменили пол и превратились в дворничих, считавших своим долгом отодрать за ухо расшалившихся мальчишек и укоризненно выговорить вернувшимся пьяненькими жильцам. Но все-таки дворы еще жили.

А потом, будто откликаясь на акселерацию, дома потянулись вверх. От девяти этажей до шестнадцати, а то и до двадцати четырех. И будто каждому дому отводился в пользование объем, а не площадь — дворы усохли до самых подъездов, подъезды открыли двери прямо на проезжие улицы, дворники и дворничихи исчезли, сменившись работниками коммунального хозяйства.

Нет, позже дворы вернулись. Но, будто обидевшись на былое небрежение, далеко не ко всем домам. Новые дворы были опоясаны высокой оградой, на проходных сидели подтянутые молодые люди, под английским газоном прятались подземные паркинги. Дети на этих дворах играли под присмотром гувернанток, пьяных жильцов извлекали из «мерседесов» и «БМВ» ко всему привычные телохранители, а мусор с английских газонов новые дворники подчищали маленькими немецкими машинками.

Этот двор был из новых.

Многоэтажные башни на берегу Москвы-реки знали по всей России. Они стали новым символом столицы — вместо потускневшего Кремля и превратившегося в рядовой магазин ЦУМа. Гранитная набережная с собственной пристанью, отделанные венецианской штукатуркой подъезды, кафе и рестораны, салоны красоты и супермаркеты, ну и конечно же, квартиры по две-три сотни метров. Наверное, новой России нужен был такой символ — помпезный и кичовый, будто толстая золотая цепь на шее в эпоху первичного накопления капитала. И не важно, что большая часть давно купленных квартир стояла пустой, кафе и рестораны были закрыты до лучших времен, а о бетонную пристань били грязные волны.

Человек, теплым летним вечером прогуливающийся по набережной, золотой цепи никогда не носил. У него было хорошее чутье, вполне заменявшее вкус. Он вовремя сменил спортивный костюм «Адидас» китайского пошива на малиновый пиджак, первым отказался от малинового пиджака в пользу костюма от Версачи. Он даже спортом занимался с опережением — забросив теннисную ракетку и перейдя на горные лыжи на месяц раньше всех кремлевских чиновников... даром что в его годы с удовольствием на горных лужах можно только стоять.

И жить он предпочитал в особняке в Горках-9, посещая квартиру с окнами на реку только с любовницей.

Впрочем, от постоянной любовницы он тоже собирался отказаться. Все-таки возраст не победит никакая виагра, а супружеская верность начинала входить в моду.

Водитель и охранник стояли достаточно далеко, чтобы не слышать голос хозяина. Впрочем, если ветер и доносил до них обрывки слов — что в этом странного? Почему бы человеку и не поговорить самому с собой на исходе трудового дня, стоя в полном одиночестве над плещущими волнами? Нет более понимающего собеседника, чем ты сам.

— И все-таки я повторяю свое предложение... — сказал человек. — Снова повторяю.

Тускло светили звезды, пробившиеся сквозь городской смог. На другом берегу реки зажигались крошечные окошки лишенных двора многоэтажек. Из красивых фонарей, тянущихся вдоль пристани, горел каждый пятый — и то лишь по поводу блажи большого человека, вздумавшего прогуляться у реки.

— Снова повторяю, — тихо сказал человек.

О набережную плеснула волна — и с ней пришел ответ:

— Это невозможно. Абсолютно невозможно.

Человек на пристани не удивился голосу из пустоты. Кивнул и спросил:

— А как насчет вампиров?

— Да, это вариант, — согласился невидимый собеседник. — Вампиры могут вас инициировать. Если вас устроит существование нежити... нет, я не буду врать, солнечный свет им неприятен, но не смертелен, да и от ризотто с чесноком отказываться не придется...

— Тогда что? — спросил человек, невольно поднося руку к груди. — Душа? Необходимость пить кровь?

Пустота тихо засмеялась:

— Всего лишь голод. Вечный голод. И пустота внутри. Вам это не понравится, я уверен.

— Что еще? — спросил человек.

— Оборотни, — почти весело ответил невидимка. — Они тоже способны инициировать человека. Но и оборотни — низшая форма Темных Иных. Большую часть времени все прекрасно... но когда приступ приближается, вы не сможете себя контролировать. Три-четыре ночи в месяц. Иногда меньше, иногда больше.

— Новолуние, — понимающе кивнул человек.

Пустота снова засмеялась:

— Нет. Приступы оборотней не связаны с лунным циклом. Вы будете чувствовать приближение безумия за десять — двенадцать часов до момента превращения. Но точного графика вам никто не составит.

— Отпадает, — холодно сказал человек. — Я повторяю свою... просьбу. Я хочу стать Иным. Не низшим Иным, которого охватывают приступы животного безумия. Не великим магом, творящим великие дела. Самым обычным, рядовым Иным... как там по вашей классификации? Седьмого уровня?

— Это невозможно, — ответила ночь. — У вас нет способностей Иного. Ни малейших. Можно научить играть на скрипке человека, лишенного музыкального слуха. Можно стать спортсменом, не имея к тому никаких данных. Но Иным вы не станете. Вы просто другой породы. Мне очень жаль.

Человек на набережной засмеялся:

— Не бывает ничего невозможного. Если низшая форма Иных способна инициировать людей — то должен существовать и способ превратиться в мага.

Темнота молчала.

— Кстати, я не говорил, что хочу стать Темным Иным. Я не испытываю никакого желания пить невинную кровь, гоняться в полях за девственницами или с мерзким хихиканьем наводить порчу, — раздраженно сказал человек. — Куда с большим удовольствием я стану совершать добрые дела... в общем — ваши внутренние разборки мне совершенно безразличны!

— Это... — устало сказала ночь.

— Это ваша проблема, — ответил человек. — Я даю вам неделю. После этого я хочу получить ответ на свою просьбу.

— Просьбу? — уточнила ночь.

Человек на набережной улыбнулся:

— Да. Пока я лишь прошу.

Он повернулся и пошел к машине — «волге», которая вновь войдет в моду примерно через полгода.

Глава 1

Даже если любишь свою работу — последний день отпуска навевает тоску. Еще неделю назад я жарился на чистеньком испанском пляже, вкушал паэлью (если честно — узбекский плов вкуснее), пил в китайском ресторанчике холодную сангрию (и как так получается, что китайцы национальный испанский напиток готовят лучше аборигенов?) и покупал по магазинчикам всякую курортную сувенирную ерунду.

А теперь вновь была летняя Москва — не то чтобы жаркая, но томительно-душная. И последний день отпуска, когда голова отдыхать уже не способна, но работать отказывается наотрез.

Может быть, поэтому звонок Гесера я встретил с радостью.

— Доброе утро, Антон, — не представляясь начал шеф. — С возвращением. Узнал?

С каких-то пор звонки Гесера я начал чувствовать. Будто менялась трель телефона, обретала требовательный, властный оттенок.

Но говорить шефу об этом я не спешил.

— Узнал, Борис Игнатьевич.

— Один? — спросил Гесер.

Ненужный вопрос. Уверен, что Гесер прекрасно знает, где сейчас Светлана.

— Один. Девочки на даче.

— Хорошее дело, — вздохнул шеф на том конце трубки, и в голосе его появились совсем человеческие нотки. — Ольга вот тоже утром в отпуск улетела... половина сотрудников на югах греется... Ты мог бы сейчас подойти в офис?

Ответить я не успел — Гесер бодро сказал:

— Ну и прекрасно! Значит, через сорок минут.

Очень хотелось обозвать Гесера дешевым позером — конечно, положив вначале трубку. Но я промолчал. Во-первых, шеф мог услышать мои слова без всякого телефона. Во-вторых — уж кем-кем, а дешевым позером он не был. Просто предпочитал экономить время. Если я собирался сказать, что буду через сорок минут, — к чему терять время и меня выслушивать?

А еще — я был очень рад звонку. Все равно день пропащий — на дачу я поеду только через неделю. Убираться в квартире рано — как любой уважающий себя мужчина в отсутствие семьи я делаю это один раз, в последний день холостяцкой жизни. Идти в гости или звать гостей к себе тоже решительно не хотелось. Так что куда полезнее на день раньше вернуться из отпуска — чтобы в нужный момент с чистой совестью потребовать отгул.

Пусть даже у нас не принято требовать отгулы.

— Спасибо, шеф, — с чувством сказал я. Отлепился от кресла, отложив недочитанную книжку. Потянулся.

И телефон зазвонил снова.

Конечно, с Гесера станется позвонить и сказать «пожалуйста». Но уж это точно станет фиглярством!

— Алло! — произнес я очень деловым тоном.

— Антон, это я.

— Светка, — сказал я, усаживаясь обратно. И напрягся — голос у Светланы был нехороший. Тревожный. — Светка, что с Надей?

— Все в порядке, — быстро ответила она. — Не волнуйся. Лучше скажи, как у тебя дела?

Несколько секунд я размышлял. Пьянок не устраивал, женщин в дом не водил, мусором не зарос, даже посуду мою...

А потом до меня дошло.

— Гесер звонил. Только что.

— Чего он хочет? — быстро спросила Светлана.

— Ничего особенного. Просил сегодня выйти на работу.

— Антон, я что-то почувствовала. Что-то нехорошее. Ты согласился? Идешь на работу?

— Почему бы и нет? Совершенно нечем заняться.

Светлана на другом конце провода (хотя какие провода у мобильных телефонов?) молчала. Потом неохотно сказала:

— Знаешь, меня будто в сердце кольнуло. Ты веришь, что я беду чую?

Я усмехнулся:

— Да, Великая.

— Антон, ну будь серьезнее! — Светлана завелась немедленно. Как всегда, если я называл ее Великой. — Послушай меня... если Гесер тебе что-нибудь предложит — откажись.

— Света, если Гесер меня вызвал — значит хочет что-то предложить. Значит, рук не хватает. Говорит, все в отпусках...

— Пушечного мяса ему не хватает, — отрезала Светлана. — Антон... ладно, все равно ты меня не послушаешь. Просто будь осторожен.

— Светка, ты же не думаешь всерьез, что Гесер собирается меня подставить, — осторожно сказал я. — Понимаю твое отношение к нему...

— Будь осторожен, — сказала Светлана. — Ради нас. Хорошо?

— Хорошо, — пообещал я. — Я всегда очень осторожен.

— Я позвоню, если еще что-нибудь почувствую, — сказала Светлана. Кажется, она немного успокоилась. — И ты позвони, хорошо? Вот хоть что-нибудь необычное случится — звони. Ладно?

— Позвоню.

Светлана несколько секунд молчала, а прежде чем положить трубку, произнесла:

— Уходил бы ты из Дозора, Светлый Маг третьего уровня...

Что-то подозрительно легко все закончилось — мелкой шпилькой... Хотя на эту тему мы договорились не говорить. Давно договорились — три года назад, когда Светлана ушла из Ночного Дозора. Ни разу обещание не нарушали. Конечно, я рассказывал жене про работу... про те дела, которые хотелось вспоминать. И она всегда слушала с интересом. А вот теперь — прорвало.

Неужели и впрямь почувствовала что-то нехорошее?

В результате собирался я долго, неохотно. Надел костюм, потом переоделся в джинсы и клетчатую рубашку, потом плюнул на все и влез в шорты и черную футболку с надписью «Мой друг побывал в состоянии клинической смерти, но все, что он мне привез с того света, — эту футболку!». Буду похож на жизнерадостного немецкого туриста, зато сохраню хотя бы видимость отпускного настроения перед лицом Гесера...

В результате я вышел из дома за двадцать минут до назначенного шефом срока. Пришлось ловить машину, прощупывать линии вероятности — после чего подсказывать водителю те маршруты, на которых нас не ждали пробки.

Водитель подсказки принимал неохотно, с глубоким сомнением.

Зато мы не опоздали.

Лифты не работали — парни в синих спецовках деловито грузили в них бумажные мешки с цементной смесью. Я пошел по лестнице и обнаружил, что на втором этаже нашего офиса идет ремонт. Рабочие обшивали стены листами гипсокартона, тут же суетились штукатуры, промазывая швы. Параллельно сооружали подвесной потолок, куда уже были упрятаны трубы кондиционирования.

Настоял все-таки на своем наш завхоз Виталий Маркович! Вынудил шефа раскошелиться на полноценный ремонт. И даже деньги где-то изыскал.

Задержавшись на миг, я посмотрел на рабочих сквозь Сумрак. Люди. Не Иные. Как и следовало ожидать. Лишь у одного штукатура, совершенно неказистого на вид мужичка, аура показалась подозрительной. Но через секунду я понял, что он просто влюблен. В собственную жену! Надо же, не перевелись еще на свете хорошие люди!

Третий и четвертый этажи уже были отремонтированы, и это окончательно привело меня в хорошее настроение. Наконец-то и в вычислительном центре будет прохладно. Пусть сейчас я появляюсь там не каждый день, но... На бегу я поздоровался с охранниками, явно поставленными здесь на время ремонта. Выскочил к кабинету Гесера — и наткнулся на Семена. Тот что-то серьезно и наставительно втолковывал Юле.

Как летит время... Три года назад Юля была совсем еще девчонкой. Сейчас — молодая красивая девушка.

Подающая большие надежды волшебница, ее уже звали в европейский офис Ночного Дозора. Любят там прибирать к рукам талантливых и молодых — под разноязыкие возгласы о большом и общем деле...

Но в этот раз номер не прошел. Гесер и Юльку отстоял, и пригрозил, что сам может рекрутировать европейскую молодежь.

Интересно, чего в той ситуации хотела сама Юля.

— Отозвали? — понимающе спросил Семен, едва увидев меня и прервав разговор. — Или отгулял свое?

— И отгулял, и отозвали, — сказал я. — Что-то стряслось? Привет, Юлька.

С Семеном мы почему-то никогда не здороваемся. Будто только что виделись. Да он и выглядит всегда одинаково — очень просто, небрежно одетый, с мятым лицом перебравшегося в город крестьянина.

Сегодня, впрочем, Семен выглядел еще непритязательнее обычного.

— Привет, Антон, — улыбнулась девушка. Лицо у нее было невеселым. Похоже, Семен проводил воспитательную работу — он на такие дела мастер.

— Ничего не стряслось. — Семен покачал головой. — Тишь да гладь. На той неделе взяли двух ведьм, да и то по мелочи.

— Ну и славно, — стараясь не замечать жалобный взгляд Юльки, сказал я. — Пойду к шефу.

Семен кивнул и повернулся к девушке. Входя в приемную, я успел услышать:

— Так вот, Юля, я шестьдесят лет тем же самым занимаюсь, но такой безответственности...

Суров он. Но ругает только по делу, так что спасать Юльку от беседы я не собирался.

В приемной, где теперь мягко шелестел кондиционер, а потолок был украшен крошечными лампочками галогеновой подсветки, сидела Лариса. Видимо, Галочка, секретарша Гесера, в отпуске, а дел у наших диспетчеров и впрямь немного.

— Здравствуй, Антон, — поприветствовала меня Лариса. — Хорошо выглядишь.

— Две недели на пляже, — гордо ответил я.

Лариса покосилась на часы:

— Велено тебя сразу впустить. Но у шефа еще посетители. Пойдешь?

— Пойду, — решил я. — Зря, что ли, спешил.

— К вам Городецкий, Борис Игнатьевич, — сказала Лариса в интерком. Кивнула мне: — Иди... ох, там жарко...

За дверью Гесера и впрямь было жарко. Перед его столом маялись в креслах двое незнакомых мужчин средних лет — мысленно я окрестил их Тонкий и Толстый. Потели, однако, оба.

— И что мы наблюдаем? — укоризненно спросил их Гесер. Покосился на меня. — Проходи, Антон. Садись, я сейчас закончу...

Тонкий и Толстый приободрились.

— Какая-то бесталанная домохозяйка... извращая все факты... опошляя и упрощая... делает вас по всем статьям! В мировом масштабе!

— Потому и делает, что опошляет и упрощает, — мрачно огрызнулся Толстый.

— Вы велели, чтобы «все как есть», — подтвердил Тонкий. — Вот и результат, Пресветлый Гесер!

Я посмотрел на визитеров Гесера сквозь Сумрак. Надо же! Опять — люди! И при этом знают имя и титул шефа! Да еще произносят с совершенно откровенным сарказмом! Конечно, бывают всякие обстоятельства, но чтобы сам Гесер открывался людям...

— Хорошо, — кивнул Гесер. — Даю вам еще одну попытку. На этот раз работайте поодиночке.

Тонкий и Толстый переглянулись.

— Мы постараемся, — добродушно улыбаясь, сказал Толстый. — Вы же понимаете — мы добились определенных успехов...

Гесер фыркнул. Будто получив невидимый сигнал, что разговор окончен, визитеры встали, за руку попрощались с шефом и вышли. В приемной Тонкий что-то весело и игриво сказал Ларисе — та засмеялась.

— Люди? — осторожно спросил я.

Гесер кивнул, неприязненно глядя на дверь. Вздохнул:

— Люди, люди... Ладно, Городецкий. Садись.

Я сел, а Гесер все не начинал разговор. Возился с бумагами, перебирал какие-то цветные гладко обкатанные стеклышки, наваленные в грубую глиняную миску. Очень хотелось посмотреть, амулеты это или просто стекляшки, но вольничать, сидя перед Гесером, я не рискнул.

— Как отдохнул? — спросил Гесер, будто исчерпав все поводы оттягивать разговор.

— Хорошо, — ответил я. — Без Светы, конечно, скучно. Но не тащить же Надюшку в испанское пекло. Не дело...

— Не дело, — согласился Гесер. Я не знал, есть ли у великого мага дети, — такой информации не доверяют даже своим. Скорее всего есть. Наверное, он способен испытывать что-то вроде отцовских чувств. — Антон, это ты позвонил Светлане?

— Нет. — Я покачал головой. — Она с вами связалась?

Гесер кивнул. И вдруг его прорвало — он стукнул кулаком по столу и выпалил:

— Да что она себе вообразила? Вначале дезертирует из Дозора...

— Гесер, у нас у всех есть право уйти в отставку, — вставил я. Но Гесер и не подумал извиняться.

— Дезертирует! Волшебница ее уровня себе не принадлежит! Не имеет права принадлежать! Если уж... если уж называется Светлой... Потом — воспитывает дочь как человека!

— Надя — человек, — сказал я, чувствуя, что тоже закипаю. — Станет ли она Иной — ей самой решать... Пресветлый Гесер!

Шеф понял, что теперь и я на взводе. И тон сменил.

— Ладно. Ваше право. Уклоняйтесь от борьбы, ломайте девчонке жизнь... Как будет угодно! Но откуда эта ненависть?

— Что Света сказала? — спросил я.

Гесер вздохнул:

— Твоя жена позвонила мне. На номер телефона, который не имеет права знать...

— Значит, и не знает, — вставил я.

— И сказала, что я собираюсь тебя убить! Что я затеваю далекоидущий план по твоему физическому устранению!

Секунду я смотрел в глаза Гесеру. Потом засмеялся.

— Тебе смешно? — с мукой в голосе спросил Гесер. — Правда смешно?

— Гесер... — Я с трудом задавил смех. — Простите. Можно говорить откровенно?

— Уж изволь...

— Вы самый большой интриган из тех, кого я знаю. Покруче Завулона. Макиавелли по сравнению с вами — щенок...

— Макиавелли ты зря недооцениваешь, — буркнул Гесер. — Так, понял, я интриган. Дальше?

— А дальше я уверен, что вы не собираетесь меня убивать. В критической ситуации, быть может, вы мной пожертвуете. Ради спасения соразмерно большого количества людей или Светлых Иных. Но чтобы так... планируя... интригуя... Не верю.

— Спасибо, псрадовал, — кивнул Гесер. Уязвил я его или нет — непонятно. — Тогда что Светлана себе в голову вбила? Ты извини, Антон... — Гесер вдруг замялся и даже отвел глаза. Но закончил: — Вы ребеночка не ждете? Еще одного?

Я поперхнулся. Замотал головой:

— Нет... вроде как нет... нет, она бы сказала!

— Женщины иногда дуреют, когда ребенка ждут, — буркнул Гесер и снова принялся перебирать свои стекляшки. — Начинают всюду опасность видеть — ребенку, мужу, себе... Или, может, у нее сейчас... — Но тут великий маг совсем смутился и оборвал сам себя: — Ерунда... забудь. Съездил бы к жене в деревню, с девочкой поиграл, молочка попил парного...

— У меня же отпуск завтра кончается, — напомнил я. Ох что-то было неладно! — А я так понимаю, что работать предстоит уже сегодня?

Гесер вытаращился на меня:

— Антон! Какая еще работа? Светлана пятнадцать минут орала на меня! Будь она Темной — надо мной бы сейчас висело инферно! Все, работа отменяется. Я продлеваю тебе отпуск на неделю — и езжай ты к жене, в деревню!

У нас, в московском отделении, говорят: «Трех вещей не может сделать Светлый Иной: устроить свою

23

личную жизнь, добиться счастья и мира на всей Земле и получить отгул у Гесера».

Личной жизнью, если откровенно, я доволен. Теперь вот и неделю отпуска получил.

Возможно, мир и счастье для всей Земли уже на подходе?

— Ты не рад? — спросил Гесер.

— Рад, — признался я. Нет, перспектива под бдительным взглядом тещи пропалывать грядки меня не вдохновляла. Зато — Света и Надя. Надя, Наденька, Надюшка. Чудо мое двухлетнее. Человек, человечек... Потенциально — Иная великой силы. Такая Великая, что сам Гесер ей в подметки не годится... Я представил себе подошвы Надькиных сандаликов, к которым вместо подметок приколочен великий Светлый маг Гесер, и ухмыльнулся.

— Зайди в бухгалтерию, тебе премию выпишут... — продолжал Гесер, не подозревая, каким мысленным издевательствам я его подвергаю. — Формулировку сам придумай. Что-нибудь... за многолетний добросовестный труд...

— Гесер, что там за работа была? — спросил я.

Гесер замолчал и принялся буравить меня взглядом. Не добился результатов и сказал:

— Когда я все расскажу, ты позвонишь Светлане. Прямо отсюда. И спросишь — соглашаться тебе или нет. Хорошо? Про отпуск тоже скажешь.

— Что стряслось?

Вместо ответа Гесер открыл стол, достал и протянул мне черную кожаную папку. От папки ощутимо пахло магией — тяжелой, боевой.

— Открывай спокойно, на тебя допуск поставлен... — буркнул Гесер.

Я открыл папку — не допущенный Иной или человек превратились бы после этого в горстку пепла. В папке лежало письмо. Один-единственный конверт.

Адрес нашего офиса был аккуратно выклеен из газетных букв.

Обратного адреса, разумеется, не было.

— Буквы вырезаны из трех газет, — сказал Гесер. — «Правда», «Коммерсантъ» и «Аргументы и факты».

— Оригинально, — признался я. — Можно открыть?

— Открой, открой. Криминалисты уже все, что могли, с конвертом сделали. Отпечатков никаких, клей китайского производства в любом ларьке «Союзпечати» продается...

— А бумага — туалетная! — в полном восторге воскликнул я, доставая из конверта листок. — Она хоть чистая?

— К сожалению, — сказал Гесер. — Ни малейших следов органики. Обычный дешевый пипифакс. «Пятьдесят четыре метра» называется.

На листочке туалетной бумаги, небрежно вырванном по перфорации, текст был выклеен теми же разномастными буквами. Точнее — целыми словами, лишь окончания иногда подбирались отдельно, без всякого уважения к шрифту:

«НОЧНОму ДОЗОРу должно БЫТЬ ИНТЕРЕСНО, что ОДИН Иной РАСКРЫл одному человеку всю правду об ИНых и сейчас собирается сделать ЭТОГО ЧЕЛОВЕКа ИНЫМ. доброЖЕЛАТелЬ».

Я бы засмеялся. Но почему-то не хотелось. Вместо этого я проницательно заметил:

— Ночной Дозор — целыми словами написано... только окончания поменяли.

— Была такая статья в «Аргументах и фактах», — пояснил Гесер. — Про пожар на телебашне. Называлась «НОЧНОЙ ДОЗОР НА ОСТАНКИНСКОЙ БАШНЕ».

— Оригинально, — согласился я. От упоминания башни меня слегка передернуло. Не самое было веселое время... и не самые веселые приключения. Всю жизнь меня будет преследовать лицо Темного Иного, которого я в Сумраке сбросил с телебашни...

— Не кисни, Антон. Ты все делал правильно, — сказал Гесер. — Давай к делу.

— Давайте, Борис Игнатьевич, — старым «штатским» именем назвал я шефа. — Это что, всерьез?

Гесер пожал плечами:

— Магией от письма даже не пахнет. Либо его сочинял человек, либо способный Иной, умеющий подчищать свои следы. Если человек... значит, и впрямь существует утечка информации. Если Иной... то это совершенно безответственная провокация.

— Никаких следов? — еще раз уточнил я.

— Никаких. Единственная зацепка — почтовый штемпель. — Гесер поморщился. — Но тут очень сильно пахнет подставой...

— Письмо из Кремля, что ли, отправлено? — развеселился я.

— Почти. Ящик, куда опустили письмо, расположен на территории жилого комплекса «Ассоль».

Высоченные дома с красными крышами — такие, без сомнения, одобрил бы товарищ Сталин, я видел. Но только со стороны.

— Туда просто так не войдешь?

— Не войдешь, — кивнул Гесер. — Так что, отправляя письмо из «Ассоли», после всех ухищрений с бумагой, клеем и буквами, неизвестный либо совершил грубейший промах...

Я покачал головой.

— Либо наводит нас на ложный след... — Тут Гесер сделал паузу, бдительно наблюдая за моей реакцией.

Я подумал. И снова покачал головой:

— Очень наивно. Нет.

— Либо «доброжелатель», — последнее слово Гесер произнес с откровенным сарказмом, — и впрямь хочет дать нам зацепку.

— Зачем? — спросил я.

— Письмо же он зачем-то отправил, — напомнил Гесер. — Как ты понимаешь, Антон, не реагировать на это письмо мы не можем. Исходить будем из худшего — существует Иной-предатель, способный раскрыть человечеству тайну нашего существования.

— Да кто ему поверит?

— Человеку — не поверят. А вот Иной способен продемонстрировать свои умения.

Гесер был прав, разумеется. Но у меня не укладывалось в голове — кто и зачем может на такое пойти. Даже самый глупый и злобный Темный должен понимать, что начнется после открытия правды.

Новая охота на ведьм, вот что.

А на роль ведьм люди охотно назначат и Темных, и Светлых. Всех, в ком есть способности Иного...

Включая Свету. Включая Надюшку.

— Как можно «сделать этого человека Иным»? — спросил я. — Вампиризм?

— Вампиры, оборотни... — Гесер развел руками. — Все, пожалуй. Инициация возможна на самых грубых, примитивных уровнях Темной Силы, а расплачиваться придется утратой человеческой сущности. Инициировать человека в мага невозможно.

— Надюшка... — прошептал я. — Вы ведь переписывали Светлане Книгу Судьбы!

Гесер покачал головой:

— Нет, Антон. Твоей дочери было суждено родиться Великой. Мы лишь уточнили знак. Избавились от элемента случайности...

— Егор, — напомнил я. — Мальчик уже стал Темным Иным...

— А ему мы стерли знак инициации. Дали шанс выбрать заново, — кивнул Гесер. — Антон, все вмешательства, на какие мы способны, связаны лишь с выбором «Темный»—«Светлый». А вот выбирать «человек» или «Иной» нам не дано. Никому в этом мире не дано.

— Значит, речь о вампирах, — сказал я. — Скажем, среди Темных завелся очередной влюбленный вампир...

Гесер развел руками:

— Возможно. Тогда все более-менее просто. Темные проверят свою нечисть, они не меньше нашего заинтересованы... Да, кстати. Они тоже получили такое письмо. Совершенно аналогичное. И отправлено из «Ассоли».

— А Инквизиция не получила?

— Ты становишься все проницательнее и проницательнее, — усмехнулся Гесер. — И они тоже. По почте. Из «Ассоли».

Гесер явно на что-то намекал. Я подумал и сделал еще один проницательный вывод:

— Значит, расследование ведут и оба Дозора, и Инквизиция?

Во взгляде Гесера скользнуло разочарование.

— Получается, что так. В частном порядке, в случае необходимости, раскрыться перед людьми возможно.

Сам знаешь... — Он кивнул в сторону двери, куда вышли его посетители. — Но это в частном порядке. С наложением соответственных магических ограничений. Здесь ситуация куда хуже. Похоже, что кто-то из Иных собирается торговать инициациями.

Представив себе вампира, предлагающего свои услуги богатым новым русским, я улыбнулся. «А не хотите ли кровушки из народа попить по-настоящему, господин хороший?» Хотя... дело ведь не в крови. Даже самый слабый вампир или оборотень имеют Силу. Им не страшны болезни, они живут очень, очень долго. О физической силе тоже не стоит забывать — оборотень и Карелина поборет, и Тайсону морду набьет. Ну и тот самый «животный магнетизм», «зов», которым они обладают в полной мере. Любая женщина — твоя, только помани.

Конечно, в реальности и вампиры, и оборотни скованы множеством ограничений. Даже посильнее, чем маги, — их неуравновешенность того требует. Но разве новообращенный вампир это понимает?

— Чему улыбаешься? — спросил Гесер.

— Представил себе объявление в газете. «Превращу в вампира. Надежно, качественно, гарантия — сто лет. Цена договорная».

Гесер кивнул:

— Здравая мысль. Прикажу проверить газеты и сайты объявлений в Интернете.

Я посмотрел на Гесера, но так и не понял, шутит он или говорит всерьез.

— Мне кажется, что реальной опасности нет, — сказал я. — Скорее всего какой-то чокнутый вампир решил заработать. Показал богатому человеку несколько трюков и предложил... э... укус.

— Укуситься и забыться, — поддержал меня Гесер.
Ободренный, я продолжил:

— Кто-то... к примеру — жена этого человека узнала
об ужасном предложении! Пока муж колеблется, она ре-
шилась написать нам. В надежде, что мы устраним вампира и муж останется человеком. Отсюда и сочетание:
вырезанные из газеты буквы и почтовое отделение в «Ассоли». Крик о помощи! Она не может сказать нам прямо, но буквально умоляет — спасите моего мужа!

— Романтик, — неодобрительно сказал Гесер. — «Если
вам дорога жизнь и рассудок, держитесь подальше от
торфяных болот...» И — чик-чик буковки маникюрными
ножничками из свежей «Правды»... Адреса она тоже из
газет взяла?

— Адрес Инквизиции! — воскликнул я, прозревая.

— Вот теперь ты прав. Ты бы сумел отправить письмо в Инквизицию?

Я молчал. Я был поставлен на подобающее место. И
ведь Гесер в лоб мне сказал про письмо в Инквизицию!

— В нашем Дозоре их почтовый адрес знаю только я.
В Дневном Дозоре, полагаю, только Завулон. Что из этого получается, Городецкий?

— Письмо отправили вы. Или Завулон.
Гесер только фыркнул.

— А Инквизиция сильно напряглась? — спросил я.

— Напряглась — не то слово. Сама по себе попытка
торговли инициациями их не волнует. Обычное дело Дозоров — выявить нарушителя, наказать, закрыть канал
утечки. Тем более что и мы, и Темные одинаково воз-
мущены произошедшим... Но письмо в Инквизицию —
вопрос особый. Их же немного, сам понимаешь. Если
какая-то сторона нарушает Договор, Инквизиция встает
на другую сторону, тем и удерживая равновесие. Это всех

нас... дисциплинирует. Но, допустим, в недрах одного из Дозоров зреет план по достижению окончательной победы. Группа боевых магов, объединившись, способна в одну ночь перебить всех Инквизиторов — в том случае, конечно, если они все про Инквизицию знают. Кто в ней служит, где живет, где хранят документы...

— Письмо пришло в их главный офис? — уточнил я.

— Да. И судя по тому, что через шесть часов офис был пуст, а в здании случился пожар, — именно там Инквизиция хранила все свои архивы. Этого даже я не знал точно. В общем, отправив письмо Инквизиции, человек... или Иной... бросил им в лицо перчатку. Теперь Инквизиция будет за ним гоняться. Официальная версия — из-за нарушения секретности и попытки инициации человека. На самом деле — в страхе за собственную шкуру.

— Никогда не думал, что им свойственно бояться за себя, — сказал я.

Гесер кивнул:

— Еще как свойственно, Антон. Вот тебе информация к размышлению... почему в Инквизиции не бывает предателей? К ним приходят и Темные, и Светлые. Проходят свое обучение. А потом — Темные жестоко карают Темных, Светлые — Светлых, стоит им лишь нарушить Договор.

— Особый склад характера, — предположил я. — Таких Иных отбирают.

— И никогда не ошибаются? — скептически спросил Гесер. — Не бывает такого. Но в истории нет ни одного случая нарушения Договора Инквизитором...

— Видимо, слишком хорошо понимают итог нарушения Договора. Один Инквизитор, в Праге, сказал: «Нас держит ужас».

Гесер поморщился:

— Витеслав... любит он красивости... Ладно, этим голову не забивай. Ситуация проста — существует Иной, либо нарушающий Договор, либо издевающийся над Дозорами и Инквизицией. Инквизиция поведет свое расследование, Темные — свое. От нас тоже требуется сотрудник.

— Можно спросить? Почему именно я?

Гесер развел руками:

— Ряд причин. Первое — скорее всего в ходе расследования придется столкнуться с вампирами. А ты у нас специалист по низшим Темным.

Нет, вроде он не смеялся...

— Второе, — продолжал Гесер, на немецкий манер отгибая загнутые в кулак пальцы. — От Инквизиции официальными дознавателями назначены твои знакомые. Витеслав и Эдгар.

— Эдгар в Москве? — удивился я. Нельзя сказать, что Темный маг, перешедший три года назад в Инквизицию, был мне симпатичен. Но... но можно сказать, что он не был неприятен.

— В Москве. Четыре месяца назад закончил курс обучения и прилетел к нам. Поскольку по работе тебе придется контактировать с Инквизиторами, всякий личный контакт полезен.

— Контакт с ними был не слишком-то приятным, — напомнил я.

— А я тебе что, тайский массаж в рабочее время обещаю? — сварливо спросил Гесер. — Третья причина, почему я хотел бы направить на это задание именно тебя... — Он замолчал.

Я ждал.

— Расследование от Темных тоже ведет твой старый знакомый.

Имени Гесер мог уже и не называть. Но он продолжил:

— Константин. Молодой вампир... твой бывший сосед. Помнится, у вас были хорошие отношения.

— Да, конечно, — с горечью сказал я. — Пока он был ребенком, пил только свиную кровь и мечтал избавиться от «проклятия»... Пока не понял, что его приятель, Светлый маг, таких, как он, сжигает дотла.

— Это жизнь, — констатировал Гесер.

— Он ведь уже пил человеческую кровь, — сказал я. — Наверняка! Раз выслужился в Дневном Дозоре.

— Он стал Высшим вампиром, — произнес Гесер. — Самый молодой Высший вампир в Европе. Если переводить на наши мерки, то это...

— Второй-третий уровень Силы, — прошептал я. — Пять-шесть загубленных жизней.

Костя, Костя... Я тогда был молодой и неопытный Светлый маг. Никак не мог завести друзей в Дозоре, а со старыми знакомыми отношения стремительно рвались... не могут дружить Иные и люди... И вдруг оказалось, что мои соседи по подъезду — Темные Иные. Семья вампиров. Мама и папа вампиры, да и ребеночка инициировали. Правда, ничего дурного. Никаких ночных охот, никаких требований лицензий, законопослушно пили свиную и донорскую кровь. И меня, дурака, это расслабило. Я с ними подружился. Даже заходил к ним. Даже звал в гости! Они ели пищу, которую я готовил, и нахваливали... а я, дурак, не понимал, что человеческая еда для них безвкусна, что их терзает древний, вечный голод. Маленький вампиреныш даже решил, что станет биологом и откроет, как вылечиться от вампиризма...

Потом я впервые убил вампира.

Потом Костя пошел в Дневной Дозор. Не знаю, окончил ли он свой биофак, но от детских иллюзий точно избавился...

И стал получать лицензии на убийство. За три года подняться до уровня Высшего вампира? Это ему должны были помочь. Использовать все возможности Дневного Дозора, чтобы хороший парень Костя раз за разом получал право вонзить клыки в человеческую шею...

И я даже догадываюсь, кто ему помог.

— Как ты думаешь, Антон, — сказал Гесер, — кого в данной ситуации стоит назначить дознавателем с нашей стороны?

Я вынул из кармана телефон и набрал номер Светланы.

Глава 2

В нашем деле редко доводится работать под прикрытием.

Во-первых, надо полностью замаскировать свою природу Иного. Так, чтобы тебя не выдавала ни аура, ни потоки Силы, ни возмущения в Сумраке. И тут уж расклад прост — если ты маг пятого уровня, то тебя не обнаружат более слабые маги — шестого и седьмого уровня. Если ты маг первого уровня — то закрыт от второго уровня и ниже. Если ты маг вне категорий... что ж, тогда можно надеяться, что тебя не узнает никто.

Меня маскировал сам Гесер. Сразу после разговора со Светланой — разговора короткого, но тягостного. Мы не поругались, нет. Она просто *очень* расстроилась.

А во-вторых, тебе нужна легенда. Проще всего обеспечить легенду магическими методами — незнакомые люди с готовностью сочтут тебя братом, сватом или армейским другом, с которым вместе ходили в самоволку и пили бражку. Но любое магическое прикрытие оставит следы, заметные для более или менее сильного Иного.

Поэтому моя легенда ничего общего с магией не имела. Гесер вручил мне ключи от квартиры в «Ассоли» — сто пятьдесят метров на восьмом этаже. Квартира была оформлена на мое имя и куплена полгода назад. Когда я сделал большие глаза, Гесер пояснил, что документы выписаны сегодня утром, но задним числом. За большие деньги. И что квартиру позже придется вернуть.

Ключ от «BMW» я получил просто в довесок. Машина была не новой и не самой роскошной, но ведь и квартирка у меня маленькая.

Потом в кабинет пришел портной — грустный старенький еврей, Иной седьмого уровня. Он обмерил меня и пообещал, что к вечеру костюм будет готов и «этот мальчик станет похож на человека». Гесер с портным был предельно вежлив, сам открыл ему дверь, потом проводил в приемную, а прощаясь, робко спросил, как там его «пальтишко». Портной сказал, что волноваться не стоит и к холодам пальто, достойное Пресветлого Гесера, будет готово.

После этих слов я не особенно обрадовался разрешению оставить себе костюм насовсем. Видимо, настоящие, монументальные вещи портной за полдня не шил.

Галстуками меня обеспечил сам Гесер. И даже научил особо модному узлу. После чего выдал пачку ассигнаций, дал адрес магазина и велел купить себе все остальное соответствующего уровня — включая белье, носовые платки и носки. В качестве консультанта мне был предложен Игнат — наш маг, которого в Дневном Дозоре называли бы инкубом. Или суккубом — ему это почти безразлично.

Прогулка по бутикам, где Игнат чувствовал себя будто рыба в воде, меня развлекла. А вот посещение парикмахерской, точнее — «Салона красоты», вымотало до предела. Меня поочередно осматривали две женщины и парень, косивший под голубого, хотя он таковым и не являлся. Все долго вздыхали и высказывали в адрес моего парикмахера нелестные пожелания. Исполнись они — и парикмахеру было бы суждено остаток лет остригать шерсть с плешивых баранов. Причем почему-то в Таджикистане. Видимо, это было самым страшным парикмахерским проклятием... я даже решил после задания заглянуть в парикмахерскую второй категории, где стригся последний год, и проверить, не навесили ли мужику инферно.

Коллективный разум специалистов по красоте решил, что спасти меня может только стрижка под расческу. Как у мелкого бандита, обирающего торговцев на рынке. В утешение сказали, что лето обещают жаркое и с короткой стрижкой будет комфортно.

После стрижки, занявшей больше часа, меня подвергли маникюру и педикюру. Потом довольный Игнат отвез меня к стоматологу, который специальной насадкой снял с зубов камень и посоветовал повторять эту процедуру каждые полгода. Зубы после процедуры стали будто голые, даже языком неприятно касаться. Так что на двусмысленную реплику Игната: «Антон, да в тебя теперь влюбиться можно!» я не нашел достойного ответа, что-то невразумительно промычал и всю обратную дорогу в офис служил мишенью его незатейливого остроумия.

Костюм меня уже ждал. И портной, недовольно бурчащий, что шить без второй примерки — все равно что жениться по залету.

Не знаю. Если бы все браки по залету были так удачны, как этот костюм, то количество разводов сошло бы на нуль.

Гесер еще потолковал с портным о своем пальто. Они долго и жарко спорили о пуговицах, пока Пресветлый маг не капитулировал. А я стоял у окна, глядел на вечереющую улицу и помаргивающий огонек сигнализации на «своей» машине.

Не украли бы тачку... Магическую защиту, отпугивающую воришек, я навесить не могу. Она меня будет выдавать лучше, чем Штирлица из анекдота — волочащийся сзади парашют.

Ночевать мне сегодня предстояло в новой квартире. И при этом делать вид, что я в ней — не первый раз. Хорошо хоть, дома никто не ждет. Ни жена, ни дочка, ни кошечка-собачка... даже рыбок в аквариуме не завел. И правильно сделал...

— Ты понял свою задачу, Городецкий? — спросил Гесер. Пока я тосковал у окна, портной успел уйти. В новом костюме было на удивление уютно. Даже несмотря на короткую стрижку, я ощущал себя не потрошителем челноков, а кем-нибудь более серьезным. К примеру — сборщиком оброка с маленьких магазинов.

— Поселиться в «Ассоли». Общаться с соседями. Искать следы Иного-отступника и его потенциального клиента. При обнаружении — доложить. При встрече с прочими дознавателями вести себя корректно, обмениваться информацией, идти на сотрудничество.

Гесер встал рядом со мной у окна. Кивнул:

— Все так, Антон, все так... Только самое главное ты упустил.

— Да? — спросил я.

— Ты не должен придерживаться никаких версий. Даже самых вероятных... тем более — самых вероятных! Иной может быть вампиром или оборотнем... а может и не быть.

Я кивнул.

— Он может быть Темным, — сказал Гесер. — А может оказаться и Светлым.

Я ничего не сказал. Эта мысль тоже приходила мне в голову.

— И самое главное, — добавил Гесер. — «Собирается сделать этого человека Иным». Это может быть блеф.

— А может и не быть? — спросил я. — Гесер, так все-таки есть возможность превратить человека в Иного?

— Неужели ты думаешь, что я скрывал бы такое? — спросил Гесер. — Сколько разбитых судеб Иных... сколько прекрасных людей, обреченных прожить лишь свой короткий век... Никогда и ничего подобного не происходило. Но все когда-нибудь случается в первый раз.

— Тогда я буду считать, что это возможно, — сказал я.

— Никаких амулетов я тебе дать не могу, — посетовал Гесер. — Сам понимаешь. И от использования магии тебе лучше воздерживаться. Единственное, что допустимо, — смотреть сквозь Сумрак. Но если возникнет необходимость — мы придем быстро. Только позови.

Он помолчал и добавил:

— Я не жду никаких боевых столкновений. Но ты должен их ждать.

Никогда мне не приходилось парковаться в подземные гаражи. Хорошо хоть, машин было немного, бетонные пандусы заливал яркий свет, а охранник, сидящий за мониторами внутреннего наблюдения, любезно указал, где находятся боксы для моих машин.

Оказывается, предполагалось, что машин у меня как минимум две.

Припарковавшись, достав из багажника сумку с вещами и поставив машину на сигнализацию, я направился к выходу. И был встречен удивленным вопросом охранника — неужели лифты не работают? Пришлось морщить лоб, махать рукой и объяснять, что с год тут не появлялся.

Охранник поинтересовался корпусом и этажом, на котором я обитаю, после чего проводил к лифту.

В окружении хрома, зеркал и кондиционированного воздуха я вознесся на восьмой этаж. Даже обидно, что так низко живу. Нет, я не претендую на пентхауз, но все-таки...

На лестничной площадке — если этот скучный термин подходит к холлу площадью метров тридцать квадратных — я некоторое время бродил между дверями. Сказка неожиданно кончилась. Одной двери не оказалось вообще, за пустым проемом темнело гигантское пустое помещение — бетонные стены, бетонный пол, никаких внутренних перегородок. Едва слышно капала вода.

Выбирать между тремя уже установленными дверьми пришлось долго — номеров на них не оказалось. В конце концов я обнаружил на одной двери накарябанный чем-то острым номер, на другой — остатки надписи мелом. Похоже, моя дверь была третьей. Самой невзрачной из всех. С Гесера станется отрядить меня и в ту квартиру, где дверей не было вообще, но тогда вся легенда летела к чертям...

Я извлек связку ключей и довольно легко открыл дверь. Поискал выключатель, нашел целое стойбище тумблеров.

И принялся включать их поодиночке.

Когда квартира наполнилась светом, я закрыл дверь и задумчиво огляделся.

Нет, что-то в этом есть. Наверное.

Прежний владелец квартиры... ну ладно, ладно, по легенде это я и есть. Так вот, начиная ремонт, я, очевидно, был полон наполеоновских планов. Чем еще объяснить штучный художественный паркет, дубовые окна, кондиционеры «Дайкин» и прочие атрибуты очень хорошего жилья?

А далее, вероятно, у меня кончились деньги. Потому что огромная квартира-студия — никаких внутренних стен — была девственно пуста. В том углу, где предполагалась кухня, стояла покосившаяся газовая плита «Брест», на которой вполне могли разогревать манную кашку в дни моего младенчества. Прямо на ее конфорках, будто намекая — «не пользуйся!» — примостилась простенькая микроволновка. Впрочем, над ужасной плитой нависала роскошная вытяжка. Рядом жалобно ютились два табурета и низенький сервировочный столик.

Повинуясь привычке, я разулся и прошел в кухонный угол. Холодильника не было, мебели тоже, но на полу стоял большой картонный ящик, наполненный снедью — бутылки с минералкой и спиртным, консервы, супчики в пакетах, сухарики в коробках. Спасибо, Гесер. Вот только если бы еще кастрюлей озаботились...

Из «кухни» я двинулся к дверям ванной комнаты. Не выставлять унитазы и джакузи на всеобщее обозрение у меня, видимо, ума хватило...

Я открыл дверь и оглядел ванную. Ничего, метров десять — двенадцать. Симпатичный бирюзовый кафель. Футуристического вида душевая кабина — даже предположить страшно, сколько такая стоит и что в нее напихано.

А вот джакузи не было. Ванны вообще не было — только из угла торчали заглушенные водопроводные трубы. И еще...

Заметавшись по ванной, я убедился, что страшная догадка верна.

Унитаза здесь тоже не было!

Только забитая деревянным кляпом канализационная труба.

Ну спасибо, Гесер!

Стоп, без паники, в таких квартирах не делают один санузел. Должен быть еще один — гостевой, детский, для прислуги...

Я выскочил в студию и действительно обнаружил еще одну дверь в углу, у самого входа. Предчувствия меня не обманули — это был гостевой санузел. Ванна здесь и не предполагалась, душевая кабинка была попроще.

Вместо унитаза нашлась еще одна заглушенная труба. Беда.

Влип!

Нет, я понимаю, настоящие профессионалы не обращают внимания на такие мелочи. Если Джеймс Бонд и заходит в туалет, то только для того, чтобы подслушать чужой разговор или ухлопать затаившегося в смывном бачке злодея.

Но мне-то здесь жить!

Несколько секунд я был близок к тому, чтобы позвонить Гесеру и потребовать сантехника со всем необходимым оборудованием. А потом представил себе его реакцию.

Почему-то Гесер в моем воображение улыбался. Потом вздыхал и отдавал команду — после чего в «Ассоль» приезжал какой-нибудь самый главный сантехник Москвы и лично монтировал унитаз. А Гесер улыбался и качал головой.

Маги его уровня не ошибаются по мелочам. Их ошибки — это пылающие города, кровавые войны и импичменты президентов. Но никак не забытые бытовые удобства.

Если в моей квартире нет унитаза, значит, так и должно быть.

Я снова обследовал свое жизненное пространство. Нашел свернутый в рулон матрас и упаковку с постельным бельем веселенькой расцветки. Расстелил матрас, распаковал сумку со своими вещами. Переоделся в свои джинсы и футболку с оптимистической надписью про клиническую смерть — ну не ходить же в галстуке по квартире! Достал ноутбук... кстати, что мне, через мобильник в Интернет выходить?

Пришлось устроить в квартире еще один обыск. Подключение к сети нашлось в стене большой ванной комнаты, хорошо еще, со стороны студии. Я решил, что это неспроста, и заглянул в ванную. Так и есть — рядом с несуществующим унитазом была еще одна сетевая розетка.

Странные были у меня вкусы, когда я делал ремонт...

Сеть работала. Уже хорошо, но ведь я сюда не за тем приехал.

Чтобы хоть как-то разогнать давящую тишину, я открыл окна. В комнаты ворвался теплый вечер. За рекой светились окна домов — обычных, человеческих. И все та же тишина. Неудивительно, первый час ночи.

Я достал плеер. Порылся в дисках, выбрал «Белую гвардию» — группу, которая никогда не будет лидировать в хит-парадах MTV и собирать стадионы. Нацепил наушники и растянулся на матрасе.

> Когда закончится это сраженье
> И если ты доживешь до рассвета,
> Тебе станет ясно, что запах победы
> Такой же едкий, как дым пораженья.
> А ты один, средь остывшей сечи,
> И нет врагов у тебя отныне,
> Но небо давит тебе на плечи,
> И что же делать в этой пустыне?
> Но ты будешь ждать,
> Что принесет
> Время,
> Ты будешь ждать...

И мед покажется горше соли,
Слеза — полыни степной не слаще,
И я не знаю сильнее боли,
Чем быть живым среди многих спящих.
Но ты будешь ждать,
Что принесет
Время,
Ты будешь ждать...

Поймав себя на том, что пытаюсь немелодично подпевать тихому женскому голосу, я стянул наушники, выключил плеер. Нет. Я сюда не бездельничать приехал.

Что на моем месте предпринял бы Джеймс Бонд? Нашел таинственного Иного-предателя, его клиента-человека и автора подметного письма.

А что предприму я?

Буду искать то, что мне просто жизненно необходимо! В конце концов, внизу, у охраны, должны быть удобства...

Где-то за окном, казалось — совсем рядом, тяжело взвыла бас-гитара. Я вскочил, но в квартире никого не обнаружил.

— Здорово, братва! — разнеслось за окнами. Я перегнулся через подоконник, окинул взглядом стену «Ассоли». И обнаружил на два этаже выше открытые окна, из которых и доносились блатные аккорды в неожиданном переложении для бас-гитары.

Давно я не давил кишки наружу,
Давным-давно кишки наружу не давил,
И вот совсем недавно обнаружил,
Что я давно кишки наружу не давил.
А ведь бывало я как выдавлю наружу!
Никто из наших так наружу не давил!
И я тогда один за всех давил наружу,
За всех наружу я тогда один давил!

Невозможно было даже представить больший контраст, чем тихий голос Зои Ященко, солистки «Белой гвардии», и этот немыслимый шансон на бас-гитаре. Но песня почему-то мне нравилась. А певец, исполнив проигрыш на трех аккордах, стал сокрушаться дальше:

> Бывает, щас я иногда давлю наружу,
> Но это щас, совсем не как тогда.
> Совсем не так мне давится наружу,
> Давить, как раньше, я не буду никогда...

Я захохотал. Все атрибуты блатных песен присутствовали — лирический герой вспоминал дни былой славы, описывал свое нынешнее состояние и сокрушался, что былого великолепия ему уже не добиться.

И было у меня сильное подозрение, что если прокрутить эту песенку по «Радио Шансон», то девяносто процентов слушателей даже не заподозрят насмешки.

Гитара издала несколько вздохов. И тот же голос запел новую песню:

> Никогда в психушке не лечился,
> Ты меня не спрашивай о ней...

Музыка прервалась. Кто-то печально вздохнул и принялся перебирать струны.

Я больше не колебался. Порылся в картонной коробке, достал бутылку водки и батон копченой колбасы. Выскочил на площадку, захлопнул дверь и двинулся вверх по лестнице.

Найти квартиру полуночного барда оказалось не сложнее, чем обнаружить спрятанный в кустах отбойный молоток.

Включенный отбойный молоток.

Перестали птички петь,
Красно солнышко не светит,
У помойки во дворе
Не резвятся злые дети...

Я позвонил, совершенно не уверенный, что меня услышат. Но музыка прервалась, а через полминуты дверь открылась.

На пороге, добродушно улыбаясь, стоял невысокий коренастый мужчина лет тридцати. В руках он держал орудие преступления — бас-гитару. С каким-то мрачным удовлетворением я заметил, что он тоже стрижен «под бандита». На барде были заношенные джинсы и очень занятная футболка — десантник в русском обмундировании огромным ножом перерезал горло негру в американской форме. Ниже шла гордая надпись: «Мы можем напомнить, кто выиграл Вторую мировую войну!»

— Тоже ничего, — глядя на мою футболку, сказал гитарист. — Давай.

Забрав водку и колбасу, он двинулся в глубь своей квартиры.

Я посмотрел на него сквозь Сумрак.

Человек.

И такая перемешанная аура, что я с ходу отказался от попыток понять его характер. Серые, розовые, красные, синие тона... ничего себе коктейль.

Я двинулся за гитаристом.

Квартира у него оказалась раза в два больше моей. Ох не игрой на гитаре он на нее заработал... Впрочем, это не мое дело. Куда смешнее, что, кроме размера, квартира выглядела точной копией моей. Начальные следы великолепного ремонта, спешно свернутого, а отчасти и не доведенного до конца.

Посреди чудовищного жилого пространства — пятнадцать на пятнадцать метров, не меньше, стоял стул, перед ним — микрофон на штанге, хороший профессиональный усилитель и две чудовищные колонки.

А еще у стены стояли три огромных холодильника «Бош». Гитарист открыл самый большой — тот оказался абсолютно пустым, и поместил бутылку водки в морозилку. Пояснил:

— Теплая.

— Холодильником не обзавелся, — сказал я.

— Бывает, — согласился бард. — Лас.

— Чего «лас»? — не понял я.

— Зовут меня так. Лас. Не по паспорту.

— Антон, — представился я. — По паспорту.

— Бывает, — признал бард. — Издалека пришел?

— На восьмом живу, — объяснил я.

Лас задумчиво почесал затылок. Посмотрел на открытые окна, пояснил:

— Я открыл, чтобы не так громко было. А то уши не выдерживают. Собирался тут звукоизоляцию делать, но деньги кончились.

— Это, похоже, общая беда, — осторожно сказал я. — У меня даже унитаза нет.

Лас торжествующе улыбнулся:

— У меня есть. Уже неделю, как есть! Вон та дверь.

Вернувшись — Лас меланхолично нарезал колбасу, — я не удержался и спросил:

— А почему такой огромный и такой английский?

— Ты фирменную наклейку на нем видел? — спросил Лас. — «Мы придумали первый унитаз». Ну как его не купить, за такую надпись-то? Я все собираюсь наклейку отсканировать и чуть-чуть подправить. Написать: «Мы первыми догадались, зачем людям...»

— Понял, — сказал я. — Зато у меня установлена душевая кабина.

— Правда? — Бард поднялся. — Три дня помыться мечтаю...

Я протянул ему ключи.

— Ты пока закуску организуй, — радостно сказал Лас. — Все равно водке еще минут десять стыть. А я быстро.

Хлопнула дверь, и я остался в чужой квартире — наедине с включенным усилителем, нарезанной колбасой и огромными пустыми холодильниками.

Ну и дела!

Никогда не думал, что в таких домах могут существовать непринужденные отношения дружной коммунальной квартиры... или студенческого общежития.

Ты воспользуйся моим унитазом, а я помоюсь в твоей джакузи... А у Петра Петровича есть холодильник, а Иван Иванович обещал водки принести — он ею торгует, а Семен Семеныч закуску режет очень аккуратно, бережно...

Наверное, большинство здешних жильцов покупали квартиры «на века». На все деньги, что только сумели заработать, украсть и занять.

А только потом счастливые жильцы сообразили, что квартира подобных размеров нуждается еще и в ремонте. И что с человека, купившего здесь жилье, любая строительная фирма сдерет три шкуры. И что за огромный метраж, подземные гаражи, парк и набережные надо ежемесячно платить.

Вот и стоит огромный дом полупустым, едва ли не заброшенным.

Понятно, что это не трагедия — если у кого-то жемчуг мелок. Но первый раз я воочию убедился, что это по меньшей мере трагикомедия.

Сколько же всего человек реально живут в «Ассоли»? Если на ночной рев бас-гитары пришел только я один, а до этого странный бард совершенно спокойно шумел?

Один человек на этаж? Похоже, что и меньше...

Кто же тогда отправил письмо?

Я попробовал представить себе Ласа, маникюрными ножничками вырезающего буквы из газеты «Правда». Не получилось. Такой придумал бы что-нибудь позатейливее.

Я закрыл глаза. Представил, как серая тень от век ложится на зрачки. Потом открыл глаза и осмотрел квартиру сквозь Сумрак.

Ни малейших следов магии. Даже на гитаре — хотя хороший инструмент, побывавший в руках Иного или потенциального Иного, помнит его касание годами.

И синего мха, сумеречного паразита, жирующего на негативных эмоциях, тоже не наблюдается. Если хозяин квартиры и впадал в депрессии, то делал это вне дома. Или — очень искренне и открыто веселился, выжигая этим синий мох.

Тогда я сел и принялся дорезать колбасу. На всякий случай проверив сквозь Сумрак, стоит ли ее вообще есть.

Колбаса оказалась хорошей. Гесеру не хотелось, чтобы его агент слег с отравлением.

— Вот это правильная температура, — извлекая из открытой бутылки винный термометр, сказал Лас. — Не передержали. А то охладят водку до консистенции глицерина, пьешь, будто жидкий азот глотаешь... За знакомство!

Мы выпили и закусили колбасой с сухариками. Сухарики принес Лас из моей квартиры — объяснив, что едой он сегодня совсем не озаботился.

49

— Весь дом так живет, — пояснил он. — Нет, есть, конечно, и такие, кому денег и на ремонт хватило, и на обстановку. Только представь, что за удовольствие жить в пустом доме? Вот они и ждут, пока мелкая шантрапа вроде нас с тобой ремонт закончит и заселится. Кафе не работают, казино пустует, охрана со скуки бесится... вчера двоих выгнали — устроили тут во дворе стрельбу по кустам. Говорили, что увидели что-то ужасное. Ну... их сразу к врачам. Оказалось и впрямь — оба ужасно обкурились.

С этими словами Лас достал из кармана пачку «Беломора». Хитро посмотрел на меня:

— Будешь?

Не ожидал я, что человек, с таким вкусом разливавший водку, балуется марихуаной...

Я покачал головой, спросил:

— И много куришь?

— Уже вторая пачка сегодня, — вздохнул Лас. И тут до него дошло. — Ты чего, Антон! Это «Беломор»! Это не дурь! Я раньше «Житан» курил, а потом понял — ведь ничем не отличается от нашего «Беломора»!

— Оригинально, — сказал я.

— Да при чем тут это? — обиделся Лас. — Вовсе я не оригинальничаю. Вот стоит почему-то человеку стать иным...

Я вздрогнул, но Лас спокойно продолжал:

— ...не таким, как все, сразу говорят — оригинальничает. А мне нравится курить «Беломор». Через неделю надоест — брошу!

— Нет ничего плохого в том, чтобы быть Иным, — бросил я пробный шар.

— Стать по-настоящему иным — сложно, — ответил Лас. — Вот я пару дней назад подумал...

Я снова насторожился. Письмо отправили два дня назад. Неужели все так удачно сложилось?

— Был в одной больничке, пока приема ждал — все прейскуранты перечитал, — не подозревая западни, продолжал Лас. — А у них там все серьезно, делают титановые протезы взамен утраченных конечностей. Кости берцовые, суставы коленные и тазобедренные, челюсти... Заплатки на череп вместо потерянных костей, зубы, прочая мелочь... Я достал калькулятор и посчитал, сколько стоит полностью заменить себе все кости. Оказалось — один миллион семьсот тысяч баксов. Но я думаю, что на таком оптовом заказе можно получить хорошую скидку. Процентов двадцать — тридцать. А если убедить врачей, что это хорошая реклама, так и в полмиллиона можно уложиться!

— Зачем? — спросил я. Спасибо парикмахеру, волосы у меня дыбом не встали — нечему было вставать.

— Так интересно же! — объяснил Лас. — Представь, надо тебе забить гвоздь! Ты размахиваешься и бьешь кулаком по гвоздю! И он входит в бетон. Кости-то титановые! Или тебя пытаются ударить... Нет, конечно, имеется ряд недостатков. Да и с искусственными органами пока плохо. Но общее направление прогресса меня радует.

Он налил еще по рюмке.

— А мне кажется, что прогресс в другом направлении, — продолжил я гнуть свою линию. — Надо полнее использовать возможности организма. Ведь сколько удивительного в нас скрыто! Телекинез, телепатия...

Лас погрустнел. Я тоже так мрачнею, наталкиваясь на идиота.

— Ты мои мысли прочесть можешь? — спросил он.

— Сейчас — нет, — признался я.

— Я думаю, что не надо придумывать лишних сущностей, — объяснил Лас. — Все, что человек может, давно уже известно. Если бы люди могли читать мысли, левитировать и прочую ерунду творить — имелись бы тому свидетельства.

— Если человек вдруг овладеет такими способностями, то он будет таиться от окружающих, — сказал я и посмотрел на Ласа сквозь Сумрак. — Быть настоящим Иным — значит вызывать зависть и страх окружающих.

Ни малейшего волнения Лас не обнаружил. Только скептицизм.

— И что же, чудотворец не захочет любимой женщине и детишкам такие же способности обеспечить? Постепенно они бы нас вытеснили как биологический вид.

— А если особые способности не передаются по наследству? — спросил я. — Ну или не обязательно передаются. И другому их передать тоже нельзя? Тогда будут независимо существовать люди и Иные. Если этих Иных немного, то они будут таиться от окружающих...

— Сдается мне, что ты ведешь речь о случайной мутации, которая приводит к экстрасенсорным способностям, — рассудил Лас. — Но если эта мутация случайная и рецессивная, то никакого интереса для нас она не представляет. А вот титановые кости уже сейчас можно вмонтировать!

— Не надо, — буркнул я.

Мы выпили. Лас мечтательно произнес:

— Все-таки есть что-то в нашей ситуации! Огромный пустой дом! Сотни квартир — и в них живет девять человек... если вместе с тобой. Что тут можно творить! Дух захватывает! А какой фильм можно снять! Вот представь себе клип — роскошные интерьеры, пустые рестораны, мертвые прачечные, ржавеющие тренажеры и холодные сауны, пустые бассейны и затянутые пленкой столы в казино. И по всему этому великолепию бредет молоденькая девочка. Бредет и поет. Не важно даже что.

— Снимаешь клипы? — насторожился я.

— Да нет... — Лас поморщился. — Так... разок одной знакомой панковской группе помог клип снять. Его по MTV прокрутили, но потом запретили.

— А что там было ужасного?

— Ничего особенного, — сказал Лас. — Песня как песня, совершенно цензурная, даже про любовь. Видеоряд был странный. Мы его снимали в больнице для лиц с нарушениями двигательных функций. Поставили стробоскопы в зале, включили песню «Есаул, есаул, что ж ты бросил коня» и позвали больных — танцевать. Они и танцевали под стробоскоп. Как могли. А потом на эту картинку мы новый звуковой ряд положили. Очень стильно вышло. Но показывать это и впрямь нельзя. Нехорошо как-то.

Я представил себе «видеоряд» — и меня передернуло.

— Плохой из меня клипмейкер, — признался Лас. — Да и музыкант... Один раз мою песню по радио прокрутили, глубокой ночью, в передаче для всяких отморозков. Что ты думаешь? Тут же позвонил на радио известный композитор, сказал, что он всю жизнь своими песнями учил людей доброму и вечному, но эта, единственная песня, перечеркнула труд всей его жизни... Вот ты вроде одну песню услышал — она плохому учит?

— По-моему, она издевается, — сказал я. — Над плохим.

— Спасибо, — грустно сказал Лас. — Но ведь в чем беда — многие не поймут. Решат, что это всерьез.

— Так решат дураки, — попытался я утешить непризнанного барда.

— Так их-то больше! — воскликнул Лас. — А протезы головы пока несовершенны...

Он потянулся за бутылкой, разлил водку, сказал:

— Ты заходи, если снова понадобится, не смущайся. А потом я тебе ключ от одной квартиры на пятнадцатом этаже достану. Квартира пустая, но унитазы стоят.

— Хозяин против не будет? — усмехнулся я.

— Ему уже все равно. А наследники все никак поделить площадь не могут.

Глава 3

К себе я вернулся в четыре утра. Слегка пьяный, но на удивление расслабившийся. Все-таки настолько иные *люди* встречаются нечасто. Работа в Дозоре приучает к излишней прямолинейности. Этот не курит и не пьет, он хороший мальчик. А этот ругается матом, он плохой. И ничего не поделать, нас в первую очередь интересуют именно такие — хорошие как опора, плохие — как потенциальный источник Темных.

Но то, что люди бывают очень разными, мы как-то забываем...

Бард об Иных ничего не знал. В этом я был уверен. И если бы мне довелось вот так посидеть полночи с каждым обитателем «Ассоли» — я составил бы точное мнение о каждом.

Но подобных иллюзий я не строил. Не каждый предложит войти, не каждый станет разговаривать на отвлеченные темы. А ведь кроме десяти жильцов, есть еще сотни людей обслуживающего персонала — охранники, сантехники, рабочие, бухгалтеры. Мне не хватит никаких разумных сроков, чтобы проверить всех!

Умывшись в душевой кабине — в ней нашелся какой-то странный шланг, из которого можно было струйкой пускать воду, я вышел в свою единственную комнату. Надо поспать... а завтра с утра попытаться придумать новый план.

— Привет, Антон, — донеслось от окна.

Я узнал голос. И мне сразу стало тоскливо.

— Доброй ночи, Костя, — сказал я. Как-то неуместно прозвучало слово «доброй». Но пожелать вампиру злой ночи было бы еще глупее.

— Могу я зайти? — спросил Костя.

Я подошел к окну. Костя сидел на подоконнике спиной ко мне, свесив ноги вниз. Он был совершенно голый. Будто сразу демонстрировал — не по стене влез, а прилетел к окну огромной летучей мышью.

Высший вампир. В двадцать с небольшим лет.

Способный мальчик...

— Думаю, что нет, — сказал я.

Костя кивнул и не стал спорить:

— Как я понимаю, мы делаем одно дело?

— Да.

— Это хорошо. — Костя повернулся, белозубо улыбнулся. — Мне приятно с тобой работать. А ты и впрямь меня боишься?

— Нет.

— Я многому научился, — похвастался Костя. Совершенно как в детстве, когда заявлял: «Я страшный вампир! Я научусь оборачиваться нетопырем! Я научусь летать!»

— Ты не научился, — поправил я его. — Ты многое украл.

Костя поморщился:

— Слова. Обычная светлая игра словами. Вы позволили — я взял. Какие претензии?

— Будем пикироваться дальше? — спросил я. И поднял руку, складывая пальцы в знаке Атон, отрицании не-живого. Давно собирался проверить, работают ли древние североафриканские заклятия на современную российскую нечисть.

Костя с опаской посмотрел на незавершенный знак. То ли знал о таком, то ли повеяло Силой. Спросил:

— А тебе разрешено демаскироваться?

Я с досадой опустил руку.

— Нет. Но я могу и рискнуть.

— Не надо. Скажешь — сам уйду. Но сейчас мы делаем одно дело... надо поговорить.

— Говори, — подтаскивая к окну табуретку, сказал я.

— Значит, не впустишь?

— Не хочу оказаться ночью наедине с голым мужиком, — усмехнулся я. — Мало ли чего подумают. Излагай.

— Как тебе собиратель футболок?

Я вопросительно посмотрел на Костю.

— Тот, с десятого этажа. Он футболки с забавными надписями собирает.

— Он не в курсе, — сказал я.

Костя кивнул:

— Тоже так считаю. Тут заселены восемь квартир. Еще в шести жильцы появляются время от времени. В остальных — очень редко. Я уже проверил всех постоянных жильцов.

— Ну и?..

— Пусто. Они ничего не знают о нас.

Я не стал уточнять, откуда у Кости такая уверенность. В конце концов, он Высший вампир. Такие способны входить в чужой разум с легкостью опытного мага.

— Остальными шестью займусь с утра, — сказал Костя. — Но особых надежд у меня нет.

— А предположения имеются? — спросил я.

Костя пожал плечами:

— Любой здесь живущий имеет достаточно денег и влияния, чтобы заинтересовать вампира или оборотня.

Слабенького, жадного... из новообращенных. Так что круг подозреваемых не ограничен.

— Сколько сейчас в Москве новообращенных низших Темных? — спросил я. И сам поразился тому, как легко у меня прозвучало «низших Темных».

Раньше я никогда их так не называл.

Жалел.

Костя на мою фразу отреагировал спокойно. И впрямь — Высший вампир. Сдержанный, уверенный в себе.

— Немного, — уклончиво сказал он. — Их проверяют, не беспокойся. Всех проверяют. И низших Иных, и даже магов.

— Завулон разволновался? — спросил я.

— Гесер тоже не образец спокойствия, — усмехнулся Костя. — Всем неприятно. Ты один легко относишься к ситуации.

— Не вижу особой беды, — сказал я. — Есть люди, знающие о нашем существовании. Их мало, но они есть. Еще один человек ситуации не меняет. Поднимет шум — мы его быстро локализуем и выставим психически больным. Такое уже...

— А если он станет Иным? — резко спросил Костя.

— Будет одним Иным больше. — Я пожал плечами.

— Если он станет не вампиром, не оборотнем, а настоящим Иным? — Костя оскалился в улыбке. — Настоящим? Светлым, Темным... не важно.

— Будет одним магом больше, — снова сказал я.

Костя покачал головой:

— Слушай, Антон. Я к тебе хорошо отношусь. До сих пор. Но иногда поражаюсь — какой же ты наивный...

Он потянулся — его руки стремительно обрастали короткой шерсткой, кожа темнела и грубела.

— Займись прислугой, — сказал Костя тонким, пронзительным голосом. — Что-то почуешь — звони.

Повернув ко мне искаженное трансформацией лицо, он снова улыбнулся:

— Знаешь, Антон, только с таким наивным Светлым и мог подружиться Темный...

Он прыгнул вниз, тяжело хлопнули кожистые крылья. Немного неуклюже, но все-таки быстро огромная летучая мышь полетела в ночь.

На подоконнике остался белый прямоугольник визитной карточки. Я поднял его, прочитал:

«Константин. Научно-исследовательский институт проблем крови, младший научный сотрудник».

Дальше шли телефоны — рабочий, домашний, мобильный. Домашний я даже помнил — Костя все еще жил с родителями. У вампиров семейные узы вообще крепки.

Что он имел в виду?

Откуда такая паника?

Я выключил свет, лег на матрас, посмотрел на сереющие квадраты окон.

«Если он станет настоящим Иным...»

Как появляются на свет Иные? Никто не знает. «Случайная мутация», как выразился Лас, вполне адекватный термин. Ты родился человеком, ты жил обычной жизнью... пока кто-то из Иных не почувствовал в тебе способность входить в Сумрак и качать оттуда Силу. После этого тебя «повели». Бережно, осторожно подводя к нужному состоянии духа — чтобы в момент сильного эмоционального волнения ты посмотрел на свою тень — и увидел ее по-другому. Увидел, что она лежит будто черная тряпица, будто завеса — которую можно потянуть на себя, отдернуть и войти в иной мир.

В мир Иных.

В Сумрак.

И оттого, каким ты впервые окажешься в Сумраке — радостным и добрым или несчастным и злым, — зависит, кем ты станешь. Какую Силу ты в дальнейшем будешь выкачивать из Сумрака... Сумрака, пьющего Силу из обычных людей.

«Если он станет настоящим Иным...»

Всегда есть возможность принудительной инициации. Но только через утрату жизни, через превращение в бодренький ходячий труп. Человек может стать вампиром или оборотнем — и будет вынужден поддерживать свое существование человеческими жизнями. Так что это путь для Темных... да и те не особо его любят.

А если и впрямь возможно стать магом?

Если существует способ любому человеку превратиться в Иного? Обрести долгую, очень долгую жизнь, необычайные возможности? Многие захотят, без сомнения.

Да и мы будем не против. Сколько на свете живет прекрасных людей, достойных стать Светлыми Иными!

Вот только и Темные начнут наращивать свои ряды...

Меня вдруг озарило. Беда не в том, что кто-то раскрыл человеку наши тайны. Беда не в возможности утечки информации. Беда не в том, что предатель знает адрес Инквизиции.

Это же новый виток вечной войны!

Уже столетия Светлые и Темные скованы Договором. Мы вправе искать среди людей Иных, вправе даже подталкивать их к нужной стороне... к той, которую считаем правильной. Но мы вынуждены просеивать тонны песка в поисках золотых песчинок. Равновесие сохраняется.

И вдруг — возможность разом превратить тысячи, миллионы людей в Иных!

Футбольная команда выигрывает кубок — и по десяткам тысяч ликующих людей проходит магический удар, превращая их в Светлых Иных.

А рядом Дневной Дозор отдает приказ болельщикам проигравшей команды — и те превращаются в Темных Иных.

Вот что имел в виду Костя. Огромное искушение разом изменить баланс сил в свою сторону. Конечно, и Темные, и мы понимаем последствия. Конечно, обе стороны заключат новые уточнения к Договору и ограничат инициацию людей какими-то приемлемыми рамками. Сумели же США и СССР ограничить гонку ядерных вооружений...

Я закрыл глаза и покачал головой. Как-то Семен рассказал мне, что гонку вооружений остановило создание абсолютного оружия. Двух — а больше и не надо — термоядерных зарядов, вызывающих самоподдерживающуюся реакцию ядерного синтеза. Американский заложен в Техасе, российский — в Сибири. Достаточно подорвать хотя бы один — и вся планета превратится в огненный шар.

Другое дело, что нас такой расклад не устраивает. И поэтому оружие, которое никогда не должно быть использовано, никогда не сработает. Президентам про это знать не обязательно, они всего лишь люди...

Возможно, что и у руководства Дозоров есть подобные «магические бомбы»? Потому Инквизиция, допущенная к тайне, так яростно следит за соблюдением Договора?

Может быть.

Но все равно лучше бы обыкновенных людей нельзя было инициировать...

Даже в полусне я болезненно скривился от собственной мысли. Это что же, значит, я стал думать, как полноценный Иной? Есть Иные, а есть люди — они второго сорта. Им никогда не войти в Сумрак, они не проживут больше сотни лет. Ничего не поделаешь...

Да, я стал думать именно так. Найти хорошего человека с задатками Иного, привлечь его на свою сторону — это радость. Но делать Иными всех подряд — мальчишество, опасная и безответственная блажь.

Есть повод для гордости. Мне не потребовалось и десятка лет, чтобы окончательно перестать быть человеком.

Утро для меня началось с постижения тайн душевой кабины. Разум победил бездушное железо, я вымылся, и даже под музыку, а потом соорудил себе завтрак из сухариков, колбасы и йогурта. При свете солнца у меня поднялось настроение, я уселся на подоконник и позавтракал с видом на Москву-реку. Почему-то вспомнилось, как Костя признался, что вампиры не могут смотреть на солнце. Солнечный свет их вовсе не обжигает, но становится неприятным.

Но вдаваться в печальные размышления о судьбе моих старых знакомых не было времени. Надо было искать... кого? Иного-предателя? Для этого у меня не самая лучшая позиция. Его клиента-человека? Долгое и муторное дело.

Хорошо, решил я. Будем действовать по строгим законам классического детектива. Что у нас есть? А есть у нас улика. Письмо, отправленное из «Ассоли». Что это нам дает? Ничего не дает. Разве что кто-нибудь видел, как три дня назад отправляли письмо. Мало шансов, что вспомнят, конечно...

Какой же я дурак! Я даже хлопнул себя по лбу. Разумеется, Иному забыть о современной технике не зазорно, не любят Иные сложную технику. Но я-то железячник!

Территория «Ассоли» вся контролируется видеокамерами!

Я надел костюм и повязал галстук. Брызнулся одеколоном, который мне вчера выбрал Игнат. Опустил телефон во внутренний карман... «мобильники на поясе носят мальчишки и продавцы!», как поучал меня вчера Гесер.

Мобильник тоже был новый, непривычный. В нем были какие-то игры, встроенный плеер, диктофон и прочая совершенно ненужная в телефоне ерунда.

В прохладной тишине новенького «Отиса» я спустился в вестибюль. И сразу же увидел своего ночного знакомца — вот только выглядел он более чем странно...

Лас, одетый в новенький синий комбинезон с гордой надписью «Ассоль» на спине, что-то объяснял смущенному пожилому мужчине в таком же комбинезоне. До меня донеслось:

— Это тебе не метла, понимаешь? Там стоит компьютер, он показывает уровень загрязнения асфальта и давление моющего раствора... Сейчас покажу...

Ноги сами понесли меня вслед за ними.

Во дворе, перед входом в подъезд, стояли две яркооранжевые уборочные машины — с бачком воды, круглыми щетками, маленькой стеклянной кабиной водителя. Было в машинках что-то игрушечное, будто приехали они прямиком из Солнечного Города, где веселые малыши и малышки радостно чистят свои миниатюрные проспекты.

Лас ловко забрался в кабину одной из машин, следом наполовину всунулся пожилой мужчина. Что-то выслушал, кивнул и пошел ко второму оранжевому агрегату.

— А будешь лениться — так и проходишь всю жизнь в младших дворниках! — донеслись до меня слова Ласа. Его машина тронулась, бодро завертела щетками и принялась кружить по асфальту. И без того чистый двор на глазах приобретал стерильный вид.

Вот это да!

Он что, дворником в «Ассоли» работает?

Я попытался тихонько уйти назад, чтобы не смущать человека. Но Лас меня уже заметил и, радостно махая рукой, подъехал ближе. Щетки принялись работать тише.

— С добрым утречком! — крикнул Лас, высовываясь из кабины. — Хочешь прокатиться?

— Так ты здесь работаешь? — спросил я. У меня вдруг стали вырисовываться в сознании самые фантастические картины — вроде того, что Лас вовсе не живет в «Ассоли», а просто занял на время пустую квартиру. Ну не будет же обитатель таких хором чистить двор!

— Подрабатываю, — спокойно пояснил Лас. — Знаешь, очень клево! Часок утром поездишь по двору — вместо зарядки, а тебе еще и зарплату платят. Между прочим, неплохую!

Я безмолвствовал.

— Ты на аттракционах в парке любишь кататься? — поинтересовался Лас. — На всех этих багги, где за три минуты десять долларов надо платить? А тут деньги платят тебе. За твое же собственное удовольствие. Или, допустим, компьютерные игры... сидишь, дергаешь джойстик...

— Все зависит от того, заставляют ли тебя красить забор... — пробормотал я.

— Верно! — обрадовался Лас. — Вот меня — не заставляют. Мне двор убрать — в радость, как Льву Толстому сено покосить. Только за мной перемывать не надо —

в отличие от графа, за которым крестьяне докашивали... я тут вообще на хорошем счету, регулярно премию получаю. Так что, кататься будешь? Я тебя и пристроить могу, если что. Профессиональные дворники никак не могут с этой техникой разобраться.

— Подумаю, — сказал я, разглядывая бодро крутящиеся щетки, брызгающую из никелированных сопел воду, сверкающую кабину. Кто из нас в детстве не хотел стать водителем поливальной машины? В раннем детстве, когда еще не мечтают о работе банкира или киллера...

— Ну смотри, а то мне работать надо, — дружелюбно сказал Лас. И машинка поехала по двору, сметая, смывая и всасывая грязь. Из кабины донеслось:

> Поколение дворников и сторожей
> Потеряло друг друга в просторах бесконечной зимы...
> Все разошлись по домам.
> В наше время, когда каждый третий — герой,
> Они не пишут статей,
> Они не шлют телеграмм...

В некотором остолбенении я вернулся в вестибюль. Узнал у охраны, где располагается собственное почтовое отделение «Ассоли». Отправился туда — почта работала. В уютном зале скучали три девочки-сотрудницы, стоял там и тот самый почтовый ящик, в который опустили письмо.

Под потолком поблескивали глазки видеокамер.

Все-таки не помешали бы нам профессионалы-следователи. Им бы сразу пришла эта мысль.

Я купил открытку — цыпленок, прыгающий в лотке инкубатора, и готовая надпись: «Скучаю по семье!» Не очень-то весело, но я все равно не помнил почтовый адрес деревни, где отдыхала моя семья. Так что открытку, злорадно улыбаясь, я отправил домой Гесеру — его адрес мне был известен.

Поболтав немножко с девчонками — работа в таком элитном доме и без того обязывала их быть вежливыми, но ко всему они еще и скучали, — я вышел из почтового отделения.

И пошел в отделение охраны на первом этаже.

Имей я право воспользоваться способностями Иного, я бы просто внушил охране симпатию к себе и получил доступ ко всем видеозаписям. Но демаскироваться я не мог. И потому решил воспользоваться самым универсальным источником симпатии — деньгами.

Из выданных мне денег я набрал рублями сотню долларов — ну куда уж больше, верно? Зашел в дежурку — там скучал молодой парень в строгой форме.

— День добрый! — приветствовал я его, лучезарно улыбаясь.

Всем своим видом охранник изобразил полную солидарность с моим мнением о сегодняшнем дне. Я покосился на мониторы перед ним — туда шло изображение не менее чем с десятка телекамер. И наверняка он может вызвать повтор любого момента. Если изображение пишется на винчестер (а куда же еще?), то запись трехдневной давности могли еще не перевести в архив.

— У меня проблема, — сообщил я. — Мне вчера пришло забавное письмо... — я подмигнул, — от какой-то девицы. Она здесь и живет, как я понимаю.

— Письмо с угрозами? — насторожился охранник.

— Нет-нет! — запротестовал я. — Наоборот... Но таинственная незнакомка пытается сохранить инкогнито. Можно было бы посмотреть, кто три дня назад отправлял с почты письма?

Охранник задумался.

И тут я все испортил. Положил деньги на столик и сказал с улыбкой:

— Я был бы вам очень благодарен...

Парень сразу окаменел. Кажется, что-то нажал ногой.

И через десять секунд двое его коллег, очень вежливых, что смешно выглядело при их габаритах, настоятельно предложили мне пройти к начальству.

Все-таки есть разница, и серьезная, между общением с государственными чиновниками и частной охранной фирмой...

Интересно было проверить, поведут ли меня к начальству силой. Все-таки это не милиция. Но я предпочел не накалять обстановку и подчинился конвою в штатском.

Начальник охраны, человек уже в летах и явно вышедший из органов, смотрел на меня с укоризной.

— Что же вы, господин Городецкий... — крутя в пальцах мою карточку-пропуск на территорию «Ассоли», сказал он. — Словно в госконторе себя ведете, уж простите за выражение...

У меня возникло ощущение, что ему очень хочется сломать мой пропуск, вызвать охрану и велеть выгнать меня за элитную территорию.

Очень хотелось извиниться и сказать, что я больше не буду. Тем более что мне на самом деле было стыдно.

Вот только это было желание Светлого мага Антона Городецкого, а не владельца небольшой фирмы по торговле молочными продуктами господина А. Городецкого.

— Что, собственно говоря, произошло? — спросил я. — Если моя просьба невыполнима, так бы и сказали.

— А зачем деньги? — спросил начальник охраны.

— Какие деньги? — удивился я. — А... ваш сотрудник решил, что я ему предлагаю деньги?

Начальник охраны улыбнулся.

— Ни в коем случае! — твердо сказал я. — Полез в карман за носовым платком. Аллергия меня сегодня одолела. А в кармане всякая мелочь валялась, вот и выложил... но даже высморкаться не успел.

Кажется, я переборщил.

Начальник с каменным лицом протянул мне карточку и очень вежливо сказал:

— Инцидент исчерпан. Как вы понимаете, господин Городецкий, просмотр рабочих записей частными лицами запрещен.

Я почувствовал, что больше всего начальника задела фраза про «всякую мелочь». Они тут, конечно, не бедствовали. Но и настолько, чтобы сотню долларов называть мелочью, в деньгах не купались.

Вздохнув, я опустил голову.

— Простите дурака. Я и впрямь пытался предложить... вознаграждение. Всю неделю по инстанциям бегал, фирму перерегистрировал... уже и рефлекс выработался.

Начальник пытливо смотрел на меня. Вроде бы чуть смягчившись.

— Виноват, — признал я. — Но очень уж любопытство одолело. Верите, полночи не спал, все гадал...

— Вижу, что не спали, — глядя на меня, сказал начальник. И не выдержал — все-таки любопытство в человеке неистребимо. — А что вас так заинтересовало?

— Жена с дочуркой у меня сейчас на даче, — сказал я. — Я тут мотаюсь, пытаюсь ремонт закончить... и вдруг получаю письмо. Анонимное. Женским почерком написанное. А в письме... ну, как сказать... килограмм кокетства и полкило обещаний. Мол, прекрасная незнакомка мечтает с вами познакомиться, но не рискует сделать первый шаг. Если я внимателен и понял, от кого письмо, — так мне надо только подойти...

В глазах начальника загорелся бодрый огонек.

— А жена на даче? — сказал он.

— На даче, — кивнул я. — Вы не подумайте... никаких далекоидущих планов. Просто хочется узнать, кто эта незнакомка.

— Письмо у вас с собой? — спросил начальник.

— Я его сразу выбросил, — признался я. — А то попадет жене на глаза, и доказывай потом, что ничегошеньки не было...

— Когда было отправлено?

— Три дня назад. Из нашего почтового отделения.

Начальник думал.

— Выемка писем там один раз в день, вечером, — сказал я. — Не думаю, что туда много народа заходит... всего-то человек пять-шесть в день. Если бы глянуть...

Начальник покачал головой. Улыбнулся.

— Да я понимаю, что не положено... — сказал я печально. — Ну вы хоть сами гляньте, а? Может, там и не было ни одной женщины, может, сосед шутит. Он такой... веселый человек.

— С десятого этажа, что ли? — поморщился начальник.

Я кивнул:

— Вы гляньте... просто скажите, была там женщина или нет...

— Это письмо вас компрометирует, верно? — сказал начальник.

— В какой-то мере, — признал я. — Перед женой.

— Что ж, тогда у вас есть основания посмотреть запись, — решил начальник.

— Большое спасибо! — воскликнул я. — Огромное вам спасибо!

— Видите, как все просто? — медленно нажимая кнопки на клавиатуре, сказал начальник. — А вы — деньги... ну что за советские привычки... сейчас...

Я не удержался, поднялся и встал у него за плечом. Начальник не возражал. Он испытывал азарт — видимо, на территории «Ассоли» для него было немного работы.

На экране появилось изображение почтового отделения. Вначале из одного угла — можно было прекрасно видеть, что делают сотрудницы. Потом из другого — на вход и почтовый ящик.

— Понедельник. Восемь утра, — торжественно сказал начальник. — А что дальше? Смотреть на экран двенадцать часов?

— Ох, и впрямь... — фальшиво огорчился я. — Не подумал.

— Нажимаем кнопку... нет, вот эту... И что мы имеем? Изображение стало мелко подрагивать.

— Что? — спросил я, будто не проектировал аналогичную систему для нашего офиса.

— Поиск движения! — торжественно воскликнул начальник.

Первый улов был в девять тридцать утра. На почту прошел какой-то рабочий восточного вида. И отправил целую стопу писем.

— Не ваша незнакомка? — съязвил начальник. И пояснил: — Это строители второго корпуса. Вечно письма в Ташкент шлют...

Я покивал.

Второй посетитель был в час с четвертью. Незнакомый мне, но очень солидный господин. Сзади шел охранник.

Господин писем не отправлял. Вообще не понимаю, зачем он зашел — то ли девушек разглядывал, то ли территорию «Ассоли» изучал.

А вот третьим был... Лас!

— О! — воскликнул начальник. — Это ведь и есть ваш шутник-сосед? Который по ночам песенки поет?

Плохой из меня сыщик...

— Он... — прошептал я. — Неужели...

— Ладно, смотрим дальше, — сжалился начальник.

Дальше, после двухчасового перерыва, народ пошел валом.

Еще трое жильцов отправили какие-то конверты. Все мужчины, все очень серьезной наружности.

И одна женщина. Лет семидесяти. Перед самым закрытием. Толстая, в пышном платье и с огромными безвкусными бусами. Жиденькие седые волосы были завиты кудряшками.

— Неужели она? — восхитился начальник. Встал, похлопал меня по плечу: — Ну что, имеет смысл искать таинственную кокетку?

— Все ясно, — сказал я. — Розыгрыш!

— Ничего, розыгрыш — не проигрыш, — скаламбурил начальник. — А вам на будущее просьба... никогда не делайте таких двусмысленных поступков. Не доставайте денег, если не собираетесь кому-то платить.

Я понурил голову.

— Сами же развращаем людей, — с горечью сказал начальник. — Понимаете? Сами! Раз предложил, два предложил... на третий раз с тебя требуют. А мы жалуемся — с чего это вдруг да откуда взялось... Вы же хороший, светлый человек!

Я удивленно уставился на начальника.

71

— Хороший, хороший, — сказал начальник. — Я своему чутью верю. Я за двадцать лет в угрозыске всяких повидал... Не делайте так больше, ладно? Не плодите зла вокруг.

Давно уже мне не было так стыдно.

Светлого мага учили не делать зла!

— Постараюсь, — сказал я. Виновато посмотрел начальнику в глаза. — Спасибо вам большое за помощь...

Начальник не ответил. Глаза у него стали стеклянные, чистые и бессмысленные, как у младенца. Рот приоткрылся. Пальцы на подлокотниках кресла сжались, побелели.

Заморозка. Несложное заклинание, очень ходовое.

А за моей спиной, у окна, кто-то стоял. Я его не видел — чувствовал спиной...

Я дернулся в сторону, быстро, как только смог. Но еще успел почувствовать ледяное дыхание Силы, нацеленное в меня. Нет, это не заморозка. Это что-то аналогичное из арсенала вампирских штучек.

Сила скользнула по мне — и ушла в несчастного охранника. Сработанная Гесером защита не просто маскировала, но еще и защищала!

Ударившись плечом в стену, я выбросил вперед руки, но в последнюю секунду все же сдержался и не нанес удара. Моргнул — и поднял на глаза тень своих век.

У окна, скалясь от напряжения, стоял вампир. Высокий, с мордой породистого европейца. Высший вампир, без всяких сомнений. И не такой скороспелый, как Костя. Ему было лет триста по меньшей мере. И силой он, без сомнений, превосходил меня.

Но не Гесера! Моей сущности Иного вампир не видел. И сейчас все те подавленные инстинкты нежити, которые Высшие вампиры умеют держать в узде, рвались наружу. Уж не знаю, за кого он меня принял — за како-го-то особенного человека, способного потягаться с вампирами в реакции, за мифического «полукровку» — ребенка от человеческой женщины и мужчины-вампира, за не менее выдуманного «ведьмака», охотника на низших Иных. Но вампир явно был готов слететь с катушек и начать крушить все вокруг. Его лицо потекло, как пластилин, вылепляя лобастую звериную морду, из верхней челюсти выдвинулись клыки, из пальцев — бритвенно-острые когти.

Ополоумевший вампир — это страшно.

Хуже него только уравновешенный вампир.

От поединка с сомнительным исходом меня спасли рефлексы. Я удержался и не нанес удара, я выкрикнул традиционную формулу ареста:

— Ночной Дозор! Выйти из Сумрака!

И тут же от дверей раздался голос:

— Стой, это же наш!

Удивительно, как быстро вампир пришел в норму. Когти и клыки втянулись, лицо заколебалось, будто студень, принимая все тот же сдержанный, породистый вид преуспевающего европейца. И я этого европейца хорошо помнил — по славному городу Праге, где варят лучшее в мире пиво и сохранили лучшую в мире готику.

— Витезслав? — воскликнул я. — Что вы себе позволяете?

А у дверей, разумеется, стоял Эдгар. Темный маг, который после недолгой работы в московском Дневном Дозоре ушел в Инквизицию.

— Антон, прошу прощения! — Хладнокровный прибалт и впрямь был смущен. — Небольшая ошибка. Рабочий момент...

Витезслав был сама любезность.

— Наши извинения, дозорный. Мы вас не опознали...

Его взгляд цепко пробежался по мне, и в голосе появилось восхищение.

— Какая маскировка... Поздравляю, дозорный. Если это ваша работа, то я склоняю голову.

Объяснять, кто мне ставил защиту, я не стал. Редко удается Светлому магу (впрочем, и Темному тоже, что греха таить) всласть наорать на Инквизиторов.

— Что вы сделали с человеком? — рявкнул я. — Он под моей защитой!

— Рабочий момент, как уже сказал мой коллега, — пожимая плечами, ответил Витезслав. — Нас интересуют данные с видеокамер.

Эдгар, небрежно отодвинув кресло с застывшим начальником охраны, подошел ко мне. Улыбнулся:

— Городецкий, все в порядке. Одно дело делаем, верно?

— У вас есть разрешение на подобные... рабочие моменты? — спросил я.

— У нас есть очень много разрешений, — холодно отчеканил Витезслав. — Вы даже не представляете, как много.

Все, опомнился. И пошел на конфликт. Еще бы — он едва не дал волю инстинктам, утратил самоконтроль, что для Высшего вампира — непозволительный позор. И в голосе Витезслава появилась настоящая, спокойная ярость:

— Хотите проверить, дозорный?

Конечно, Инквизитор не может позволить на себя орать. Вот только и мне теперь отступать нельзя!

Положение спас Эдгар. Поднял руки и очень эмоционально воскликнул:

— Моя вина! Я должен был узнать господина Городецкого! Витезслав, это моя персональная недоработка! Простите!

Я первым протянул вампиру руку.

— И впрямь — одно дело делаем. Я не ожидал вас здесь увидеть.

Вот тут я попал в точку. Витезслав на миг отвел глаза. И очень дружелюбно улыбнулся, пожимая мою руку. Ладонь вампира была теплой... и я понимал, что это значит.

— Коллега Витезслав прямо с самолета, — сказал Эдгар.

— И не успел еще встать на временный учет? — уточнил я.

Каким бы могучим Витезслав ни был, какую бы должность в Инквизиции не занимал, но он оставался вампиром. И обязан был пройти унизительную процедуру регистрации.

Но я не стал давить дальше. Наоборот.

— Можно оформить все формальности здесь, — предложил я. — Я имею такое право.

— Благодарю, — кивнул вампир. — Но я загляну в ваш офис. Порядок — прежде всего.

Худой мир был восстановлен.

— Я уже проглядел записи, — сказал я. — Три дня назад письма отправляли четверо мужчин и одна женщина. И какой-то рабочий отправил целую кучу писем. Тут работают строители из Узбекистана.

— Хороший знак для вашей страны, — очень вежливо сказал Витезслав. — Когда в качестве рабочей силы используются граждане соседних государств — это признак экономического подъема.

Я мог бы ему объяснить, что думаю по этому поводу. Но не стал.

— Желаете просмотреть запись? — спросил я.

— Пожалуй, да, — согласился вампир.

Эдгар скромно стоял в сторонке.

Я вывел на монитор изображение почтового отделения. Включил «поиск движения» — и мы вновь посмотрели всех любителей эпистолярного жанра.

— Этого я знаю, — ткнул я пальцем в Ласа. — Сегодня выясню, что именно он отправлял.

— Подозреваете? — уточнил Витезслав.

— Нет. — Я покачал головой.

Вампир погнал запись по второму кругу. Но на этот раз несчастный замороженный начальник был тоже посажен к компьютеру.

— Кто это? — спрашивал Витезслав.

— Жилец, — безучастно глядя в экран, отвечал начальник. — Первый корпус, шестнадцатый этаж...

Память у него была хорошая. Он назвал всех подозреваемых, разве что рабочего с кипой писем не опознал. Кроме Ласа, жильца с шестнадцатого этажа и старушки с одиннадцатого, письма отправляли два менеджера «Ассоли».

— Мы займемся мужчинами, — решил Витезслав. — Для начала. Вы проверьте старушку, Городецкий. Хорошо?

Я пожал плечами. Сотрудничество сотрудничеством, но командовать собой я не позволю.

Тем более Темному. Вампиру.

— Вам это проще, — пояснил Витезслав. — Мне... трудно приближаться к старикам.

Признание было откровенным и неожиданным. Я что-то промычал и в уточнения вдаваться не стал.

— Я чувствую в них то, чего лишен, — все же пояснил вампир. — Смертность.

— Завидно? — не удержался я.

— Страшно. — Витезслав склонился над охранником, произнес: — Сейчас мы уйдем. Ты будешь спать пять минут и видеть красивые сны. Когда проснешься, забудешь наш визит. Будешь помнить только Антона... будешь очень хорошо к нему относиться. Если Антону понадобится — окажешь ему любую помощь.

— Да незачем... — слабо запротестовал я.

— Одно дело делаем, — напомнил вампир. — Я знаю, как тяжело работать под прикрытием. Прощайте.

Миг — и он исчез. Эдгар виновато улыбнулся — и вышел в дверь.

Не дожидаясь пробуждения начальника, покинул кабинет и я.

Глава 4

С удьба, которой, по уверениям наших магов, не существовало, была ко мне благосклонна.

В холле «Ассоли» (ну не назвать это помещение подъездом!) я увидел ту самую старушку, к которой боялся подходить вампир. Она стояла у лифта и задумчиво смотрела на кнопки.

Я глянул сквозь Сумрак — и убедился, что старушка в полной растерянности, почти в панике. Вышколенная охрана тут помочь не могла — внешне старушка пребывала в полной невозмутимости.

И я решительно направился к пожилой даме. Именно к «пожилой даме» — потому что никак не годилось здесь тихое, доброе русское слово «старушка».

— Простите, могу я чем-нибудь вам помочь? — спросил я.

Пожилая дама покосилась на меня. Без старческой подозрительности, скорее со смущением.

— Я забыла, где живу, — призналась она. — Вы не знаете?

— Одиннадцатый этаж, — сказал я. — Позволите вас проводить?

Седые кудряшки, сквозь которые просвечивала тонкая розовая кожа, едва заметно качнулись.

— Восемьдесят лет, — сказала старушка. — Это я помню... тяжело это помнить. Но помню.

Я взял даму под руку и провел к лифту. Кто-то из охранников направился к нам, но моя престарелая спутница покачала головой:

— Господин меня проводит...

Господин проводил. Дверь свою пожилая дама опознала и даже радостно ускорила шаг. Квартира была не заперта, квартира была великолепно отремонтирована и обставлена, а в прихожей расхаживала энергичная девица лет двадцати и сокрушалась в трубку:

— Да, и внизу смотрела! Опять выскочила...

Наше появление привело девицу в восторг. Боюсь лишь, что и милая улыбка, и трогательная заботливость в первую очередь адресовались мне.

Молодые симпатичные девушки идут прислугой в такие дома не ради денег.

— Машенька, подай нам чай, — прервала ее кудахтанье старушка. Наверное, она тоже иллюзий не испытывала. — В большую комнату.

Девица послушно ринулась на кухню, но все-таки улыбнулась еще раз и сказала в самое ухо, расчетливо коснувшись меня упругой грудью:

— Совсем плоха стала... Меня зовут Тамара.

Почему-то мне не захотелось представляться. Я прошел вслед за старушкой в «большую комнату». Ну очень большую. Со старой, сталинских времен мебелью и явными следами работы дорогого дизайнера. По стенам были развешены черно-белые фотографии — вначале я тоже счел их деталями интерьера. А потом сообразил, что юная, ослепительно красивая белозубая девушка в летном шлеме — та самая дама.

— Фрицев бомбила, — скромно сказала дама, садясь за круглый стол, покрытый бордовой бархатной скатертью с кистями. — Вон, сам Калинин мне орден вручал...

В полном остолбенении я уселся напротив бывшей летчицы.

Такие в лучшем случае доживают свой век на старых государственных дачах или в огромных ветхих «сталинках». Ну никак не в элитном жилом комплексе! Она же бомбы на фашистов бросала, а не золотой запас из рейхстага вывозила!

— Внук мне квартиру купил, — будто прочитав мои мысли, сказала старушка. — Большая квартира. Не помню тут ничего... все вроде родное, а не помню...

Я кивнул. Хороший внук, что говорить. Понятно, что перевести дорогую квартиру на орденоносную бабушку, а потом получить ее по наследству — очень правильный шаг. Но в любом случае добрый поступок. Вот только прислугу надо было подбирать тщательнее. Не двадцатилетнюю девочку, озабоченную удачным капиталовложением своего молодого личика и хорошей фигурки, а пожилую, крепкую санитарку...

Старушка задумчиво посмотрела в окно. Сказала:

— Лучше бы мне в тех домах, маленьких... Привычней оно...

Но я уже не слушал. Я смотрел на стол, заваленный мятыми письмами с забавным штемпелем «адресат выбыл». И неудивительно. В качестве адресатов фигурировали и всесоюзный староста Калинин, и генералиссимус Иосиф Сталин, и товарищ Хрущев, и даже «дорогой Леонид Ильич Брежнев».

Позднейших вождей память старушки, очевидно, не удержала.

Не надо было никаких способностей Иного, чтобы понять, какое письмо старушка отправила три дня назад.

— Не могу без дела, — пожаловалась старушка, поймав мой взгляд. — Все прошу в школы меня отрядить, в училища летные... рассказать бы молодым, как мы жили...

Я все-таки посмотрел на нее сквозь Сумрак. И едва не вскрикнул.

Старая летчица была потенциальной Иной. Может, и невеликой силы, но совершенно явственной!

Вот только инициировать ее в таком возрасте... не представляю. В шестьдесят лет, в семьдесят... но в восемьдесят?

Да она же умрет от напряжения. Уйдет в Сумрак бесплотной безумной тенью...

Всех не проверишь. Даже в Москве, где так много дозорных.

И порой мы узнаем своих братьев и сестер слишком поздно...

Появилась девица Тамара — с подносом, заставленным вазочками с печеньем и конфетами, чайником, красивыми старинными чашками. Беззвучно поставила вазочки на стол.

А старушка уже дремала, по-прежнему прямо и крепко держась на стуле.

Я тихонько встал, кивнул Тамаре:

— Пойду. Вы приглядывайте повнимательнее, она ведь забывает, где живет.

— Да я с нее глаз не спускаю! — хлопая ресницами, ответила Тамара. — Что вы, что вы...

Я проверил и ее. Никаких способностей Иной.

Обычная молодая женщина. Даже по-своему добрая.

— Письма часто пишет? — спросил я и чуть-чуть улыбнулся.

Приняв улыбку за разрешение, Тамара заулыбалась:

— Все время! И Сталину, и Брежневу... вот умора, правда?

Спорить я не стал.

Из всех кафе и ресторанов, которыми «Ассоль» была напичкана, работало лишь кафе в супермаркете. Очень милое кафе — вторым ярусом нависающее над кассовыми аппаратами. С прекрасным обзором на весь зал супермаркета. Наверное, хорошо тут пить кофе перед приятной прогулкой за покупками, намечая маршрут «шопинга». Вот ведь ужасное слово, чудовищный англицизм, а въелось в русский язык, будто клещ в беззащитную добычу!

Там я и пообедал, стараясь не ужасаться ценам. Потом взял двойной эспрессо, купил пачку сигарет — которые курю совсем нечасто, и попытался представить себя детективом.

Кто отправил письмо?

Иной-предатель или человек — клиент Иного?

Вроде бы им обоим это не нужно. Ну совершенно невыгодно! А версия со сторонним человеком, пытающимся предотвратить инициацию, слишком уж мелодраматична.

Думай, голова, думай! И не такие запутанные ситуации случались. Есть предатель-Иной. Есть его клиент. Письмо отправлено в Дозоры и Инквизицию. Значит, скорее всего письмо отправил Иной. Сильный, умный, знающий Иной.

Тогда вопрос — зачем?

Пожалуй, ответ был. Для того чтобы не осуществлять эту самую инициацию. Для того чтобы выдать в наши руки клиента и не выполнять обещания.

Значит — тут вопрос не в деньгах. Каким-то непонятным образом неведомый клиент получил власть над Иным. Власть страшную, абсолютную, позволяющую требовать чего угодно. Признаться, что человек получил над ним такую власть, Иной не может. И делает ход конем...

Так-так-так!

Я закурил сигарету, отхлебнул кофе. По-барски развалился в мягком кресле.

Что-то начинает вырисовываться. Каким образом Иной может попасть в рабство к человеку? К обычному человеку, пусть даже богатому, влиятельному, умному...

Вариант был только один, и он мне чрезвычайно не нравился. Наш таинственный Иной-предатель мог оказаться в ситуации золотой рыбки из сказки. Дать человеку честное слово исполнить любое желание. Рыбка ведь тоже не ожидала, что сбрендившая старуха... кстати, о старухе: надо сообщить Гесеру, что я обнаружил потенциальную Иную... что сбрендившая старуха захочет стать Владычицей Морскою.

Вот тут и крылась основная неприятность.

И вампиру, и оборотню, и Темному магу на данное слово — наплевать.

Сами дадут слово, сами и заберут обратно. Еще и горло перегрызут, если человек станет качать права.

Значит, опрометчивое обещание дал Светлый маг!

Может такое быть?

Может.

Легко. Мы все немного наивны, прав Костя. Нас можно ловить на человеческих слабостях, на чувстве вины, на всяческой романтике...

Итак — предатель в наших рядах. Он дал слово, пока не станем выяснять зачем. Он в ловушке. Отказавшись выполнить обещание, Светлый маг развоплотится...

Стоп! Снова любопытный момент. Я могу пообещать человеку выполнить «все что угодно». Но если меня попросят о невыполнимом... ну, не знаю, о чем именно, не о трудном, не о противном, не о запретном — а именно о невыполнимом... солнце, к примеру, погасить или человека в Иного превратить... Что я отвечу? Что это невозможно. Никак. И буду я прав, и нет у меня никаких оснований развоплощаться. И моему хозяину-человеку придется с этим смириться. Потребовать что-нибудь иное... Денег, здоровья, потрясающей сексуальной привлекательности, удачи в игре на бирже и нюха на опасности. В общем — обычных человеческих радостей, которые сильный Иной способен обеспечить.

Но Иной-предатель паникует! Паникует настолько, что напускает на своего «хозяина» сразу оба Дозора и Инквизицию! Он зажат в угол, он боится навсегда уйти в Сумрак.

Значит — он и впрямь может превратить человека в Иного!

Значит — невозможное возможно. Способ существует. Он — достояние немногих, но он есть...

Мне стало не по себе.

Предатель — кто-то из наших самых старых и знающих магов. Не обязательно маг вне категорий, не обязательно занимающий очень важный пост. Но — тертый жизнью и допущенный к самым большим тайнам...

Почему-то я сразу подумал о Семене.

О Семене, который порой знает такое, что ему, Светлому магу, навешивают на тело знак Карающего Огня.

«Я вторую сотню лет живу...»

Может быть.

Он очень многое знает.

Кто еще?

Есть целый ряд старых, опытных магов, не работающих в Дозоре. Живут себе в Москве, смотрят телевизор, пиво пьют, на футбол ходят...

Я их не знаю, вот в чем беда. Не хотят они, мудрые и отошедшие от дел, ввязываться в бесконечную войну Дозоров.

И к кому мне идти за советом? Кому излагать свои ужасные догадки? Гесеру? Ольге? Так они потенциально тоже входят в число подозреваемых.

Нет, не верю я в их оплошность. И битая-перебитая жизнью Ольга, о хитрющем Гесере и говорить не приходится, такую оплошность не совершат, невыполнимых обещаний человеку не дадут. Да и Семен не мог! Не верю, что мудрый, в исконном, народном смысле мудрый Семен так подставится...

Значит, кто-то еще из наших мэтров оплошал.

И как я буду выглядеть, выдвигая такое обвинение? «Мне кажется, что тут виноват кто-то из нас. Из Светлых. Скорее всего — Семен. Или Ольга. Или вы сами, Гесер...»

Как мне после этого ходить на работу? Как смотреть в лицо товарищам?

Нет, не смогу я высказать таких подозрений. Я должен знать точно.

Подзывать официантку почему-то казалось неудобным. Я прошел к стойке, попросил сварить еще чашку. Оперся о перила, посмотрел вниз.

Внизу я обнаружил своего ночного знакомца. Гитарист и собиратель забавных футболок, счастливый владелец большого английского унитаза, стоял возле открытого бассейна, заполненного живыми омарами. На лице у Ласа отражалась напряженная работа мысли. Потом он усмехнулся и покатил тележку к кассе.

Я насторожился.

Лас неторопливо выложил на движущуюся ленту скромные покупки, среди которых особняком выделялась бутылка чешского абсента. А расплачиваясь, сказал:

— Вы знаете, у вас там есть бассейн с омарами...

Девушка за кассой заулыбалась, всем видом подтверждая, что бассейн есть, омары в нем плавают и парочка живых членистоногих замечательно подойдет к абсенту, кефиру и мороженым пельменям.

— Так вот, — невозмутимо продолжал Лас, — я сейчас видел, как один омар забрался другому на спину, выполз на бортик и спрятался вон под те холодильники...

Девушка часто заморгала. Через минуту у кассы появились два охранника и крепкая тетка-уборщица. Выслушав ужасную весть о побеге, они бросились к холодильникам.

Лас, поглядывая на зал, расплатился.

А погоня за несуществующим омаром была в самом разгаре. Уборщица тыкала шваброй под холодильники, охранники суетились вокруг. До меня донеслось:

— Ко мне гони, ко мне! Я его уже почти вижу!

С выражением тихой радости на лице Лас двинулся к выходу.

— Осторожней тычь, панцирь помнешь — некондиция будет! — предостерегал охранник.

Пытаясь согнать с лица недостойную Светлого мага улыбку, я взял у девушки свой кофе. Нет, этот не стал бы вырезать ножничками буквы из газет. Слишком скучное занятие.

У меня зазвонил телефон.

— Привет, Света, — сказал я в трубку.

— Как дела, Антон?

На этот раз тревожности в ее голосе было поменьше.

— Пью кофе. С коллегами пообщался. Из конкурирующих фирм.

— Ага, — сказала Светлана. — Молодец. Антон, тебе не нужна моя помощь?

— Ты же... не в штате, — растерянно сказал я.

— Да плевать мне! — мгновенно вскинулась Светлана. — Я за тебя волнуюсь, а не за Дозор!

— Пока не надо, — ответил я. — Как Надюшка?

— Помогает маме борщ варить, — засмеялась Светлана. — Так что обед запоздает. Позвать ее?

— Угу, — расслабляясь, сказал я, сел у окна.

Но Надька трубку не взяла и разговаривать с папой не пожелала.

В два года такое упрямство случается.

Я поговорил со Светланой еще чуть-чуть. Хотелось спросить, исчезли ли ее дурные предчувствия, но я сдержался. И так по голосу ясно, что исчезли.

Разговор я закончил, но трубку убирать не спешил. Звонить в офис не стоит. А вот если мне поговорить с кем-нибудь в частном порядке?

Ну, должен ведь я выезжать в город, с кем-то встречаться, дела свои торговые перетирать, новые контракты заключать?

Я набрал номер Семена.

Хватит играть в сыщика. Светлые друг другу не врут.

Для встреч — не совсем деловых, но и не совсем уж личных — хороши маленькие кабачки, на пять-шесть столиков от силы. Когда-то в Москве таких не было. Уж если общепит — так с помещением на хорошую гулянку.

Сейчас появились.

Это ничем не приметное кафе было в самом центре, на Солянке. Дверь в стене, прямо с улицы, пять столиков, маленький бар — в «Ассоли» даже в квартирах барные стойки повнушительнее.

И ничего особенного не было в публике. Это не те клубы по интересам, что любит коллекционировать Гесер, — здесь собираются аквалангисты, а здесь воры-рецидивисты.

А кухня вообще ни на что не претендовала. Два сорта розливного пива, прочий алкоголь, сосиски из микроволновки и картофель-фри. Ширпотреб.

Может быть, поэтому Семен и предложил тут встретиться? Он-то с кафе вполне гармонировал. Впрочем, и я особенно не выделялся...

Шумно сдувая с пива пену — только в старых кинофильмах я такое видел, — Семен отхлебнул «Клинского золотого» и умиротворенно посмотрел на меня:

— Рассказывай.

— Ты знаешь о кризисе? — с ходу взял я быка за рога.

— О каком именно? — уточнил Семен.

— Кризис с анонимными письмами.

Семен кивнул. Даже уточнил:

— Только что оформлял временную регистрацию пражскому гостю.

— Я вот что думаю, — крутя кружку по чистенькой скатерти, сказал я. — Отправитель — Иной.

— Без сомнения! — сказал Семен. — Ты пиво-то пей. Если хочешь, я тебя потом протрезвлю.

— Не сможешь, я закрыт.

Семен прищурился, глядя на меня. И согласился, что да, закрыт и не в его силах пробить непроницаемую для магии скорлупу, наложенную, не иначе, самим Гесером.

— Так вот, — продолжил я. — Если отправитель — Иной, то чего он добивается?

— Изоляции или уничтожения своего клиента-человека, — спокойно сказал Семен. — Видать, опрометчиво пообещал сделать его Иным. Вот и дергается.

Все мои героические умственные усилия оказались втуне. Не работающий прямо по делу Семен прекрасно до всего дошел своим умом.

— Это Светлый Иной, — сказал я.

— Почему? — удивился Семен.

— У Темного есть масса других способов отказаться от обещания.

Семен подумал, пожевал картофельную соломку и сказал, что да, похоже на то. Но отрицать стопроцентно участие Темных он бы не стал. Потому что и Темные могут дать такую опрометчивую клятву, что ее не обойти. К примеру — поклясться Тьмой, призвать в свидетели изначальную Силу. После этого не слишком-то подергаешься.

— Согласен, — сказал я. — И все-таки больше шансов, что прокололся кто-то из наших.

Семен кивнул и ответил:

— Не я.

Я отвел глаза.

— Да ты не переживай, — меланхолично сказал Семен. — Ты правильно мыслишь и все правильно делаешь. Могли и мы проколоться. Мог и я оплошать. Спасибо, что позвал для разговора, а не побежал к начальству... Даю тебе слово, Светлый маг Антон Городецкий, что я не посылал известных тебе писем и не знаю их отправителя.

— Знаешь, я очень рад, — честно сказал я.

— Уж как я-то рад, — усмехнулся Семен. — Я вот что тебе скажу, провинившийся Иной — большой наглец. Мало того что Дозоры привлек, еще и Инквизицию впутал. Это надо либо совсем царя в голове не иметь, либо очень хорошо все рассчитать. В первом случае конец ему, а во втором — выпутается. Я ставлю два против одного, что выпутается.

— Семен, выходит, можно обычного человека в Иного превратить? — спросил я. Честность — лучшая политика.

— Не знаю. — Семен покачал головой. — Раньше я считал, что невозможно. Но судя по последним событиям — есть какая-то лазейка. Очень узкая, очень неприятная, но есть.

— Почему неприятная? — зацепился я за его слова.

— Потому что иначе мы бы пользовались ею. Какой плюс, к примеру, президента сделать своим! Да не только президента, всех более или менее влиятельных людей. Было бы приложение к Договору, определяющее порядок инициации, было бы то же самое противостояние, но на новом уровне.

— А я думал, что это совсем запрещено, — признался я. — Встретились Высшие, договорились не нарушать баланс... пригрозили друг другу абсолютным оружием...

— Чем? — остолбенел Семен.

— Ну, абсолютным. Помнишь, ты рассказывал про термоядерные бомбы запредельной мощности? Одна у нас, одна у американцев... Наверное, что-то подобное есть и в магии...

Семен захохотал:

— Да ты что, Антон! Нет таких бомб, фантастика это, выдумка! Физику учи! Содержание тяжелой воды в океанах слишком мало для самоподдерживающейся термоядерной реакции!

— Зачем же рассказывал? — растерялся я.

— Мы же всякие байки тогда травили. Я и не думал, что ты поверишь...

— Тьфу на тебя, — пробормотал я, отхлебнул пиво. — Между прочим, я после этого ночами плохо спал...

— Нет абсолютного оружия, спи спокойно, — ухмыльнулся Семен. — Ни настоящего, ни магического. И если допустить, что инициировать обычных людей все-таки возможно, значит, процедура эта крайне трудная, гадостная, с побочными эффектами. В общем — никто мараться не хочет. Ни мы, ни Темные.

— И ты о такой процедуре не знаешь? — еще раз уточнил я.

— Не знаю. — Семен задумался. — Нет, точно не знаю. Открыться людям, приказывать им или, скажем, волонтерами привлекать — это случалось. Но так, чтобы нужного человечка в Иного превратить, — никогда не слышал.

Опять тупик.

Я кивнул, мрачно глядя в пивную кружку.

— Ты не напрягайся, — посоветовал Семен. — Одно из двух, либо Иной — дурак, либо очень хитер. В первом случае его найдут Темные или Инквизиторы. Во втором — его не найдут, но человека вычислят и отучат желать странного. Вот такие случаи как раз известны...

— Что же мне делать? — спросил я. — Не спорю, пожить в таком забавном месте интересно. Тем более на казенный счет...

— Вот и живи, — спокойно сказал Семен. — Или гордость взыграла? Хочется всех обскакать и найти предателя?

— Не люблю дела бросать на полпути, — признался я.

Семен засмеялся:

— Я уже лет сто только тем и занимаюсь, что дела на полпути бросаю... Случилось, к примеру, дельце о потраве скота зажиточного крестьянина Беспутнова в Костромской губернии. Ах какое было дело, Антон! Загадка! Клубок интриг! Потрава магическая, но так хитро осуществленная... с наведением порчи через конопляное поле!

— Неужели скот коноплю ест? — невольно заинтересовался я.

— Кто ж ему даст? Из той конопли крестьянин Беспутнов веревку свил. На этой веревке скотину водил. Через нее порча и перешла. Хитрая потрава, неспешная, обстоятельная. И на сто верст вокруг — ни одного зарегистрированного Иного! Поселился я в той деревеньке, принялся искать злодея...

— Неужели раньше так качественно работали? — поразился я. — Из-за какого-то скота, какого-то крестьянина — внедрение дозорного?

Семен улыбнулся:

— Всяко раньше работали. Сын этого крестьянина был Иным, он и попросил за папу заступиться, тот ведь едва из той веревки петельку не свил... Так вот, поселился я, бирюк бирюком, хозяйством обзавелся, даже стал к одной вдовушке клинья подбивать. А попутно искал. И понял, что выхожу на след древней ведьмы, очень хорошо замаскированной, ни в каких Дозорах не состоящей и на учете не значащейся. Представляешь, какая интрига? Ведьма, которой лет двести — триста было! Она силы набрала, как маг первого уровня! Вот я и играл в Ната Пинкертона... искал... звать на помощь Высших магов как-то стыдно было. И потихоньку появились у меня зацепочки, круг подозреваемых очертился. Одной из них, кстати, была та самая вдовушка, которая меня привечала...

— Ну? — с восторгом спросил я. Пусть Семен и любит приврать, но эта история, похоже, была правдивой.

— Баранки гну, — вздохнул Семен. — Мятеж в Петрограде случился. Революция. Тут уж, как понимаешь, не до хитрой ведьмы стало. Тут человечья кровь реками полилась. Отозвали меня. Хотел я вернуться, разыскать каргу, но все времени не было. А потом деревенька под затопление пошла, всех переселили. Может, и нет уже той ведьмы.

— Обидно, — сказал я.

Семен кивнул:

— И вот таких историй у меня — вагон и маленькая тележка. Так что особенно не разгоняйся, носом землю не рой.

— Будь ты Темным, — признался я, — точно бы решил, что ты от себя подозрение отводишь.

Семен только улыбнулся.

— Не Темный я, Антон. И тебе это прекрасно известно.

— И про инициацию людей ничего не знаешь... — вздохнул я. — А я так надеялся...

Семен посерьезнел.

— Антон, я тебе еще одну вещь скажу. Девушка, которую я любил больше всего на свете, умерла в двадцать первом году. От старости умерла.

Я посмотрел на него — и не рискнул улыбнуться. Семен не шутил.

— Если бы я знал, как ее сделать Иной... — прошептал Семен, глядя куда-то вдаль. — Если бы я только знал... Я раскрылся перед ней. Я сделал для нее все. Она никогда не болела. Она и в семьдесят три выглядела от силы на тридцать. Она даже в голодном Петербурге ни в чем не нуждалась, а от ее охранных бумажек красноармейцы дар речи теряли... у Ленина я мандат подписал. А вот своего века ей дать не смог. Не в наших это силах. — Он мрачно посмотрел мне в глаза. — Знал бы я, как Любовь Петровну инициировать, — никого бы не спросил. Через все бы прошел. Сам развоплотился — а ее Иной сделал...

Семен поднялся, вздохнул:

— А теперь мне, если честно, все равно. Можно людей в Иных превращать, нельзя — меня не волнует. И тебя волновать не должно. Твоя жена — Иная. Твоя дочь — Иная. Такое счастье, и одному? Сам Гесер о таком мечтать не может.

Он вышел, а я еще посидел за столиком, допивая пиво. Хозяин кафе — он же и официант, и повар, и бармен — в мою сторону даже не глядел. Семен, когда зашел, поставил над столиком магическую завесу.

Что же я, в самом деле?

Трое Инквизиторов роют носом землю. Талантливый вампир Костя носится летучей мышью вокруг «Ассоли». Выяснят, обязательно выяснят, кто возжелал стать Иным. А отправителя письма или найдут, или нет.

Мне-то что с того?

Женщина, которую я люблю, Иная. И еще — она добровольно отказалась от службы в Дозоре, от блестящей карьеры Великой Волшебницы. Все ради меня, идиота. Чтобы я, упертый навсегда в свой второй уровень Силы, не комплексовал...

И Надюшка — Иная! Мне не придется испытать ужас Иного, чей ребенок вырастает, старится и умирает. Рано или поздно мы откроем Наденьке ее природу. И она захочет стать Великой, сомнений нет. И станет Величайшей. Может быть, даже исправит к лучшему этот несовершенный мир.

А я играю в какие-то детские шпионские игры! Переживаю, как выполнить задание, вместо того чтобы завалиться вечером к веселому соседу или оттянуться, исключительно в целях маскировки, в казино.

Я поднялся, положил на столик деньги и вышел. Через час-другой завеса развеется, хозяин кафе увидит деньги, пустые бокалы и припомнит, что какие-то невзрачные мужики пили здесь пиво.

Глава 5

Полдня я занимался какими-то совершенно левыми, никому не нужными делами. Наверное, вампир Костя скривил бы бледные губы и сообщил, что он думает о моей наивности...

Вначале я заехал в «Ассоль», переоделся в джинсы и простую рубашку, после чего отправился в ближайший нормальный двор — к скучным панельным девятиэтажкам. Там, к своему полному удовольствию, я обнаружил футбольное поле, на котором гоняли облезлый мяч лоботрясы старшего школьного возраста. Было, впрочем, и несколько молодых мужиков. Все-таки только что завершившийся чемпионат мира по футболу, совершенно бесславный для нашей команды, сыграл и положительную роль. В немногих уцелевших дворах возрождался утраченный, казалось бы, начисто дворовой дух.

Меня приняли в команду. В ту, где был всего один взрослый мужик — с внушительным пузиком, но крайне подвижный и азартный. Игрок я слабенький, но и здесь не чемпионы мира собрались.

И около часа я бегал по пыльной, утоптанной земле, орал, бил по воротам из драной металлической сетки и несколько раз даже попал. Один раз здоровенный лоб-десятиклассник ухитрился ловко уронить меня и благодушно улыбнулся.

Но я не обиделся и не расстроился.

Когда игра затихла — как-то сама собой, — я зашел в ближайший магазин, купил минералки и пива, а самым малолетним футболистам — напиток «Байкал». Они, конечно, предпочли бы кока-колу, но пора отвыкать от заморской отравы.

Огорчало меня лишь понимание того, что слишком уж большая щедрость вызовет самые разнообразные подозрения. Так что творить добрые дела пришлось умеренно.

Распрощавшись со «своими» и «чужими» игроками, я дошел до пляжа, где с удовольствием искупался в грязноватой, но прохладной водичке. «Ассоль» помпезным дворцом высилась в сторонке.

Вот и пусть себе высится...

Самое смешное, что я понимал — точно так же на моем месте мог поступить какой-нибудь Темный маг. Не из числа совсем молодых и охочих до недоступных прежде удовольствий вроде свежих устриц и дорогих проституток, а поживший Темный, до которого дошло, что все на свете — суета сует и всяческая суета.

И бегал бы он по маленькому футбольному полю, орал, пинал мяч, цыкал на неумело матерящихся подростков: «А ну придержи язык, салага!» И пошел бы потом на пляж, и плескался в мутной водичке, и лежал на траве, глядя в небо...

Где же оно, разделение? Ладно, с низшими Темными все понятно. Они — нежить. Они вынуждены убивать, чтобы существовать. И тут уж никакая словесная эквилибристика не поможет. Они — зло.

Где же настоящая грань?

И почему она порой готова исчезнуть? Вот в такие моменты, когда и дел-то всего — один-единственный человек, пожелавший стать Иным? Один-единственный!

И какие силы сразу бросаются на поиски! Темные, Светлые, Инквизиция... И не один я над этим делом работаю, я лишь выдвинутая вперед пешка, проводящая разведку на местности. Морщит лоб Гесер, хмурится Завулон, скалится Витезслав. Человек пожелал стать Иным! Ату его, ату!

А кто бы не пожелал?

Не вечного голода вампиров, не приступов безумия оборотней, а полноценной жизни мага. Когда все как у людей.

Только лучше.

Ты не боишься, что из оставленной без присмотра машины вынут дорогой музыкальный центр.

Ты не болеешь гриппом, а если заболеешь неизлечимой гадостью — к твоим услугам Темные колдуньи или Светлые целители.

Ты не задумываешься, как дожить до зарплаты.

Тебя не страшат ночные улицы и пьяные гопники.

Тебя даже милиция не страшит.

Ты уверен, что твой ребенок спокойно дойдет домой из школы, а не нарвется в подъезде на безумного маньяка...

Да, конечно, вот тут и зарыта собака. Твои близкие в безопасности, они даже из вампирской лотереи исключены. Но ты не спасешь их от старости и смерти.

И все-таки это еще очень далеко. Где-то далеко впереди.

А в целом куда приятнее быть Иным.

К тому же, отказавшись от инициации, ты ничего не выиграешь, даже родные-люди вправе назвать тебя дураком. Ведь став Иным, ты можешь за них вступиться. Вот как Семен рассказывал... потравили у мужичка коров, а сын-Иной отрядил на помощь дознавателя. Все-таки родная кровь. Ничего не попишешь...

Я дернулся, будто через меня пропустили электрический ток. Я вскочил и уставился на «Ассоль».

С какой стати Светлый маг мог дать человеку опрометчивое обещание исполнить все что угодно?

Только по одной причине!

Вот он, след!

— Что-то придумал, Антон? — раздался голос со спины.

Я повернулся и посмотрел Косте в черные линзы очков. Он был в одних плавках, как и положено на пляже, но в белой детской панамке, сидевшей на макушке наподобие тюбетейки (небось без зазрения совести отобрал у какого-нибудь малыша) и черных очках.

— Солнышко жжет? — ехидно спросил я.

Костя поморщился:

— Давит. Висит в небе, как утюг... Скажешь, тебе не жарко?

— Жарко, — признался я. — Но это другой жар.

— Давай без колкостей? — попросил Костя. Сел на песок, брезгливо отбросил из-под ног окурок. — Я теперь только ночами купаюсь. Но ведь пришел... с тобой поговорить.

Мне стало стыдно. Передо мной сидел угрюмый молодой мужик, даром что неживой. Но я же помнил хмурого подростка, мнущегося у двери моей квартиры. «Вы меня не должны в гости звать, я же вампир, я тогда смогу ночью прийти и вас укусить...»

И достаточно долго этот мальчик держался. Пил свиную и донорскую кровь. Мечтал снова стать живым. «Как Пиноккио», — не то прочитав Коллоди, не то посмотрев «Искусственный разум», нашел он верное сравнение.

Если бы Гесер не отрядил меня охотиться на вампиров...

Нет, чушь. Природа взяла бы свое. И Костя получил бы лицензию.

И все равно я не вправе над ним издеваться. У меня есть огромное преимущество — я живой.

Я могу без стыда подходить к старикам. Именно без стыда — потому что Витезслав лукавил. Не страх и не отвращение отталкивало его от старушки.

Стыд.

— Извини, Костя, — сказал я и лег рядом на песок. — Давай поговорим.

— Мне кажется, постоянные жильцы «Ассоли» ни при чем, — мрачно начал Костя. — Клиент среди тех, кто там бывает эпизодически.

— Придется всех проверить... — фальшиво вздохнул я.

— Та еще работенка. Надо предателя искать.

— Так мы ищем.

— Вижу я, как ты ищешь... Что, понял, что это кто-то из ваших?

— С какой стати! — возмутился я. — Вполне возможно, что Темный прокололся...

Некоторое время мы обсуждали ситуацию. К одинаковым выводам мы, похоже, пришли одновременно.

Вот только сейчас я был на полшага впереди. И помогать Косте не собирался.

— Письмо отправили в той куче писем, что принес на почту строитель, — не подозревая о моем коварстве, говорил Костя. — Это легче легкого. Все эти гастарбайтеры живут в старой школе, там у них общежитие. На первом этаже, на стол дежурного, складывают все письма. Утром кто-нибудь идет на почту и их отправляет. Иному не представляет никаких трудов зайти в общежитие, отвести глаза дежурному... или просто дождаться, когда тот по нужде отойдет. И бросить письмо в общую кучу. Все! Никаких следов.

— Просто и надежно, — согласился я.

— В духе Светлых, — поморщился Костя. — Загребать жар чужими руками.

Почему-то я не обиделся. Только насмешливо улыбнулся и перевернулся на спину, глядя в небо, в ласковое желтое солнышко.

— Ладно, мы тоже так делаем... — буркнул Костя.

Я молчал.

— Ну что, скажешь, никогда не использовали людей для своих операций? — возмутился Костя.

— Бывало. Использовали, но не подставляли.

— Так и здесь Иной людей не подставил, только использовал, — непоследовательно заявил Костя, совсем забыв о «загребании жара». — Вот я думаю... имеет смысл идти дальше по этому следу? Пока предатель заметает все следы очень надежно. Будем гоняться за призраком...

— Говорят, пару дней назад двум охранникам «Ассоли» что-то страшное почудилось в кустах, — сказал я. — Они даже стрельбу открыли.

У Кости загорелись глаза.

— Ты уже проверил?

— Нет, — сказал я. — Я же замаскирован, никаких возможностей.

— Можно я их проверю? — жадно спросил Костя. — Слушай, я отмечу, что это ты...

— Проверяй, — разрешил я.

— Спасибо, Антон! — Костя расцвел в улыбке, довольно чувствительно ткнул меня кулаком в плечо. — Все-таки ты правильный мужик! Спасибо!

— Выслуживайся, — не удержался я, — может, еще лицензию вне очереди получишь.

Костя сразу замолчал, помрачнел. Уставился на реку.

— Сколько людей ты убил, чтобы стать Высшим вампиром? — спросил я.

— Тебе-то какая разница?

— Так... интересно.

— Подними как-нибудь свои архивы и посмотри, — криво улыбнулся Костя. — Неужели сложно?

Это, конечно, было несложно. Но я никогда не смотрел досье на Костю. Не хотел я этого знать...

— Дядя Костя, давай панамку! — требовательно пискнули рядом.

Я покосился на маленькую, лет четырех, девочку, подбежавшую к Косте. И впрямь — заморочил ребенка, панамку отобрал...

Костя послушно стянул с головы панамку, отдал девочке.

— Ты вечером снова придешь? — поглядывая на меня и надувая губки, спросила девочка. — Сказку расскажешь?

— Угу, — кивнул Костя.

Девочка просияла и побежала к молодой женщине, собиравшей в сторонке вещи. Только песок из-под пяток забрызгал...

— Да ты сдурел! — рявкнул я, вскакивая. — Я тебя прямо здесь в прах развею!

Наверное, у меня было очень страшное лицо. Костя торопливо выкрикнул:

— Ты чего? Ты чего, Антон? Это моя племянница двоюродная! Ее мать — моя сестра! Они в Строгино живут, я у них эти дни гощу, чтоб через весь город не мотаться!

Я осекся.

— Что, решил, я из нее кровь сосу? — все еще опасливо глядя на меня, спросил Костя. — Иди проверь!

Никаких укусов! Племяшка это моя, понятно? Я за нее сам кого хочешь в землю зарою!

— Тьфу, — сплюнул я. — А что я мог подумать? «Вечером снова придешь», «сказку расскажешь»...

— Типичный Светлый... — уже спокойнее сказал Костя. — Раз я вампир, так сразу — скотина, да?

Наше хрупкое перемирие не то чтобы кончилось, но превратилось в нормальную холодную войну. Костя сидел и злился, а я сидел и ругал себя за слишком поспешные выводы. На детей младше двенадцати лицензии не выдают, а Костя не такой дурак, чтобы охотиться без лицензии.

Но вот... заклинило.

— У тебя же дочка, — вдруг сообразил Костя. — Такая же, да?

— Младше, — ответил я. — И лучше.

— Ясное дело, раз своя, так лучше, — ухмыльнулся Костя. — Ладно, Городецкий. Я все понял. Забыли. И спасибо тебе за наводку.

— Не за что, — сказал я. — Может, те охранники ничего и не видели. Водки выпили или дурь покурили...

— Проверим, — бодро сказал Костя. — Все проверим.

Он потер ладонью макушку и встал.

— Пора? — спросил я.

— Давит, — косясь вверх, ответил Костя. — Я исчезаю.

И впрямь исчез, предварительно отведя всем вокруг глаза. Только мутная тень секунду висела в воздухе.

— Хвастун, — сказал я и перевернулся на живот.

Честно говоря, и мне уже было жарко. Но я принципиально решил не уходить вместе с Темным.

Еще мне надо было кое-что обдумать — перед тем как идти к охране «Ассоли».

* * *

Витезслав постарался на славу. При моем появлении начальник охраны расплылся в добродушной улыбке.

— О, какие гости пожаловали! — отодвигая какие-то бумажки, провозгласил он. — Чай, кофе?

— Кофе, — решил я.

— Андрей, принеси-ка нам кофе, — распорядился начальник. — С лимончиком!

И полез в сейф, откуда появилась на свет бутылка хорошего грузинского коньяка.

Охранник, проводивший меня до кабинета, пребывал в легкой растерянности. Но спорить не стал.

— Какие-то вопросы? — шустро нарезая лимон, спросил начальник. — Будете коньячок, Антон? Хороший коньячок, честное слово!

А я ведь даже не знал, как его зовут... Прежний начальник охраны нравился мне больше. Он был искренним в своем отношении ко мне.

Но прежний начальник охраны никогда не дал бы мне той информации, которую я сейчас рассчитывал получить.

— Мне надо посмотреть личные дела всех жильцов, — сказал я. И с улыбкой добавил: — В таком доме наверняка вы всех проверяете. Верно?

— Конечно, — легко согласился начальник. — Деньги — деньгами, но тут люди серьезные жить собираются, бандиты отмороженные не нужны... Вам все личные дела?

— Все, — сказал я. — Всех, кто купил здесь квартиры, безразлично, поселились они уже или еще нет.

— Досье на настоящих владельцев или на тех, на кого оформлены квартиры? — любезно уточнил начальник.

— На настоящих.

Начальник кивнул и снова полез в сейф.

Через десять минут я сидел за его столом и листал аккуратные, не слишком толстые папки. По понятному любопытству начал я с себя самого.

— Я больше не нужен? — спросил начальник.

— Нет, спасибо. — Я прикинул количество папок. — Мне потребуется час.

Начальник, тихонько притворив за собой дверь, ушел.

А я погрузился в чтение.

Антон Городецкий, как выяснилось, был женат на Светлане Городецкой и имел двухлетнюю дочь Надежду Городецкую. У Антона Городецкого был маленький бизнес — фирма по торговле молочными продуктами питания. Молоко, кефир, творожки и йогурты...

Фирму эту я знал. Обычная дочерняя фирма Ночного Дозора, зарабатывающая нам деньги. Таких штук двадцать по Москве, и работают в них самые обычные люди, не подозревающие, кому реально уходят прибыли.

В общем — все скромно, просто и мило. На лугу, на лугу, на лугу пасется кто? Правильно, Иные. Не водкой же мне торговать...

Я отложил свое досье и принялся за других жильцов.

Разумеется, тут не было, да и не могло быть всей информации о людях. Все-таки служба безопасности пусть даже самого роскошного жилого комплекса — это не КГБ.

Но мне и нужно-то было всего ничего. Информация о родных. В первую очередь — о родителях.

Я сразу же убирал в сторону тех, чьи родители были живы и здоровы. В другую стопку откладывал досье на людей, чьи родители умерли.

Больше всего меня интересовали бывшие детдомовцы — таковых оказалось двое — и те, у кого в графе «отец» или «мать» стоял прочерк.

Таких было восемь человек.

Эти дела я разложил перед собой и стал изучать внимательнее.

Сразу же отсеялся один детдомовец, судя по досье — близкий к криминальным кругам. Последний год он находился за пределами России и возвращаться, несмотря на просьбы правоохранительных структур, не собирался.

Потом отсеялись двое из неполных семей.

Один оказался слабым Темным магом, знакомым мне по какому-то пустячному делу. Его наверняка сейчас шерстят Темные. Раз ничего не выяснили — значит мужик ни при чем.

Второй был довольно известным эстрадным исполнителем, про которого я, тоже совершенно случайно, знал, что он уже три месяца совершает зарубежное турне — США, Германия, Израиль. Наверное, зарабатывает на ремонт.

Осталось семеро. Хорошее число. На нем можно было пока и сосредоточиться.

Я открыл папки и стал читать внимательнее. Две женщины, пятеро мужчин... Кто из них может быть мне интересен?

«Хлопов Роман Львович, 42 года, бизнесмен...» Лицо не вызывает никаких ассоциаций. Может быть, он? Может быть...

«Комаренко Андрей Иванович, 31 год, бизнесмен...» О, какое волевое лицо! И в достаточно юном возрасте... Он? Возможно... Нет, невозможно! Я отложил дело бизнесмена Комаренко. Человек, который в тридцать лет жертвует такие серьезные деньги на строительство храмов и вообще отличается «повышенной религиозностью», в Иного обращаться не захочет.

«Равенбах Тимур Борисович, 61 год, бизнесмен...» Достаточно моложав для своих лет. И волевой юноша Андрей Иванович при встрече с Тимуром Борисовичем застенчиво опустил бы глаза. Даже мне лицо знакомо, то ли по телевизору видел, то ли...

Я отложил папку. Руки вспотели. По спине прошел холодок.

Нет, не из телевизора, точнее — не только из телевизора вспоминается мне это лицо...

Не может быть!

— Не может быть! — повторил я свою мысль вслух. Плеснул себе коньяка, выпил залпом. Посмотрел на лицо Тимура Борисовича — спокойное, умное, слегка восточное лицо.

Не может быть.

Я открыл папку и стал читать. Родился в Ташкенте. Отец... неизвестен. Мать... умерла в самом конце войны, когда маленькому Тимуру не было и пяти лет. Воспитывался в детском доме. Окончил строительный техникум, затем — строительный институт. Продвигался по комсомольской линии. В партию как-то ухитрился не вступить. Создал один из первых в СССР строительных кооперативов, впрочем, куда больше, чем строил, торговал импортной плиткой и сантехникой. Перебрался в Москву... основал фирму... занимался политикой... не был, не состоял, не привлекался... жена, развод, вторая жена...

Я нашел человека-клиента.

А самое ужасное было в том, что одновременно я нашел и предателя-Иного.

И находка эта была так неожиданна, словно рушилось само мироздание.

— Как вы могли, — укоризненно сказал я. — Как вы могли... шеф...

Потому что если омолодить Тимура Борисовича лет на десять — пятнадцать, то станет он вылитой копией Гесера, в миру — Бориса Игнатьевича, лет шестьдесят назад как раз обитавшего в тех краях... Ташкент, Самарканд и прочая очень средняя Азия...

Больше всего меня поразил даже не проступок шефа. Гесер — преступник? Это было настолько невероятно, что даже не вызывало эмоций.

Меня потрясло, как легко шеф попался.

Родился, выходит, шестьдесят лет назад у Гесера ребенок в далеком Узбекистане. Потом Гесеру предложили работу в Москве. А мать ребенка, обыкновенная женщина, умерла в военное лихолетье. И попал маленький человечек Тимур, чей отец был великим магом, в детский дом...

Всякое бывает. Гесер мог и не знать о существовании Тимура. А мог знать, но по каким-то причинам не принимать участия в его судьбе. Но вот — взыграло что-то в старике, растрогался, встретился с постаревшим сынком, да и дал опрометчивое обещание...

И это как раз удивительно!

Гесер сотни, тысячи лет занимается интригами. Каждое произнесенное им слово сказано неспроста. И так проколоться?

Невероятно.

Но факт.

Не надо быть специалистом по физиогномике, чтобы опознать в Тимуре Борисовиче и Борисе Игнатьевиче ближайших родственников. Если даже промолчу я — это открытие сделают Темные. Или Инквизиторы. Прижмут пожилого бизнесмена... да что его прижимать? Мы же не злые рэкетиры. Мы Иные. Посмотрит Витезслав ему в глаза, или Завулон щелкнет пальцами — и начнет Тимур Борисович все рассказывать как на исповеди.

И что будет Гесеру?

Я задумался. Ну... если он признается, что сам же и отправил письма... значит, злого умысла у него не было... раскрыться перед человеком он в общем-то имеет право...

Некоторое время я перебирал в уме пункты Договора, дополнения и уточнения, прецеденты и исключения, ссылки и сноски...

Выходило довольно-таки забавно.

Гесера накажут, но не очень строго. Максимум — порицание от европейского бюро Ночного Дозора. И что-нибудь грозное, но малоосмысленное от Инквизиции. Даже место свое Гесер не потеряет.

Вот только...

Я представил, какое веселье начнется в Дневном Дозоре. Как будет ухмыляться Завулон. С каким неподдельным любопытством станут Темные интересоваться семейными делами Гесера, передавать привет его сыночку-человеку.

Конечно, за прожитые Гесером годы любой отрастит дубленую шкуру. Научится сносить насмешки.

Но не хотел бы я сейчас оказаться на его месте!

И ведь наши ребята тоже от иронии не удержатся. Нет, попрекать Гесера промашкой никто не станет. И злословить за спиной — тоже.

Однако ухмылки будут. И недоуменные покачивания головой. И шепотки — «стареет все-таки Великий, стареет...».

Не было во мне ныне никакого щенячьего преклонения и восторга от Гесера. Очень во многом наши взгляды расходились. Кое-что я ему до сих пор не мог простить...

Но так сесть в лужу!

— Что же ты, Великий? — сказал я. Сложил все папки в открытый сейф, налил себе еще рюмку коньяка.

Мог ли я помочь Гесеру?

Чем?

Первым добраться до Тимура Борисовича?

И что дальше? Наложить заклятие молчания? Снимут, найдутся мастера.

А если принудить бизнесмена покинуть Россию? Уйти в бега, будто за ним все городские преступные группировки, вместе со всеми правоохранительными органами, гонятся?

Может быть, и уйдет. Спрячется где-нибудь в тундре или в Полинезии.

Так ему и надо. Пусть остаток жизни охотится на тюленей или кокосы с пальм сбивает! Захотелось, значит, стать Владычицей Морскою...

Я снял трубку телефона, набрал наш офисный коммутатор. Ввел добавочные цифры — и переключился на вычислительную лабораторию.

— Да? — спросила трубка голосом Толика.

— Толик, пробей мне одного человечка. Быстро.

— Имя говори — пробью, — без удивления ответил Толик.

Я перечислил все, что мне стало известно о Тимуре Борисовиче.

— Ха. Так что тебе надобно сверх этого? — удивился Толик. — На каком боку спит или когда последний раз у стоматолога был?

— Где он сейчас, — хмуро сказал я.

Толик хмыкнул, но я слышал на другом конце провода бодрый перестук клавиш.

— Мобильник же у него есть, — на всякий случай сказал я.

— Не учи ученого. У него даже два мобильника... оба находятся... находятся... Так, сейчас, карту наложу...

Я ждал.

— Жилой комплекс «Ассоль». А точнее тебе даже ЦРУ не скажет, точности позиционирования не хватает.

— С меня бутылка, — сказал я и повесил трубку. Вскочил. Впрочем... чего я суечусь? Сидя перед монитором служб наблюдения?

Искать пришлось недолго.

Тимур Борисович как раз входил в лифт — за ним следовала парочка с каменными физиономиями. Два охранника. Или охранник и шофер — по совместительству второй охранник.

Я погасил монитор и вскочил. Выбежал в коридор как раз вовремя, чтобы наткнуться на начальника охраны.

— Удачно? — просиял тот.

— Ага, — кивнул я на бегу.

— Помощь-то нужна? — встревоженно крикнул начальник мне вслед.

Я только помотал головой.

Глава 6

На двадцатый этаж лифт, казалось, полз невыносимо медленно. По пути я успел придумать и отбросить несколько планов. Охрана — вот что все усложняло.

Придется импровизировать. А если потребуется — то и немножечко демаскироваться.

Я долго звонил в дверь, глядя в электронный зрачок «глазка». Наконец что-то щелкнуло, и из скрытого в стене коммутатора меня спросили:

— Да?

— Вы меня заливаете! — выпалил я, изображая максимальное волнение. — У меня все фрески на потолке потекли! В роялях уже по два ведра воды!

Откуда выскочили эти фрески и рояли?

— В каких роялях? — подозрительно спросил голос.

Да откуда мне знать, какие эти рояли бывают? Черные и дорогие. Или белые и еще дороже...

— В венских! С гнутыми ножками! — ляпнул я.

— А не в тех, что в кустах стоят? — с откровенной иронией спросили меня.

Я посмотрел себе под ноги. Вот ведь проклятое многопозиционное освещение... тут даже теней толком не было!

Вытянув руку к двери, я ухитрился заметить слабую тень на розоватом дереве, которым была обшита броневая сталь.

И потянул тень на себя.

Рука ухнула в Сумрак, а вслед за рукой — и я сам.

Мир преобразился. Выцвел, посерел. Повисла глухая тишина, лишь едва слышно звенела электронная начинка в «глазке» и коммутаторе.

Я был в Сумраке, в том странном мире, куда знают дорогу лишь Иные. В мире, откуда исходит наша Сила.

Бледные тени насторожившихся охранников — над головами их тлела тревожная алая аура, я видел даже сквозь двери. И мог сейчас потянуться мыслью, отдать приказ — и мне бы открыли.

Но я предпочел пройти сквозь дверь.

Охрана и впрямь насторожилась — у одного в руке был пистолет, второй медленно-медленно тянулся к кобуре.

Я коснулся охранников, большим пальцем руки провел по крепким лбам. Спать, спать, спать... Вы очень устали. Надо лечь и поспать прямо сейчас. И спать не меньше часа. Крепко-крепко. И видеть хорошие сны.

Один охранник обмяк сразу, другой долю секунды сопротивлялся. Надо будет его потом проверить на принадлежность к Иным, мало ли...

Потом я вышел из Сумрака. Мир обрел краски и убыстрился. Откуда-то донеслась музыка.

Охранники кулями валились на дорогой персидский ковер, брошенный у самой двери.

Я ухитрился подхватить сразу обоих и уложить их достаточно бережно.

А потом пошел на звук, на минорное пение скрипки.

Вот эта квартирка была отремонтирована на совесть! Все здесь сияло, все было продумано и гармонично, здесь явно постарался дизайнер из числа самых крутых. Здесь хозяин и гвоздика в стену не вбивал. Да и пожеланий, вероятно, не высказывал. Так... мычал одобрительно или недовольно, разглядывая цветные эскизы, потом ткнул в несколько картинок пальцем — и на полгода забыл о квартире.

Тимур Борисович, как оказалось, приехал в «Ассоль», чтобы понежиться в джакузи. Причем в настоящей «Джакузи», а не в гидромассажной ванне менее знаменитой фирмы. Из пенящейся воды торчала только физиономия, до боли напоминающая Гесера. Дорогой костюм был небрежно повешен на спинку кресла — в этой ванной комнате хватало места и на кресла, и на журнальный столик, и на вместительную сауну, и на эту самую джакузи, сходную с маленьким бассейном.

Все-таки гены — великая вещь! Сын Гесера не мог стать Иным, но в своем человеческом существовании он вкушал все возможные блага.

Когда я вошел, сориентировался в просторах и приблизился к ванной, Тимур Борисович посмотрел на меня и нахмурился. Но никаких резких движений делать не стал.

— Ваша охрана спит, — сказал я. — Допускаю, что где-нибудь под рукой у вас тревожная кнопка или пистолет. Не надо ими пользоваться, это не поможет.

— Нет тут никакой тревожной кнопки, — буркнул Тимур Борисович, и голос его до боли напомнил голос Гесера. — Я не параноик... А вы, вероятно, Иной?

Так. Похоже, будем писать чистосердечное...

Я усмехнулся:

— Иной. Как хорошо, что не нужно долгих объяснений.

Тимур Борисович возмущенно фыркнул. Спросил:

— Мне что, выбираться? Или можно так поговорить?

— Можно и так, — согласился я. — Позволите?

Отпрыск великого мага кивнул, я пододвинул кресло и уселся, безжалостно сминая его дорогой костюм. Сказал:

— Понимаете, почему я пришел?

— На вампира вы никак не походите, — сказал Тимур Борисович. — Маг, вероятно? Светлый?

Я кивнул.

— Вы пришли меня инициировать, — решил Тимур Борисович. — А что, позвонить предварительно сложно было?

Ой, беда...

Он все-таки ничего не понимает.

— Кто обещал вам инициацию? — резко спросил я.

Тимур Борисович нахмурился. Пробормотал:

— Так... началось. Зачем вы пришли?

— Я веду расследование по делу о несанкционированном разглашении секретной информации, — сказал я.

— Но вы Иной? Вы не из гэбэ? — забеспокоился Тимур Борисович.

— К вашему большому сожалению — не из госбезопасности. Расскажите мне абсолютно честно, кто и когда пообещал вам инициацию.

— Ложь вы почувствуете, — просто сказал Тимур Борисович.

— Конечно.

— Господи, хотел пару часов спокойно провести! — с болью в голосе воскликнул Тимур Борисович. — Там проблемы, тут разборки... забираюсь в ванну — входит серьезный молодой человек и требует объяснений!

Я ждал. Я не стал уточнять, что я не человек.

— Неделю назад со мной встретился... — Тимур Борисович замялся, — при довольно странных обстоятельствах встретился... один господин...

— Как он выглядел? — спросил я. — Не надо описывать, просто мысленно представьте.

Во взгляде Тимура Борисовича появилось любопытство. Он уставился на меня.

— Чего? — растерянно произнес я.

Было от чего прийти в смущение!

Если верить мысленному образу, который возник в сознании бизнесмена (а не верить ему у меня не было оснований), то на разговор с ним пришел ныне малоизвестный, а когда-то знаменитый киноактер Олег Стриженов.

— Олег Стриженов. — Тимур Борисович фыркнул. — Молодой и красивый. Я уж решил, что с головой беда. Но он сказал, что это только маскировка... маска...

Вот оно в чем дело. Гесеру все-таки хватило ума замаскироваться. Что ж... это дает нам лишние шансы!

Я воспрял духом и сказал:

— Продолжайте. Что было дальше?

— Этот оборотень, — ненароком путая все наши термины, сказал Тимур Борисович, — очень помог мне в одном деле. Я влип в скверную историю... совершенно случайно. Если бы мне кое-что не сказали — я бы сейчас лежал не здесь.

— То есть — вам помогли? — уточнил я.

— Еще как помогли, — кивнул Тимур Борисович. — Разумеется, я заинтересовался. Как-то у нас пошел разговор... по душам. И старый Ташкент вспомнили, и о старых фильмах поболтали... Потом этот самый ненастоящий Стриженов мне рассказал про Иных. Сказал, что он мой родственник. И потому с удовольствием сделает для меня все что угодно. Просто так, без всяких ответных любезностей.

— Ну? — подбодрил я его.

— Я же не идиот. — Тимур Борисович пожал плечами. — У золотых рыбок надо просить не три желания, а всемогущество. Или, на худой конец, бассейн с золотыми рыбками. Я попросил сделать меня таким же Иным. Этот самый «Стриженов» стал темнить, вертеться будто на сковородке. Мол, нельзя это. Но я же чувствсвал — врет. Можно! Ну и попросил постараться и все-таки сделать меня Иным...

Он не врал. Ни единым словом. Только чуть-чуть недоговаривал.

— Вас нельзя сделать Иным, — объяснил я. — Вы обычный человек. Извините, но Иным вам не стать.

Тимур Борисович снова фыркнул.

— Это... ну, если угодно — это в генах, — объяснил я. — Тимур Борисович, а вы понимали, что по какой-то причине ваш собеседник попал в ловушку? Что он неверно сформулировал свою фразу, а в итоге вынужден выполнить для вас невыполнимое?

Вот тут мой самоуверенный собеседник промолчал.

— Понимали, — сказал я. — Вижу, что понимали. И все-таки требовали?

— Я же говорю — можно это сделать! — повысил голос Тимур Борисович. — Чувствую я это! Я не хуже вас чувствую, когда врут! А угрожать я не угрожал, только просил!

— Скорее всего к вам приходил ваш отец, — сказал я. — Понимаете?

Тимур Борисович оцепенел в своей бурлящей джакузи.

— Он и впрямь хотел бы вам помочь, — сказал я. — Но не может. А ваше требование его в буквальном смысле убивает. Понимаете?

Тимур Борисович покачал головой.

— Он дал слишком расплывчатое обещание, — сказал я. — Вы поймали его на слове. Если он не выполнит данное слово — то он умрет. Понимаете?

— Это у вас такие правила?

— Это приложение к Силе, — хмыкнул я. — Ну, для Светлых.

— Где он был раньше, папаша... — с неподдельно тоскливой интонацией сказал Тимур Борисович. — Он же небось до сих пор молодой? Что ж он пришел, когда у меня свои внуки переженились?

— Поверьте, он не мог, — ответил я. — И скорее всего просто о вас не знал. Так случилось. Но сейчас вы его убиваете. Родного отца.

Тимур Борисович молчал.

А я торжествовал. Потому что не был этот распростертый в джакузи бизнесмен совсем уж законченным мерзавцем. И слово «отец» для него, выросшего на Востоке, значило многое.

Несмотря ни на что.

— Передайте, что я снимаю свою... просьбу... — пробормотал Тимур Борисович. — Не хочет... ну и черт с ним... Мог бы просто прийти, честно все сказать. Нечего было сотрудников посылать.

— Уверены, что я его сотрудник? — полюбопытствовал я.

— Уверен. Кто он такой, мой папаша, не знаю. Но только в ваших Дозорах — не последняя сошка.

У меня получилось! Я снял нависший над Гесером дамоклов меч!

Не потому ли он направил меня в «Ассоль»? Понимал, что я сумею?

— Тимур Борисович, еще одна просьба, — продолжил я ковать горячее железо. — Вам надо на время исчезнуть из города. Некоторые обстоятельства стали известны... по вашему следу идут и другие Иные. В том числе и Темные. Неприятности будут и у вас, и у... у вашего отца.

Тимур Борисович рывком сел в ванне. Спросил:

— А еще чего прикажете сделать?

— Я могу приказать, — объяснил я. — Так же легко, как вашей охране. И вы без штанов помчитесь в аэропорт. Но я вас прошу, Тимур Борисович. Вы уже совершили добрый поступок, согласившись снять свое требование. Сделайте следующий шаг. Прошу вас.

— Вы понимаете, какое мнение складывается о бизнесмене, который внезапно исчезает неведомо куда?

— Догадываюсь.

Тимур Борисович крякнул и как-то сразу весь постарел. Мне стало стыдно. Но я ждал.

— Я хотел бы поговорить... с ним.

— Думаю, это получится, — легко согласился я. — Но вначале вам надо исчезнуть.

— Отвернитесь, — буркнул Тимур Борисович.

Я послушно отвернулся. Почему-то я верил, что не получу по затылку тяжелой никелированной мыльницей.

И это ничем не обоснованное доверие меня спасло.

Потому что я глянул на стену сквозь Сумрак — убедиться, что охрана мирно спит у входа. И увидел быструю тень — слишком быструю для человека.

К тому же тень шла сквозь стены. Не обычными шагами Иного, а скользящей походкой вампира.

Когда Костя вошел в ванную комнату, я уже успел придать лицу выражение спокойное и насмешливое. Как и подобает Светлому дозорному, опередившему Темного.

— Ты, — сказал Костя. В Сумраке от его тела шел легкий пар. Вампиры вообще по-другому выглядят в сумеречном мире, но в Косте осталось очень много от человека. Удивительно для Высшего вампира.

— Конечно, — сказал я. Звуки будто вязли в мокрой вате. — Почему ты сюда пришел?

Костя заколебался, но ответил честно:

— Я почувствовал, что ты используешь Силу. Значит — нашел что-то... Кого-то.

Он перевел взгляд на Тимура Борисовича. Спросил:

— Это и есть шантажист?

Врать теперь смысла не имело. И прятать бизнесмена — тоже.

— Шантажист, — сказал я. — Я заставил его отказаться от требований.

— Как?

— Наврал, что превращение в Иного ему неосторожно пообещал его родной отец. И теперь тому грозят серьезные неприятности... так что он устыдился и взял свои обещания назад.

Костя нахмурился.

— Собираюсь вообще услать его подальше от греха, — вдохновенно врал я. — Пусть поселится где-нибудь в Доминиканской Республике.

— Это только половина расследования, — хмуро сказал Костя. — Мне кажется, что вы, Светлые, укрываете своего.

— Мы или я?

— Ты. Найти человека — не самое главное. Нам нужен тот, кто проговорился. Кто обещал ему инициацию.

— Да ничего он не знает! — возмутился я. — Проверил я память, все чисто. Предатель приходил в образе киноактера прошлого века. И никаких следов не оставил.

— Посмотрим, — решил Костя. — Пусть натянет штаны, и я его заберу.

Вот это уже было наглостью!

— Я его нашел, и он пойдет со мной! — рявкнул я.

— А мне кажется, что ты собирался скрыть улики, — тихо, но угрожающе произнес Костя.

За нашей спиной медленно вытирался старик, даже не подозревавший о ведущемся в Сумраке разговоре. А мы буравили друг друга взглядами, и никто не хотел уступать.

— Он пойдет со мной, — повторил я.

— Подеремся? — почти весело спросил Костя.

И одним скользящим движением оказался рядом со мной, пытливо заглянул в глаза. Его зрачки в Сумраке светились красноватым огнем.

Да он же хочет этой схватки!

Он ее уже много лет хочет! Чтобы окончательно убедить себя — правда за Высшим вампиром Константином, а не за наивным юношей Костей, мечтавшим избавиться от проклятия и снова стать человеком...

— Я тебя уничтожу, — прошептал я.

Костя только усмехнулся:

— Проверим?

Я посмотрел себе под ноги. Тень была чуть видна, но я поднял ее — и скользнул в следующий слой Сумрака. Туда, где стены здания едва угадывались в тумане, а пространство наполнял тревожный низкий гул.

Лишь мгновение я находился в этой выигрышной позиции один.

Костя возник на втором слое Сумрака вслед за мной. Вот теперь он сильно изменился — лицо напоминало обтянутый кожей череп, глаза ввалились, уши заострились и вытянулись.

— Я многому научился, — прошептал Костя. — Ну что, с кем пойдет подозреваемый?

И тут раздался чужой голос:

— У меня есть предложение, которое всех устроит.

В сером тумане материализовался Витезслав. Его тело тоже было искажено и парило, будто кусок сухого льда на солнце. Я вздрогнул — пражский вампир пришел из третьего слоя Сумрака, из тех слоев, которые мне не были доступны. Какова же его сила?

Вслед за Витезславом появился Эдгар. Магу путешествие на третьем слое давалось с трудом — он шатался и тяжело дышал.

— Он пойдет с нами, — продолжал Витезслав. — Мы не склонны подозревать Антона Городецкого в злом умысле. Но мы учитываем подозрения Дневного Дозора. Дознание переходит к Инквизиции.

Костя ничего не сказал.

Молчал и я. Мало того что Витезслав был в своем праве. У меня просто не было возможности ему противостоять.

— Выходим, господа? — продолжил Витезслав. — Здесь неуютно.

И через секунду мы вновь стояли в большой просторной ванной комнате, где Тимур Борисович, прыгая на одной ноге, пытался влезть в трусы.

Витезслав дал ему время натянуть исподнее. И лишь когда бизнесмен повернулся на звук, увидел всю нашу компанию и удивленно вскрикнул, Витезслав холодно посмотрел на него.

Тимур Борисович обмяк. Эдгар оказался рядом и усадил безвольное тело в кресло.

— Говоришь, предателя он не знает... — произнес Витезслав, с любопытством разглядывая бизнесмена. — Какое удивительно знакомое лицо... У меня возникают любопытные догадки.

Я молчал.

— Ты можешь собой гордиться, Антон, — продолжал Витезслав. — Твоя фраза имела смысл. Мне кажется, что отец этого человека и впрямь служит в Дозоре. В Ночном Дозоре.

Хихикнул Костя. Конечно, ему не понравилось решение Витезслава. Костя предпочел бы самостоятельно доставить отпрыска Гесера в Дневной Дозор. Но и эта ситуация его устраивала.

— Неужели премудрый Гесер так оплошал? — с восторгом спросил он. — Как любопытно...

Витезслав посмотрел на него, и Костя осекся.

— Оплошать может каждый, — тихо сказал Витезслав. — Даже маг вне категорий. Но...

Он уставился на меня:

— Ты можешь вызвать сюда Гесера?

Я пожал плечами. Глупый вопрос, конечно же — могу. Да и Витезслав может.

— Мне не нравится происходящее... — тихо сказал Витезслав. — Очень не нравится. Кто-то здесь слишком нагло блефует.

Он обвел нас пронзительным нечеловеческим взглядом. Что-то его насторожило, но что именно?

— Я свяжусь со своим начальством, — сказал Костя тоном, не терпящим возражений.

Витезслав не возражал. Смотрел на Тимура Борисовича и морщился.

Я достал телефон и набрал номер Гесера.

— Кто-то хочет оставить нас всех в дураках... — с прорывающейся яростью сказал Витезслав. — И этот кто-то...

— Прикажите ему одеться, — попросил я, слушая долгие гудки. — Или необходимо унижать пожилого человека? Так в трусах и повезем?

Витезслав не шевельнулся, но Тимур Борисович встал и будто в полусне принялся одеваться.

Ко мне бочком приблизился Эдгар. Сочувственно спросил:

— Не отвечает? На его месте я бы...

— Тебе еще долго не предложат такие места, — обронил Витезслав. — Раз уж ты не видишь, в чем нас подставили...

Судя по лицу Эдгара, он ничего не видел. Как и я, как и Костя — который, закатив глаза, что-то беззвучно шептал.

— Да, Антон... — ответил мне Гесер. — Что-то интересное?

— Я нашел человека, которому было обещано превращение в Иного, — выдавил я.

В ванной комнате наступила полная тишина. Казалось, все прислушиваются к слабому звуку из трубки.

— Прекрасно! — воскликнул Гесер. — Ты молодец. Сейчас, не медля, свяжись с дознавателями от Темных и Инквизиции. Пусть подключаются к расследованию. Там где-то ошивается этот чешский вампир, Витезслав. Старикан толковый, хоть и совершенно без чувства юмора... но это у вампиров общая беда.

Витезслав повернулся ко мне. Лицо у него окаменело, глаза пылали. Он все слышал.

И я готов был поставить ящик чешского пива против флакона с тройным одеколоном, что Гесер прекрасно знал — Витезслав рядом со мной.

— Витезслав уже здесь, — сказал я. — А также Эдгар и... дознаватель от Темных.

— Как хорошо! — восхитился Гесер. — Попроси нашего пражского гостя провесить мне портал... если он справится, конечно. Я к вам загляну.

Спрятав трубку, я посмотрел на Витезслава. Честно говоря, на мой взгляд, Гесер переборщил с насмешками.

Но откуда мне знать, каковы отношения старого Светлого мага и старого вампира-Инквизитора? И какие счеты у них накопились друг к другу?

— Вы слышали, — уклончиво сказал я.

— Уточни, — коротко ответил Витезслав.

— Глава Ночного Дозора Москвы Пресветлый маг Гесер просит вас провесить ему портал. Если это в ваших силах, конечно.

Витезслав бросил лишь один взгляд в сторону — и над работающей джакузи очертилась в воздухе тонкая светлая рамка. Тот, кто шагнул бы сквозь эту странную дверь, неизбежно оказался бы в воде.

— Никаких проблем, — холодно сказал Витезслав. — Эдгар...

Бывший темный маг преданно заглянул ему в глаза.

— Досье на этого... — Витезслав кивнул на Тимура Борисовича, лениво повязывающего галстук. — Скорее всего внизу, в службе безопасности.

Эдгар исчез — для экономии времени побежал за досье через Сумрак.

А через мгновение в ванной появился Гесер.

Вот только вышел он не из портала, а рядом с ним, аккуратно шагнув на мраморные плитки пола.

— Совсем старый стал, — вздохнул он. — Мимо двери прошел...

Он посмотрел на Витезслава и расплылся в улыбке.

— Какая встреча. Что ж не зашел ко мне?

— Работа, — коротко ответил Витезслав. — Полагаю, нам надо как можно быстрее разрешить возникшие вопросы...

— Много времени в канцелярии проводишь, — вздохнул Гесер. — Совсем бюрократом стал... Так, что тут у нас?

— Вот он... — вставил я.

Гесер ободряюще улыбнулся мне и посмотрел на Тимура Борисовича.

Повисла тишина. Затих Костя, закончив свой беззвучный разговор с Завулоном — тот не спешил появляться. Витезслав будто окаменел. Я вообще старался не дышать.

— Любопытно, — сказал Гесер. Подошел к Тимуру Борисовичу, безучастно глядящему перед собой, коснулся его руки. Выдохнул: — Ай-ай-ай...

— Вам знаком этот человек, Пресветлый Гесер? — спросил Витезслав.

Гесер повернулся к нам с выражением глубочайшей печали на лице. Горько спросил:

— Да ты что, совсем нюх потерял? Это же моя кровь, Витезслав! Это сын мой!

— Неужели? — иронично спросил Витезслав.

Гесер больше не обращал на него внимания. Обнял старика, который на человеческий взгляд ему самому в отцы годился. Ласково гладил по плечам, шептал:

— Где ж ты был все эти годы, малыш... Вот ведь как довелось свидеться... А говорили — не выжил... говорили — дифтерия...

— Мои искренние поздравления, Гесер, — сказал Витезслав. — Но я бы хотел получить объяснения!

В ванной вновь появился Эдгар. Вспотевший, с папкой в руках.

Все еще продолжая обнимать своего старика-сына, Гесер ответил:

— Простая история, Витезслав. До войны я работал по Узбекистану. Самарканд, Бухара, Ташкент... Был женат. Меня отозвали в Москву. Я знал, что у меня родился сын, но ни разу его не видел. Не до того стало... война. Потом мать мальчика умерла. А его следы затерялись.

— Даже ты не смог его найти? — недоверчиво спросил Витезслав.

— Даже я. По документах выходило, что умер он. От дифтерии...

— Мексиканский сериал, — не выдержал Эдгар. — Пресветлый Гесер, вы утверждаете, что не встречались с этим человеком?

— Ни разу, — печально сказал Гесер.

— Не разговаривали с ним, не предлагали ему, в нарушение всех правил, стать Иным? — не унимался Эдгар.

Гесер с иронией посмотрел на мага:

— Вам ли не знать, уважаемый Инквизитор, что человек Иным стать не может!

— Ответьте на вопрос! — не то попросил, не то приказал Эдгар.

— Я никогда его не видел, никогда с ним не говорил и ничего ему не обещал. Я не отправлял писем в Дозоры и Инквизицию! Я не просил никого встречаться с ним или отправлять эти письма! Свет — свидетель моих слов! — отчеканил Гесер. Вскинул руку — и в ладони на миг расцвел лепесток белого огня. — Вы что, ставите под сомнение мои слова? Утверждаете, что это я — предатель?

Он стал выше ростом, будто в нем распрямилась какая-то пружина. Взглядом Гесера теперь можно было забивать гвозди.

— Вы предъявляете мне обвинение? — повышая голос, продолжил Гесер. — Ты, Эдгар? Или ты, Витезслав?

Костя не вовремя попятился и получил свою порцию испепеляющего взгляда:

— Или ты, мальчик-вампир?

Мне самому захотелось спрятаться. Но в глубине души я хохотал. Гесер всех провел! Я не понимал, как именно, но провел!

— Мы не смеем даже предположить подобного, Пресветлый Гесер. — Витезслав первым склонил голову. — Эдгар, ваши вопросы были невежливо сформулированы!

— Моя вина, — понурился Эдгар. — Простите, Пресветлый Гесер. Я глубоко раскаиваюсь.

Костя панически озирался. Ждал Завулона? Нет, скорее всего не ждал. Наоборот, мечтал, чтобы глава Темных не появился и не попал под раздачу насмешек.

А Завулон и не появится, понял я. Это европейский вампир, несмотря на всю свою силу и вековую мудрость растерявший опыт закулисных интриг, мог попасть в ловушку. А Завулон сразу понял — Гесер так глупо не подставляется.

— Вы напали на моего сына, — печально сказал Гесер. — Кто наложил на него безволие? Ты, Константин?

— Нет! — панически выкрикнул Костя.

— Это я, — мрачно сказал Витезслав. — Снять?

— Снять? — рявкнул Гесер. — Вы воздействовали магией на моего мальчика! Вы представляете, какой это шок, в его-то возрасте? А? И кем он теперь станет, после инициации? Темным?

У меня глаза на лоб полезли. Костя что-то слабо пискнул. Эдгар клацнул зубами.

И, наверное, все одновременно мы посмотрели на Тимура Борисовича сквозь Сумрак.

Аура потенциального Иного была совершенно явной.

Тимуру Борисовичу не было нужды подставляться под клыки вампира или оборотня. Он мог стать вполне приличным магом. Четвертой-пятой ступени.

К сожалению, скорее Темным магом... Но...

— И что мне теперь делать? — продолжал Гесер. — Вы набросились на малыша, напугали его, подавили волю...

Престарелый «малыш» слабо елозил пальцами по узлу галстука — все старался завязать виндзорский узел поаккуратнее.

— Теперь он станет Темным? — возмущался Гесер. — Так? Это что, было специально спланировано? Сын Гесера — Темный маг?

— Я уверен, что он стал бы Темным в любом случае... — сказал Витезслав. — С его-то образом жизни...

— Ты подавил его волю, толкнул к Тьме, а теперь делаешь подобные заявления? — угрожающим шепотом сказал Гесер. — Инквизиция считает себя вправе нарушать Договор? Или это твой личный выпад... все не можешь забыть Карлсбад? Мы можем продолжить тот разговор, Витезслав. Здесь не Красная Купальня, но места для дуэли нам хватит.

Секунду Витезслав колебался, пытался выдержать взгляд Гесера.

А потом сдался:

— Моя вина, Гесер. Я не подозревал, что этот человек — потенциальный Иной. Ведь все говорило за обратное... эти письма...

— И что теперь? — рявкнул Гесер.

— Инквизиция признает свою... свою поспешность... — сказал Витезслав. — Ночной Дозор Москвы вправе взять этого... этого человека под свою опеку.

— Провести его реморализацию? — спросил Гесер. — Инициировать после того, как он обратится к Свету?

— Да... — прошептал Витезслав.

— Что ж, тогда будем считать конфликт исчерпанным. — Гесер улыбнулся и похлопал Витезслава по плечу. — Не переживай. Все мы порой делаем ошибки. Главное — их исправить, верно?

Железная у него была выдержка, у этого древнего европейского кровососа.

— Верно, Гесер... — печально сказал он.

— Кстати, а Иного-предателя вы поймали? — поинтересовался Гесер.

Витезслав покачал головой.

— Что там у сынишки в памяти... — вслух спросил Гесер. Посмотрел на Тимура Борисовича, уже стоящего при всем параде. — Ай-ай-ай... Олег Стрижёнов. Кинозвезда шестидесятых... Какая наглая маскировка!

— Видимо, предатель любит старое русское кино? — спросил Витезслав.

— Видимо. Я лично предпочел бы Иннокентия Смоктуновского, — ответил Гесер. — Или Олега Даля. Витезслав, глухо дело. Предатель не оставил следов.

— И ты не можешь предположить, кто он? — спросил Витезслав.

— Предположить могу, — кивнул Гесер. — В Москве тысячи Иных. Любой мог надеть чужой облик. Инквизиция желает проверить память всех Иных Москвы?

Витезслав поморщился.

— Да, не выйдет, — согласился Гесер. — Я не ручаюсь даже за своих сотрудников, а уж Иные, не состоящие в Дозорах, откажутся наотрез.

— Мы устроим засаду, — заявил Эдгар. — И если предатель вновь появится...

— Он не появится, — устало сказал Витезслав. — В этом больше нет необходимости.

Гесер улыбнулся, глядя на мрачного вампира. А потом улыбку будто стерли.

— Прошу вас покинуть квартиру моего сына. Для подписания протокола я жду вас в офисе. Сегодня в семь часов вечера.

Витезслав кивнул и исчез — впрочем, через мгновение появился снова. Слегка сконфуженный.

— Ножками, ножками, — сказал Гесер. — Я закрыл здесь Сумрак. На всякий случай.

Я поплелся следом за Инквизиторами и Костей — вот уж кто был счастлив убраться восвояси!

— Антон, — окликнул меня Гесер. — Спасибо. Ты хорошо поработал. Зайди ко мне вечером.

Отвечать я не стал. Мы прошли мимо ко всему безучастных охранников, и я бдительно просканировал ауру того, кто показался мне подозрительным.

Нет, все-таки не Иной. Человек.

Долго я теперь буду дуть на воду...

Погруженный в раздумья Витезслав молчал, предоставив Косте и Эдгару долгую возню с замками. Лишь один раз покосился на меня и спросил:

— Не угостишь кофе, дозорный?

Я кивнул. Почему бы и нет?

Мы же делали одно общее дело. И в лужу сели вместе — несмотря на все реверансы Гесера в мой адрес.

Глава 7

Смешная компания — юноша-вампир из Дневного Дозора, два Инквизитора и Светлый маг.

И все мирно сидят в большой пустой квартире, ждут, пока в микроволновке вскипит вода для растворимого кофе. Я даже Косте позволил войти — и теперь он сидел на том же подоконнике, но с внутренней стороны.

Одному Витезславу не сиделось.

— Отвык я от России, — задумчиво прохаживаясь у окна, сказал он. — Отвык. Не узнать страну.

— Да, меняется страна! Строятся новые дома, дороги... — восторженно начал я.

— Избавь меня от своей иронии, дозорный, — оборвал меня Витезслав. — Я говорю о другом. Семьдесят лет в вашей стране жили самые дисциплинированные Иные. Даже Дозоры держали себя в рамках приличия...

— А теперь все как с цепи сорвалось? — прозорливо спросил я.

Витезслав молчал.

Мне стало стыдно. Кем бы он ни был, пражский вампир из Инквизиции, но сегодня его с плеском и брызгами окунули в грязную лужу. Первый раз я видел опозорившуюся Инквизицию. Даже Гесер... не то чтобы он их боялся, но признавал непреодолимой силой.

И вдруг переиграл. Легко и изящно.

Что-то изменилось в мире? Инквизиция стала третьей стороной... лишь одной из сторон в игре? Темные, Светлые и Инквизиция?

Или Темные, Светлые и Сумрак?

Стеклянный чайничек с водой забурлил. Я разлил кипяток по чашкам, расставленным на подоконнике. Выложил кофе, сахар, пакет молока.

— Городецкий, ты понимаешь, что сегодня был нарушен Договор? — неожиданно спросил Витезслав.

Я пожал плечами.

— Тебе не обязательно отвечать, — сказал Витезслав. — И так знаю, что ты все понял. Некто из Ночного Дозора Москвы спровоцировал Инквизицию на неосмотрительные действия... после чего получил право привлечь на сторону Света одного-единственного человека. Не думаю, что он принесет Ночному Дозору много пользы.

Я тоже так не думал. Не станет Тимур Борисович учиться пользованию Силой Сумрака. Получит он свое долголетие, получит возможность совершать маленькие магические фокусы, видеть тайные умыслы деловых партнеров, уворачиваться от пуль... Ему этого хватит. Ну, допустим, станет его фирма регулярно перечислять на счет Ночного Дозора крупные суммы. И сам бизнесмен подобреет, займется какой-нибудь благотворительностью... возьмет на содержание белого медведя в зоопарке и десяток сирот в детском доме.

Все равно. Не стоила того ссора с Инквизицией.

— Бесчестно, — с горечью сказал Витезслав. — Использование служебного положения в личных целях!

Я невольно фыркнул.

— Что-то смешное? — насторожился Витезслав.

— Мне кажется, Гесер прав. Вы и впрямь пересидели на бумажной работе.

— Значит, ты считаешь, что все было нормально? — спросил Витезслав. — Нет повода возмутиться?

— Человек, пускай и не лучший на свете, станет Светлым, — сказал я. — Теперь он никому не причинит зла. Наоборот. Так почему же я должен возмущаться?

— Оставь, Витезслав, — тихо сказал Эдгар. — Городецкий ничего не понимает. Он слишком молод.

Витезслав кивнул, отхлебнул кофе. Мрачно сказал:

— Мне казалось, что ты отличаешься от всей этой Светлой братии. Что тебе важна суть, а не форма...

И тут я завелся:

— Да, мне важна суть, Витезслав! А суть в том, что ты — вампир! А ты, Эдгар, Темный маг! Не знаю, в чем вы усматриваете нарушение Договора, но уверен — к Завулону бы претензий не было!

— Светлый маг... — процедил Витезслав. — Адепт Света... Мы лишь храним равновесие, ясно? И Завулон попал бы под трибунал, вздумай он сотворить такое!

Но меня сейчас было не остановить.

— Завулон много чего творил. Он пытался убить мою жену. Он пытался убить меня. Он постоянно толкает людей к Тьме! Ты говоришь, что кто-то из наших поступил нечестно, переиграв шулера? Так вот, это, может быть, и нечестно, но правильно! Вы все время возмущаетесь, когда вам дают сдачу вашей же фальшивой монетой... что ж, все легко изменить. Начните играть честно.

— Твоя и наша честность — разные вещи, — обронил Эдгар. — Витезслав, пойдем...

Вампир кивнул. Поставил недопитую чашку.

— Благодарю за кофе, Светлый. Возвращаю тебе приглашение войти.

И оба Инквизитора вышли. Остался лишь молчаливый Костя, сидевший на табуретке и допивающий кофе.

— Моралисты, — зло сказал я. — Или ты тоже считаешь, что они правы?

Костя улыбнулся:

— Нет, почему же? Так им и надо. Давно следовало сбить с Инквизиции спесь... мне лишь жалко, что это сделал Гесер, а не Завулон.

— Гесер ничего не делал, — упрямо сказал я. — Он же поклялся, ты слышал?

Костя пожал плечами:

— Не представляю, как он все устроил. Но это его интрига. Не зря Завулон решил обождать. Хитер, хитер старый лис... знаешь, что меня удивляет?

— Ну? — настороженно спросил я. Поддержка Кости как-то не вдохновляла.

— Какая вообще между нами разница? Мы интригуем, перетаскивая нужных нам людишек на свою сторону. И вы точно так же. Захотелось Гесеру сделать сына Светлым — он и сделал. Молодец! Никаких претензий у меня нет.

Костя улыбался.

— Как ты думаешь, кто был прав во Второй мировой войне? — спросил я.

— Это ты к чему? — Теперь напрягся Костя, не без оснований ожидая подвоха.

— А ты ответь.

— Наши были правы, — патриотично сказал Костя. — Между прочим, некоторые вампиры и оборотни воевали! Двое даже получили Звезду Героя!

— А почему правы именно наши? Сталин ведь тоже не прочь был проглотить Европу. И мирные города мы бомбили, и музеи грабили, и дезертиров расстреливали...

— Да потому что они наши! Потому и правы!

— Так вот, сейчас правы наши. А наши — Светлые.

— То есть ты так чувствуешь, — уточнил Костя. — И возражений поэтому не приемлешь?

Я кивнул.

— Ха... — презрительно сказал Костя. — Ну хоть один разумный довод роди.

— Мы кровь не пьем, — сказал я.

Костя поставил чашку на пол. Встал.

— Благодарю за гостеприимство. Возвращаю тебе твое приглашение войти.

И я остался один — в большой пустой квартире, наедине с недопитыми чашками, открытой микроволновкой и остывающей водичкой в чайнике...

Зачем я ее в микроволновке грел? Один-единственный пас — и вода бы вскипела прямо в чашках.

Я достал телефон, набрал номер Светланы. Телефон не отвечал. Наверное, пошла с Надюшкой гулять, а трубку опять забыла в комнате...

На душе у меня вовсе не было так легко, как я пытался показать.

Чем же мы все-таки лучше? Интригуя, сражаясь, обманывая? Мне нужен этот ответ, в очередной раз нужен. И не от умницы Гесера, привыкшего плести кружева из слов. И не от себя самого — себе я уже не верю. Мне нужен ответ от человека, которому я доверяю.

А еще я должен понять, как Гесер обманул Инквизицию.

Потому что если он поклялся Светом — и соврал...

Тогда за что я сражаюсь?

— Будь оно все... — начал я и осекся. Не проклинать — этому учат в первые же дни после инициации. А вот — почти сорвался...

Будь оно все. Просто будь.

И тут в дверь позвонили — будто угадали, что мне сейчас ни к чему оставаться одному.

— Да! — крикнул я через всю комнату, вспомнив, что дверь не запирал.

Дверь приоткрылась, просунулась голова Ласа. Мой сосед огляделся, спросил:

— Ничего, не помешал?

— Нормально, входи.

Лас вдвинулся в комнату, огляделся. Сказал:

— Не, у тебя ничего так... только унитаз надо поставить... Можно еще разок помыться? Сейчас или вечером... мне понравилось.

Я сунул руку в карман, нащупал связку ключей. Представил себе, как ключи разбухают, расщепляются...

И бросил Ласу свеженький комплект.

— Лови!

— Зачем? — разглядывая ключи, заинтересовался Лас.

— Мне надо будет уехать. Пользуйся пока.

— Ну вот, только нормальный человек поселился... — огорчился Лас. — Обидно. Скоро уезжаешь?

— Сейчас, — сказал я. Мне вдруг стало ясно, как я хочу увидеть Светку и Надю. — Может, еще вернусь.

— А может, и нет?

Я кивнул.

— Обидно, — повторил Лас, приближаясь. — Я тут у тебя мини-дисковик видел... держи.

Я взял маленький диск.

— «Боевые протезы», — объяснил Лас. — Мой альбом. Только при женщинах и детях не включай!

— Не стану. — Я повертел диск в руках. — Спасибо.

— У тебя проблемы какие-то? — спросил Лас. — Извини, если не в свои дела лезу, но вид какой-то больно унылый...

— Да нет, ничего, — встряхнулся я. — По дочке соскучился. Поеду сейчас... жена с ней на даче, а у меня тут работа...

— Святое дело, — одобрил Лас. — Нельзя ребенка обделять вниманием. Хотя если мать с ней — это главное.

Я посмотрел на Ласа.

— Мать все-таки главное для ребенка, — с видом Выготского, Пиаже или иного мэтра детской психологии сказал Лас. — Биологически так обусловлено. Мы, самцы, все-таки в первую очередь заботимся о самке. А самки — о детеныше.

В квартиру Тимура Борисовича меня впустили без споров. Охранники выглядели вполне нормально и вряд ли имели хоть малейшее представление о недавних событиях.

Гесер со своим вновь обретенным сыном пили чай в кабинете. Большом, хотелось даже сказать «обстоятельном» кабинете с массивным письменным столом, с кучей всяких забавных безделушек на полках старинных шкафов. Удивительно, как сходятся их вкусы. Кабинет Тимура Борисовича удивительно походил на рабочее место его отца.

— Проходи, молодой человек, — улыбнулся мне Тимур Борисович. — Видишь, все устроилось.

Он покосился на Гесера, добавил:

— Молодой еще, горячий...

— Это точно, — кивнул Гесер. — Что случилось, Антон?

— Надо поговорить, — сказал я. — Наедине.

Гесер вздохнул, посмотрел на сына. Тот встал:

— Схожу-ка я к своим оболтусам. Нечего им штаны тут просиживать, найдутся дела.

Тимур Борисович вышел, мы остались наедине с Гесером.

— Ну, что случилось, Городецкий? — устало спросил Гесер.

— Мы можем говорить свободно?

— Да.

— Вы не хотели, чтобы ваш сын стал Темным Иным, — сказал я. — Верно?

— А ты бы хотел видеть свою Надюшку Темной волшебницей? — вопросом ответил Гесер.

— Но Тимур неизбежно стал бы Темным, — продолжал я. — Вам нужно было получить право на его реморализацию. Для этого Темные, а еще лучше — Инквизиция должны были запаниковать и совершить какие-то неправомерные действия в отношении вашего сына...

— Что и произошло, — сказал Гесер. — Так, Городецкий. Ты хочешь меня в чем-то обвинить?

— Нет, я хочу понять.

— Ты же видел, я клялся Светом. Я не встречался ранее с Тимуром. Я ничего ему не обещал, не посылал писем. И никого не привлекал для этих целей.

Нет, Гесер не оправдывался. И не пытался заморочить меня. Он будто условия задачи излагал — с удовольствием ожидая, какой же ответ даст ученик.

— Витезславу достаточно было задать еще один вопрос, — сказал я. — Но, видимо, этот вопрос был слишком человеческим для него...

Гесер качнул веками, будто репетируя кивок.

— Мать, — сказал я.

— Витезслав когда-то убил свою мать, — объяснил Гесер. — Не со зла. Он был молодым вампиром и не мог себя контролировать. Но... с тех пор он старается не произносить этого слова.

— Кто мать Тимура?

— В досье должно быть имя.

— Там могло стоять какое угодно имя. Написано, что мать Тимура исчезла в конце войны... но я знаю одну женщину-Иную, которая с того времени пребывала в теле птицы. С точки зрения людей она умерла.

Гесер молчал.

— Вы действительно не могли его найти раньше? — спросил я.

— Мы были уверены, что Тимка умер, — тихо сказал Гесер. — Это Ольга не хотела смириться. И когда ее реабилитировали — продолжила искать...

— Нашла сына. И дала ему опрометчивое обещание, — закончил я.

— Женщинам позволено проявлять лишние эмоции, — сухо сказал Гесер. — Даже самым мудрым женщинам. А мужчины на то и существуют, чтобы защитить и свою женщину, и своего ребенка. Рационально и вдумчиво все организовать.

Я кивнул.

— Ты меня осуждаешь? — с любопытством спросил Гесер. — Антон?

— Кто я такой, чтобы осуждать? — спросил я. — У меня дочь — Светлая Иная. И я сам не хотел бы отпустить ее во Тьму.

— Спасибо, Антон. — Гесер кивнул и явственно расслабился. — Рад, что ты это понял.

— Интересно, как далеко вы пошли бы ради сына и Ольги, — сказал я. — Ведь Светлана что-то почувствовала? Какую-то опасность для меня?

Гесер пожал плечами:

— Предчувствия — штука ненадежная.

— Если бы я решил рассказать Инквизиции правду, — продолжал я. — Решил бы уйти из Дозора в Инквизицию... Что тогда?

— Ты же не ушел, — сказал Гесер. — Несмотря на все намеки Витезслава. Что еще, Антон? Чувствую, у тебя новый вопрос на языке вертится.

— Как так получилось, что ваш сын — Иной? — спросил я. — Это же лотерея. Редко в какой семье Иных рождается ребенок-Иной.

— Антон, либо иди к Витезславу и излагай свои домыслы, — тихо сказал Гесер, — либо дуй к Светлане, как собирался. Меня от этого допроса избавь.

— Не боитесь, что Инквизиция все обдумает и сообразит, в чем было дело? — спросил я.

— Не боюсь. Через три часа Витезслав подпишет бумаги об окончании расследования. Поднимать дело они не станут. И так в дерьме по уши.

— Удачи вам с реморализацией Тимура, — сказал я.

И двинулся к двери.

— У тебя еще неделя отпуска, побудь с семьей! — сказал Гесер вслед.

Вначале я хотел гордо сказать, что в подачках не нуждаюсь.

Но вовремя остановился.

Какого черта?

— Две недели, — сказал я. — У меня одних отгулов на месяц накопилось.

Гесер смолчал.

Эпилог

«BMW» я решил сдать, вернувшись из отпуска. В конце-то концов...

По свеженькой трассе — раньше это были ухабы, соединенные участками шоссе, теперь участки шоссе, изредка прерываемые ухабами, — машина легко шла на ста двадцати.

Хорошо быть Иным.

Я знаю, что не попаду в пробку. Я знаю, что навстречу мне не выскочит самосвал с пьяным водителем. Если кончится бензин, я могу залить в бензобак воду — и превратить ее в горючее.

Ну кто же не захочет родному ребенку такой судьбы?

Вправе ли я осуждать Гесера и Ольгу?

Магнитола в машине была новенькая, с гнездом для мини-дисков. Вначале я хотел воткнуть туда «Боевые протезы», потом решил, что мне хочется чего-нибудь более лиричного.

И поставил «Белую гвардию».

> Я не знаю, что ты решил,
> Я не знаю, кто там с тобой,
> Ангел ниткой небо зашил,
> Синей и голубой...
> Я не помню вкуса потерь,
> Я не в силах противиться злу,
> Каждый раз, выходя за дверь,
> Я иду к твоему теплу...

У меня зазвонил мобильный. И тут же умненькая магнитола уменьшила звук.

— Света? — спросил я.

— До тебя не дозвонишься, Антон.

Голос у Светланы был спокойный. Значит, все в порядке.

И это самое главное.

— Я тоже не мог до тебя дозвониться, — признался я.

— Видимо, атмосферные флюктуации, — усмехнулась Светлана. — Что случилось полчаса назад?

— Ничего особенного. Поговорил с Гесером.

— Все нормально?

— Да.

— У меня было предчувствие. Что ты ходишь по краю.

Я кивнул, глядя на дорогу. Умница у меня жена, Гесер. Надежные у нее предчувствия.

— А сейчас все в порядке? — уточнил я.

— Сейчас все в порядке.

— Света... — одной рукой придерживая руль, спросил я. — Что делать, если не уверен, что поступил правильно? Если мучаешься вопросом, прав или нет?

— Идти в Темные, — без колебаний ответила Светлана. — Они не мучаются.

— И это весь ответ?

— Это единственный ответ. И вся разница между Светлыми и Темными. Ее можно называть совестью, можно называть нравственным чувством. Суть одна.

— Такое ощущение, — пожаловался я, — что время порядка кончается. Понимаешь? А настает... не знаю. Не темное время, не светлое... и даже не час Инквизиторов...

— Это ничье время, Антон, — сказала Светлана. — Это всего лишь ничье время. Ты прав, что-то близится. Что-то в мире случится. Но еще не сейчас.

— Поговори со мной, Света, — попросил я. — Мне еще полчаса ехать. Поговори со мной эти полчаса, ладно?

— У меня на мобильнике денег мало, — с сомнением ответила Светлана.

— А я тебе сейчас перезвоню, — предложил я. — Я же на задании, у меня мобильник казенный. Пускай по счету Гесер платит.

— И совесть тебя не станет мучить? — засмеялась Светлана.

— За сегодня я ее натренировал.

— Ладно, не перезванивай, я заколдую свой мобильник, — сказала Светлана. То ли в шутку, то ли всерьез. Я не всегда понимаю, когда она шутит.

— Тогда рассказывай, — сказал я. — Что будет, когда я приеду. Что скажет Надюшка. Что скажешь ты. Что скажет твоя мама. Что с нами будет.

— Все будет хорошо, — сказала Светлана. — И я обрадуюсь, и Надя. И мама моя обрадуется...

Я вел машину, в нарушение всех строгих правил ГАИ прижимая мобильник к уху одной рукой. Какие-то грузовики все неслись и неслись по встречной полосе.

Я слушал, что говорит Светлана.

А в динамиках все пел и пел тихий женский голос:

> Когда ты вернешься, все будет иначе,
> И нам бы узнать друг друга...
> Когда ты вернешься,
> А я не жена и даже не подруга.
> Когда ты вернешься ко мне,
> Так безумно тебя любившей в прошлом,
> Когда ты вернешься
> Увидишь, что жребий давно и не нами брошен...

История вторая
НИЧЬЕ ПРОСТРАНСТВО

Пролог

Отдых в Подмосковье всегда был уделом людей либо бедных, либо богатых. Это средний класс выбирает турецкие отели с программой «все включено, пей сколько влезет», знойную испанскую сиесту или чистенькое побережье Хорватии. В средней полосе России средний класс отдыхать не любит.

Впрочем, среднего класса в России немного.

Профессия учителя биологии, пусть даже и в престижной московской гимназии, к среднему классу никак не относится. Если же учитель — женщина, если сволочь муж три года назад ушел к другой, никак не посягая на право матери воспитывать двоих детей, то о турецких отелях можно только мечтать.

Хорошо еще, что дети пока не вошли в ужасный подростковый возраст и искренне радуются старенькой даче, мелкой речушке и начинающемуся за самой околицей лесу.

Плохо то, что старшая дочь уж слишком серьезно воспринимала свой статус старшей. В десять лет можно неплохо присматривать за пятилетним братиком, бултыхающимся в речке, но никак не стоит забираться далеко в лес, полагаясь на знания из учебника «Природоведение».

Впрочем, десятилетняя Ксюша пока и не предполагала, что они заблудились. Крепко держа брата за руку, она шла по едва угадывающейся тропинке и рассказывала:

— А тогда его снова сосновыми кольями пробили! Один кол вбили в лоб, а другой в живот! А он из могилы встал и говорит: «Все равно не убьете! Я уже давно мертвый! А зовут меня...»

Брат тихонько заныл.

— Ладно, ладно, пошутила, — сказала Ксюша серьезно. — Он упал и умер. Его похоронили и пошли праздновать.

— С-с-страшно, — признался Ромка. Заикался он не от страха, заикался он всегда. — Ты б-больше не рас-с-сказывай, ладно?

— Не буду, — сказала Ксюша, оглядываясь. Тропинка была еще видна за спиной, но впереди совершенно терялась в опавшей хвое и прелой листве. Лес как-то незаметно стал сумрачным, суровым. Совсем не таким, как у деревни, где мама снимала дачу — старый заброшенный дом. Надо было поворачивать назад — пока не поздно. И Ксюша, будучи старшей и заботливой сестрой, это понимала. — Пойдем домой, а то мама ругать будет.

— Собачка, — неожиданно сказал брат. — Гляди, собачка!

Ксюша повернулась.

За спиной и впрямь стояла собака. Большая, серая, клыкастая. И смотрела, разинув пасть — будто улыбалась.

— Хочу такую собачку, — сказал Ромка совсем без запинок и гордо посмотрел на сестру.

Ксюша была девочкой городской и волков видела только на картинках. Ну, еще в зоопарке, только там были какие-то редкие суматранские волки...

Но сейчас ей стало страшно.

— Пойдем, пойдем, — тихонько сказала она, хватая Ромку покрепче. — Это чужая собачка, с ней играть нельзя.

Наверное, что-то в ее голосе брата испугало. Причем испугало так, что он не стал ныть, а сам вцепился в сестру и послушно пошел следом.

Серая собачка постояла немного и неспешно двинулась за детьми.

— Она з-за нами идет, — сказал Ромка, озираясь. — Ксюха, эт-то волк?

— Это собачка, — сказала Ксюша. — Только не беги, ясно? Волки кусают тех, кто бежит!

Собачка издала кашляющий звук — будто засмеялась.

— Бежим! — закричала Ксюша. И они побежали — напролом через лес, сквозь колючие цепкие кусты, мимо какого-то чудовищно огромного, в рост взрослого, муравейника, мимо череды замшелых пней — кто-то когда-то вырубил здесь десяток деревьев, да и уволок.

Собака то исчезала, то появлялась. Сзади, справа, слева. И кашляла-смеялась время от времени.

— Она смеется! — сквозь слезы закричал Ромка.

Собака куда-то исчезла. Ксюша остановилась у могучей сосны, прижимая к себе Ромку. Братец давно таких нежностей не терпел, но сейчас не сопротивлялся, вжался в сестру спиной, а глаза испуганно закрыл руками. И тихонько повторял:

— Не б-боюсь, не б-боюсь. Никого нет.

— Никого нет, — подтвердила Ксюша. — Да не ной ты! У вол... у собачки тут щенки были. Она нас и прогнала от щенков. Понял? Мы сейчас пойдем домой.

— Пойдем, — с радостью согласился Ромка и отнял руки от лица. — Ой, щенки!

Страх его пропал мгновенно, едва он увидел выходящих из кустов щенков. Их было трое — серых, лобастых, с глупыми глазами.

— Щ-щеночки... — восторженно сказал Ромка.

Ксюша панически дернулась в сторону. Сосна, у которой они стояли, не пустила — ситцевое платьице приклеилось к смоле. Ксюша дернулась сильнее, так, что затрещала ткань, отлепилась.

И увидела волка. Волк стоял сзади и улыбался.

— Надо на дерево залезть... — прошептала Ксюша.

Волк засмеялся.

— Она хочет, чтобы мы с щенками поиграли? — с надеждой спросил Ромка.

Волк замотал серой, в темных подпалинах головой. Будто отвечая — нет, нет. Я хочу, чтобы щенки *поиграли с вами...*

И тогда Ксюша закричала — так громко и пронзительно, что даже волк отступил на шаг и сморщил морду.

— Убирайся, убирайся! — забыв про то, что она уже большая, смелая девочка, кричала Ксюша.

— А ну не кричите, — донеслось со спины. — Весь лес перебудили...

Дети с проснувшейся надеждой обернулись. Рядом со щенками стояла взрослая женщина — красивая, черноволосая, в длинном льняном платье и босиком.

Волк угрожающе зарычал.

— Не балуй, — сказала женщина. Наклонилась, схватила за шкирку одного щенка — тот повис в ее руках безвольно, будто уснув. Остальные тоже застыли на месте. — Это у нас кто?

Волк, уже не обращая внимания на детей, угрюмо двинулся к женщине.

> Волчья чаща, тьма и жуть,
> Вам меня не обмануть, —

нараспев сказала женщина.

Волк остановился.

> Вижу правду, вижу ложь,
> На кого же ты похож? —

закончила женщина, глядя на волка.

Волк оскалился.

— Ай-ай-ай... — сказала женщина. — И что делать будем?

— Уй... ди... — пролаял волк. — Уй... ди... ведь... ма...

Женщина бросила волчонка на мягкий мох. И будто оцепенение спало — щенки в панике бросились к волку, замельтешили у него под брюхом.

> Три травинки, береста,
> Волчья ягода с куста,
> Капля крови, капля слёз,
> Козья шкура, прядь волос...
> Я мешала и месила,
> Я варила зелье впрок...

Волк попятился, за ним — щенки.

> Нет в тебе отныне силы,
> Колдовству выходит срок! —

торжествующе произнесла женщина.

Будто четыре серые молнии — одна большая и три маленькие — ударили с поляны в кусты. В воздухе закружились клочья серой шкуры. И резко запахло псиной — будто стая собак сохла здесь после дождя.

— Тетя, в-вы в-ведьма? — тихонько спросил Ромка.

Женщина засмеялась. Подошла к ним, взяла за руки.

— Пойдемте.

Избушка была вовсе не на курьих ножках, и это Ромку разочаровало. Самый обычный бревенчатый домик с маленькими окошками и крошечными сенями.

— А б-баня у вас есть? — вертя головой, спросил Ромка.

— Зачем тебе баня? — засмеялась женщина. — Помыться хочешь?

— Вы д-должны вначале баньку истопить, потом нас п-покормить, а только потом съесть, — серьезно сказал Ромка.

Ксюша дернула его за руку. Но женщина не обиделась, засмеялась:

— Ты меня с Бабой-Ягой не перепутал? Можно я не стану баньку топить? У меня ее все равно нет. И есть вас не стану.

— М-можно, — обрадовался Ромка.

Внутри домик тоже никак не походил на жилище уважающей себя Бабы-Яги. Тикали на беленой стене ходики, под потолком висела красивая люстра с бархатными кистями, на шаткой этажерке стоял маленький телевизор «Филипс». Русская печь имелась, но так заставлена всяким хламом, что сомнений не оставалось — в ней давно не жарили добрых молодцев и малых детей. Разве что большой книжный шкаф со старинными книгами выглядел солидно и таинственно. Ксюша подошла к шкафу, посмотрела на корешки. Мама всегда говорила, что интеллигентный человек в чужой квартире первым делом должен посмотреть на хозяйские книги, а потом уже на все остальное.

Но книжки были потертыми, с едва различимыми названиями, а то, что удалось прочитать, хоть и было написано по-русски, но оставалось совершенно непонятным. У мамы тоже были такие книжки: «Гельминтология», «Этногенез»... Ксюша вздохнула и отошла от шкафа.

Ромка уже сидел за столом, а ведьма наливала ему чай из белого электрического чайника.

— Будешь чаек? — дружелюбно спросила она. — Вкусный, на травках лесных...

— Вк-кусный, — подтвердил Ромка, хотя он больше макал в мед бублики, чем пил чай. — С-садись, Ксюха.

Ксюша села, вежливо взяла чашку.

Чай и впрямь был вкусным. Ведьма тоже его пила и улыбалась, глядя на детей.

— А мы не превратимся в козликов, когда чая выпьем? — вдруг спросил Ромка.

— Почему? — удивилась ведьма.

— А вы нас заколдуете, — объяснил Ромка. — Превратите в козликов и съедите.

Видимо, полного доверия к таинственной спасительнице он не питал.

— Ну зачем мне превращать вас в вонючих козликов и потом есть? — возмутилась ведьма. — Если бы я хотела вас съесть — так и съела бы без всяких превращений. Меньше Роу смотри, мальчик!

Ромка надулся, тихонько пнул Ксюшу и шепотом спросил:

— А кто такой Роу?

Ксюша не знала и шикнула:

— Пей чай и молчи! Колдун какой-нибудь...

В козликов они не превращались, чай был вкусным, а мед и бублики — еще вкуснее. Колдунья расспросила Ксюшу, как она учится в школе. Согласилась, что четвертый класс — это просто ужас, совсем не как третий. Выговорила Ромке за то, что тот пил чай прихлебывая. Поинтересовалась у Ксюши, как давно ее брат заикается. А потом рассказала, что никакая она не колдунья. Она ботаник, собирает в лесу всякие редкие травки. И, конечно же, знает, каких травок волки боятся как огня.

— А почему волк говорил? — спросил недоверчивый Ромка.

— Вовсе он не говорил, — отрезала колдунья-ботаник. — Он лаял, а вам показалось, что волк говорит. Верно?

Ксюша подумала и решила, что так и было на самом деле.

— Я вас до опушки провожу, — сказала женщина. — Оттуда деревню видно. А в лес больше не ходите, а то волки съедят!

Ромка подумал и предложил помочь ей в сборе травок. А чтобы их волки не трогали, надо было ему дать специальную травку от волков. И на всякий случай от медведей. И можно еще от львов, потому что здесь лес совсем как в Африке.

— Никаких травок! — строго сказала женщина. — Это редкие травки, в Красную Книгу занесены. Их просто так не рвут.

— Я знаю, что такое Красная Книга, — обрадовался Ромка. — А скажите, пожалуйста...

Женщина посмотрела на часы и покачала головой. Воспитанная Ксюша немедленно сказала, что им пора идти.

На дорогу дети получили по куску медовых сотов. Женщина провела их до опушки — та оказалась совсем-совсем рядом, будто тропинки сами бежали под ногами.

— И в лес больше ни ногой! — наставительно повторила женщина. — Не окажется меня рядом — и съест вас волк.

Спускаясь с пригорка к деревне, дети несколько раз оглядывались.

Вначале женщина стояла, смотрела им вслед. А потом исчезла.

— Все-таки она ведьма, правда, Ксюха? — спросил Ромка.

— Она ботаник! — заступилась за женщину Ксюша. И удивилась: — Ты больше не заикаешься!

— Заи-заи-заикаюсь! — принялся дурачиться Ромка. — Я и раньше мог не заикаться, это я просто шутил!

Глава 1

И кто сказал, что парное молоко — это вкусно? Наверное, это идет с первого класса. С какой-нибудь «Родной речи», где написано про вкусное-превкусное парное молоко. И наивные городские дети верят.

На самом деле вкус у парного молока достаточно своеобразный. Вот постоявшее денек в подполе, остывшее — совсем другое дело. Его пьют даже те страдальцы, что обделены нужными пищеварительными ферментами. А их, кстати, немало. С точки зрения матушки-природы взрослый человек молоко пить не должен, молоко нужно детям...

Но люди редко слушают мнение природы.

А уж тем более — Иные.

Я потянулся за кувшином, налил себе еще стакан. Холодненькое, с пенкой... почему от кипячения пенка такая гадкая, а в домашнем молоке она же — самая вкусная часть? Сделал большой глоток. Хватит, надо Светке и Надюшке оставить. На всю деревню — немаленькую деревню, пятьдесят домов, всего одна корова! Хорошо, хоть одна... И есть у меня сильное подозрение, что великолепным надоям безродная буренка обязана Светлане. Зря гордится собой баба Саша — сорокалетняя русская старуха, хозяйка коровы Райки, борова Борьки, козла Мишки и мелкой безымянной птичьей живности. Просто Светлана хочет, чтобы дочка пила настоящее моло-

155

ко. Вот и минуют корову все хвори. Да баба Саша могла бы ее опилками кормить — ничего бы не изменилось!

Нет, все-таки настоящее молоко — это хорошо. Пусть герои рекламы приезжают в деревню с пакетами молока и с задорным блеском в глазах повторяют «настоящее!». Им положено. Им за это деньги платят. Да и крестьянам, давно и прочно отученным держать хоть какую-то скотину, проще. Можно продолжать ругать демократов и «городских», а не коров пасти.

Отставив пустой стакан, я развалился в повешенном между деревьями гамаке. Вот ведь буржуй, с точки зрения местных жителей. Приехал на роскошной машине, жене заморских продуктов привез, весь день в гамаке с книжкой провалялся... А тут, понимаешь, весь день народ бродит, опохмелиться не на что...

— Здравствуйте, Антон Сергеевич, — будто мысли мои прочитав, поздоровался через забор местный алкоголик Колян. И как он мое имя-то запомнил? — Хорошо добрались?

— Здравствуй, Коля, — барски поприветствовал я его, не делая даже попыток выбраться из гамака. Все равно не оценит. Не за тем пришел. — Спасибо, все нормально.

— Помочь вам ничего не надо, по хозяйству или как... — безнадежно спросил Коля. — Иду, дай, думаю, спрошу...

Я закрыл глаза — сквозь веки кроваво светило клонящееся к закату солнце.

Ничего я не могу поделать. Ничегошеньки. Хватило бы вмешательства шестого-седьмого уровня, чтобы у бедолаги Коли пропала тяга к алкоголю, прошел цирроз и появилось желание работать, а не водку пить и жену поколачивать.

И я даже могу, вопреки всем Договорам, тихонько провести это самое вмешательство. Легкое движение руки...

А что дальше? Нет в селе работы. И в городе бывший механизатор Коля никому не нужен. И денег, чтобы начать «свое дело», у Коли нет. Даже поросенка ему не купить.

И пойдет он снова искать самогон, перебиваться случайными заработками и вымещать злость на такой же спивающейся, уставшей от всего жене. Не человека надо лечить, а всю Землю.

Или хотя бы эту одну шестую часть земли. С названьем гордым Русь.

— Антон Сергеевич, сил нет... — проникновенно сказал Коля.

Кому нужен бывший алкоголик в умирающей деревне, где колхоз развалился, а единственному фермеру три раза пускали красного петуха, пока намеков не понял?

— Коля, — сказал я. — У тебя какая специальность армейская? Танкист?

Есть же у нас какие-то наемники? Пусть уж лучше на Кавказ отправится, чем загнется через год от суррогатов...

— Не служил я, — убитым голосом сказал Коля. — Не взяли. Механизаторы тогда нужны были очень, мне всё отсрочку давали, а потом возраст вышел... Антон Сергеич, если кому надо морду начистить — я и так смогу! Не сомневайтесь! На ветошь порву!

— Коля, — попросил я. — Ты мне мотор в машине не посмотришь? Что-то вроде стучал вчера...

— Посмотрю! — оживился Коля. — Да я...

— Держи ключи. — Я бросил ему брелок. — А с меня бутылка.

Коля расплылся в счастливой улыбке:

— Хотите, я вам еще машину помою? А то дорогая небось... по нашим-то дорогам...

— Спасибо, — сказал я. — Буду очень благодарен.

— Только водки мне не надо, — вдруг сказал Коля, и я даже вздрогнул от неожиданности. Это что же, мир перевернулся? — Вкуса в ней никакого нет... вот самогона пузырек...

— Договорились, — сказал я. Счастливый Колян отворил калитку и двинулся к сараюшке, куда я загнал вчера машину.

А из дома — я не увидел, почувствовал, — вышла Светлана. Значит, Надюшка угомонилась и вкушает сладкий послеобеденный сон... Света подошла, стала в голове, помедлила — потом положила прохладную ладонь мне на лоб. Спросила:

— Плохо?

— Угу, — буркнул я. — Светка, я ничего не могу сделать. Ничего. Как ты здесь держишься?

— Я в эту деревеньку с детства езжу, — сказала Светлана. — Я дядю Колю еще нормальным помню. Молодой, веселый. На тракторе меня, соплюху, катал. Трезвый. И песни пел. Представляешь?

— Раньше было лучше? — спросил я.

— Пили меньше, — кратко ответила Светлана. — Антон, а почему ты его не реморализовал? Я же чувствовала — уже собираешься, по Сумраку дрожь прошла. Тут никаких дозорных нет... кроме тебя.

— Надолго собаке кость? — грубо ответил я. — Извини... не с дяди Коли начинать надо.

— Не с дяди Коли, — согласилась Светлана. — Но вмешательство в деятельность властных структур запрещено Договором. «Человекам — человеческое, Иным — иное...»

Я промолчал. Да, запрещено. Ибо это самый простой и верный способ направить человеческую массу к Добру или Злу. А значит — нарушение равновесия. Бывали в истории короли и президенты, принадлежащие к Иным. И кончалось это такими войнами...

— Ты тут закиснешь, Антон... — сказала Светлана, гладя мне волосы. — Давай уедем в город.

— Надюшка же радуется, — возразил я. — Да и ты хотела еще неделю пожить, верно?

— Ты же мучаешься... А то езжай сам? В городе тебе веселее будет.

— Можно подумать, что ты меня хочешь спровадить, — буркнул я. — Что у тебя тут любовник.

Светлана фыркнула:

— Хоть одну кандидатуру предложишь?

— Нет, — сказал я, поразмыслив. — Разве что кто из дачников...

— У нас тут бабье царство, — отбилась Светлана. — Либо одиночки, либо мужики вкалывают, а женщины детишек выгуливают... Кстати, Антон. Тут одна странность случилась...

— Ну? — насторожился я. Уж если Светлана говорит «странность»...

— Помнишь, вчера Анна Викторовна ко мне заходила?

— Училка? — усмехнулся я. Анна Викторовна была такой типичной училкой, что ей только в «Ералаше» сниматься. — Она вроде как к маме твоей заходила.

— К маме и ко мне. У нее двое детишек — Ромка, маленький, лет пяти, и Ксюшка — ей десять.

— Хорошо, — одобрил я Анну Викторовну.

— Не ерничай. Два дня назад детишки заблудились в лесу.

Сонливость с меня сразу сдуло, я сел в гамаке, придержался рукой за дерево. Посмотрел на Светлану:

— Ты что сразу не сказала? Договор — Договором, но...

— Да не волнуйся, как заблудились, так и нашлись. К вечеру сами пришли.

— И впрямь редкость, — не удержался я. — Дети на пару часов в лесу задержались! Неужели землянику любят?

— Когда им от мамы влетело, они стали рассказывать, что заблудились, — невозмутимо продолжала Светлана. — И встретили волка. Волк их гнал по лесу — и выгнал аккурат на волчат...

— Так... — пробормотал я. И почувствовал, как что-то тревожно забилось в груди.

— В общем, дети перепугались. Но тут появилась какая-то женщина, прочитала волку стишки, и тот убежал. А женщина привела детей к себе в домик, напоила чаем и проводила до околицы. Сказала, что она ботаник и у нее есть такие травки, которых волки боятся...

— Детские фантазии, — отрезал я. — С ребятишками все в порядке?

— Совершенно.

— Я уже ожидал какой-нибудь гадости, — сказал я и снова улегся в гамак. — На магию проверяла?

— Абсолютно чисто, — сказала Светлана. — Ни малейших следов.

— Фантазии. Или и впрямь кого-то испугались... может, и волка. А какая-то женщина их вывела из леса. Детям повезло, но хороший ремень...

— Младший, Ромка, заикался. Довольно сильно. Сейчас — говорит совершенно свободно. Тараторит, стишки какие-то рассказывает...

Я немного подумал. И спросил:

— Заикание лечится? Внушением там, гипнозом... что еще бывает?

— Ничем оно не лечится. Как насморк. И любой врач, что пообещает тебе гипнозом заикание убрать, — шарлатан. Конечно, если это был какой-то реактивный невроз, то...

— Избавь меня от терминов, — попросил я. — Значит, не лечится. А народная медицина?

— Разве что дикие Иные... Ты же можешь заикание вылечить?

— Даже энурез, — буркнул я. — И энкопрез. Света, но ведь магии ты не почувствовала?

— Но заикание прошло.

— Это может означать только одно... — неохотно сказал я. Вздохнул и все-таки встал с гамака. — Света, это уже нехорошо выходит. Ведьма. Причем с Силой, превосходящей твою. А ты ведь — первый уровень!

Светлана кивнула. Я редко упоминаю, что ее Сила превосходит мою. Это ведь то главное, что нас разъединяет... может когда-нибудь разъединить.

И ведь Светлана специально ушла из Ночного Дозора! Иначе... иначе она сейчас была бы волшебницей вне категорий.

— Но с детьми ничего не случилось, — продолжал я. — Гнусный колдун не лапал маленькую девочку, злая ведьма не сварила из мальчика суп... Нет, но если это ведьма — откуда такой добрый поступок?

— Ведьмы вовсе не испытывают потребности в людоедстве или сексуальной агрессии, — веско, будто лекцию читала, сказала Светлана. — Все их поступки определяются обычным эгоизмом. Если бы ведьма была *очень* голодна — она и впрямь могла бы слопать человека. Просто по той причине, что не причисляет себя к людям. А так... ну почему не помочь детям? Ей это ничего не стоило. Вывела из леса, еще и заикание малышу убрала. У нее ведь тоже, наверное, дети есть. Ведь ты бы покормил бездомного щеночка?

— Не нравится мне это, — признался я. — Ведьма такой силы? Они ведь редко достигают первого уровня?

— Очень редко. — Светлана пытливо посмотрела на меня. — Антон, ты хорошо представляешь себе разницу между ведьмой и волшебницей?

— Работал, — кратко ответил я. — Знаю.

Но Света не унималась:

— Волшебница работает с Сумраком непосредственно и берет оттуда Силу. Ведьма пользуется вспомогательными материальными предметами, заряженными Силой в той или иной мере. Все магические артефакты, существующие в мире, созданы ведьмами или ведьмаками, это, скажем так, их «протезы». Артефактами могут быть вещи или органы тела ороговевшей природы — волосы, длинные ногти... Вот почему ведьма безопасна, если ее раздеть и обрить, а волшебнице надо еще заткнуть рот и связать руки.

— Тебе точно никто рот не заткнет, — усмехнулся я. — Света, ну зачем эти лекции? Я не великий маг, но азбучные истины знаю, не надо напоминать...

— Извини, я не хотела тебя задеть, — сразу же извинилась Светлана.

Я посмотрел на нее — и увидел в ее глазах боль.

Какой же я скот!

Ну сколько можно вымещать свои комплексы на любимой женщине!

Хуже любого Темного...

— Светка, прости... — прошептал я, коснулся ее руки. — Извини дурака.

— Да и я хороша, — призналась Светлана. — И впрямь, зачем я тебе ликбез читаю? Ты в Дозоре каждый день с ведьмами дело имеешь...

Мир был восстановлен, и я торопливо сказал:

— С такими сильными? Да брось, на всю Москву одна ведьма первого уровня, и та давно от дел отошла... Что будем делать, Света?

— Реального повода для вмешательства нет, — озабоченно сказала Света. — Дети в порядке, мальчику так даже лучше стало. Но остаются два вопроса — что за странный волк гнал детей к волчатам?

— Если волк вообще был, — заметил я.

— Если был, — согласилась Светлана. — Но как-то уж очень складно дети все рассказывают... Ну а второй вопрос — есть ли у ведьмы регистрация в данной местности, что на ней числится...

— Сейчас узнаем, — доставая мобильник, сказал я.

Через пять минут я получил ответ, что по досье Ночного Дозора никаких ведьм в окрестности нет и быть не должно.

А еще через десять я вышел со двора, вооруженный инструкциями и советами своей жены — по совместительству несбывшейся Великой Волшебницы. Проходя мимо сарая, я заглянул в открытые двери — Колян завис над открытым капотом, на разложенной газетке лежали какие-то детали. Ой-ей, я же просто так про стук в моторе сказал!

И еще дядя Коля пел, мурлыкал себе под нос:

> Не кочегары мы, не плотники,
> Но сожалений горьких нет!

Видимо, его память сохранила только эту строчку. И он повторял ее как заведенный, увлеченно копаясь в моторе:

> Не кочегары мы, не плотники,
> Но сожалений горьких нет!

Увидев меня, дядя Коля радостно воскликнул:

— Тут, Антоша, поллитрой не обойдешься! Совсем японцы одурели, чего с дизелем наделали, страшно смотреть!

— Это не японцы, это немцы, — поправил я его.

— Немцы? — удивился дядя Коля. — А, так это ж «BMW», а я раньше только «субару» чинил... чего, думаю, по-другому все сделано... Ничего, исправлю! Голова только гудит, зараза...

— Ты загляни к Свете, она тебе плеснет, — смирился я с неизбежным.

— Нет. — Дядя Коля покачал головой. — На работе никак нельзя. Я тебе иначе наработаю... Меня еще наш первый председатель, земля ему пухом, научил — пока с железом возишься, капли в рот не бери! Да ты иди, иди. Мне тут до вечера дел хватит.

Мысленно попрощавшись с машиной, я вышел на пыльную жаркую улицу.

Маленький Ромка моему визиту был несказанно счастлив. Я зашел в тот момент, когда Анна Викторовна терпела постыдное поражение в войне за дневной сон. Ромка, тощий и загорелый пацаненок, прыгал на пружинной кровати и восторженно орал:

— Не хочу я спать у стенки! Подгибаются коленки!

— Вот что с ним делать? — обрадовалась моему появлению Анна Викторовна. — Здравствуйте, Антон. Вот скажите, ваша Наденька так себя ведет?

— Нет, — соврал я.

Ромка перестал прыгать и насторожился.

— А возьмите-ка его себе, — коварно предложила Анна Викторовна. — Зачем мне такой охламон? А вы человек строгий, вы его воспитаете. Он будет за Наденькой ухаживать, пеленки ей стирать, полы вам мыть, мусор выносить...

При этих словах Анна Викторовна усиленно мне подмигивала, будто я мог и в самом деле воспринять предложение всерьез и уволочь в охапке малолетнего раба.

— Подумаю, — поддержал я ее педагогические усилия. — Если совсем слушаться не будет — возьмем на перевоспитание. У нас и не такие детки становились шелковыми!

— А вот и не возьмете! — храбро сказал Ромка, но прыгать перестал, сел на кровать и натянул на ноги одеяло. — Зачем вам такой охламон сдался?

— Тогда отдам тебя в интернат, — пригрозила Анна Викторовна.

— В интернат детей только бессердечные люди отдают, — явно повторяя услышанную фразу, сказал Ромка. — А ты сердечная!

— Вот что с ним делать? — риторически повторила Анна Викторовна. — Вам квасу налить холодненького?

— И мне, и мне! — пискнул Ромка, но под суровым взглядом матери замолчал.

— Спасибо, — кивнул я. — Да я, собственно говоря, из-за этого охламона и зашел...

— Что натворил? — по-деловому подошла к вопросу Анна Викторовна.

— Да рассказала мне Света про их приключения... про волка. Я же охотник, а тут такое дело...

Через минуту я был усажен за стол, напоен холодным вкусным квасом и всячески обласкан.

— Нет, я сама учительница, я все понимаю, — говорила Анна Викторовна. — Волки — санитары леса... ну, вранье, конечно, волк режет не больных зверей, волк режет все зверье подряд... Но все-таки живое существо. Волк не виноват, что он волк... Но тут — рядом с деревней! Гнаться за детьми! Он же их на волчат выгонял, понимаете, что это значит?

Я кивнул.

— Учил волчат охотиться. — В глазах Анны Викторовны появился то ли страх, то ли та материнская ярость, от которой убегают в чащу волки и медведи. — Это что же — волк-людоед?

— Не может такого быть, — сказал я. — Не было здесь случаев нападения волков на людей. Волков-то тут давно не осталось... скорее — одичалая собака. Но я хочу проверить.

— Проверьте, — твердо сказала Анна Викторовна. — И если... даже если собака. Если детям не почудилось...

Я снова кивнул.

— Пристрелите ее, — попросила Анна Викторовна. И шепотом добавила: — Я ночами не сплю. Как представлю... что могло случиться.

— Это собачка была! — подал с кровати голос Ромка.

— Цыц! — прикрикнула Анна Викторовна. — Ладно, иди сюда. Расскажи дяде, как все было.

Ромка без лишних уговоров слез с кровати, подошел и очень деловито забрался мне на коленки. Требовательно посмотрел в глаза.

Я потрепал его по жестким выгоревшим волосам.

— Дело, значит, было так... — удовлетворенно начал Ромка.

Анна Викторовна как-то очень грустно смотрела на Ромку. И я ее понимал. Вот отца этих ребятишек понять не мог. Всякое бывает, разошлись и разошлись... но родных детей после этого вычеркивать из жизни, отделываясь алиментами?

— Шли мы и шли, гуляли, значит, — томительно медленно рассказывал Ромка. — Гуляли и пригуляли в лес. А там Ксюха стала страшилки рассказывать...

Я внимательно слушал его рассказ. Что ж, «страшилки» — лишний довод к тому, что вся история придумана. Но вот же — говорит ребенок совершенно чисто, кроме обычного в его возрасте повторения слов, не к чему придраться.

На всякий случай я просканировал ауру мальчика. Человек... человечек. Хороший человечек, хочется верить, что и человеком вырастет хорошим. Ни малейших следов потенциала Иного. И никаких следов магического воздействия.

Хотя если уж Светлана не углядела... куда мне с моим вторым уровнем...

— А волк как засмеется! — радостно махая руками, воскликнул Ромка.

— Ты не испугался? — спросил я.

К моему удивлению, Ромка надолго задумался. Потом сказал:

— Испугался. Я же маленький, а волк большой. И у меня никакой палки не было, где я в лесу палку возьму? А потом стало не страшно.

— Ты теперь волка не боишься? — уточнил я. После такого приключения и нормальный ребенок начнет заикаться. А Ромка ведь перестал!

— Ни капельки, — сказал мальчик. — Ну вы меня совсем сбили! Я на чем остановился?

— На том, что волк засмеялся, — улыбнулся я.

— Как человек совсем, — сказал Ромка.

Понятно. Давненько я не имел дела с оборотнями. Да еще такими наглыми... охотиться на детей, в какой-то сотне километров от Москвы. На что они рассчитывают? На отсутствие в деревеньке Дозора? Так региональный офис проверяет все случаи исчезновений людей. Есть на это дело один хороший, хотя и узконаправленный маг. Занимается он сущим шарлатанством на обычный взгляд — смотрит на фотографии, после чего либо откладывает их, либо звонит оперативникам и смущенно говорит: «Что-то тут есть... что — не знаю...»

Так что дернулись бы мы, выехали в Подмосковье, прочесали лес, нашли следы... страшные это оказались бы следы, но нам не привыкать. А потом скорее всего при задержании оборотни оказали бы сопротивление. И кто-нибудь... возможно — это был бы я, взмахнул бы рукой. И звенящее серое марево поползло бы сквозь Сумрак...

Таких мы редко берем живьем. Не очень-то и хочется.

— А еще я думаю, — рассудительно сказал Ромка, — что тот волк чего-то сказал. Думаю, думаю... Только он не говорил, я знаю, волки же не говорят, правда? Но мне так снится, что он сказал.

— И что сказал? — осторожно спросил я.

— Уй-ди, ведь-ма! — тщетно пытаясь изобразить хриплый басок, произнес Ромка.

Ну вот. Можно выписывать ордер на облаву. Или даже запрашивать помощь из Москвы.

Оборотень это был, самый натуральный. Но на счастье ребятишкам — рядом оказалась еще и ведьма.

Сильная.

Очень сильная.

Не просто оборотня прогнала — еще и память детишкам зачистила без всяких следов. Вот только не стала совсем уж глубоко лезть. Не ожидала, что в деревне окажется бдительный дозорный... Наяву мальчик ничего не помнит, а во сне — пожалуйста. «Уйди, ведьма!»

Как интересно!

— Спасибо, Ромка. — Я пожал ему ладошку. — Я схожу в лес, посмотрю.

— А вы не боитесь? У вас ружье есть? — живо заинтересовался Ромка.

— Есть.

— Покажите!

— Оно дома, — строго сказала Анна Викторовна. — И ружья — детям не игрушка!

Ромка вздохнул и жалобно попросил:

— Только вы волчат не стреляйте, ладно? Лучше вы мне одного принесите, я его собакой воспитаю! Или двух, одного мне, одного Ксюхе!

— Роман! — железным голосом отчеканила Анна Викторовна.

Ксюху я нашел на пруду, как и обещала ее мама. Стайка девочек загорала рядом со стайкой мальчишек, насмешки так и сыпались с обеих сторон. Возраст купальщиков был такой, что девочек за косички уже не дергали, но зачем они нужны — еще не понимали.

При моем появлении все замолчали, уставились с любопытством и опаской. Я в деревне еще не примелькался.

— Оксана? — спросил я девочку, которую вроде как видел на улице вместе с Ромкой.

Очень серьезная девочка в синем купальнике посмотрела на меня, кивнула, вежливо сказала:

— Здрасте... здравствуйте.

— Здравствуй. Я — Антон, муж Светланы Назаровой. Ты ее знаешь? — спросил я.

— А как вашу дочку зовут? — подозрительно спросила Оксана.

— Надя.

— Знаю, — кивнула Оксана и встала с песка. — Вы про волков хотите поговорить, да?

Я улыбнулся:

— Правильно.

Оксана покосилась на ребятишек. Причем — именно на мальчишек.

— Ага, это Надькин папа, — изрек конопатый пацан, в котором непонятно как угадывалось деревенское происхождение. — Мой папа вам сейчас машину чинит.

И гордо оглядел приятелей.

— Да мы здесь можем поговорить, — успокоил я детей. Ужасно, конечно, что в таком возрасте у нормальных, в семьях живущих детей вырабатываются такие навыки осторожности.

Но пусть уж лучше вырабатываются.

— Мы пошли по лесу гулять, — начала рассказывать Оксана, стоя передо мной навытяжку. Я подумал, и сел на песок — тогда и девчонка села. Все-таки Анна Викторовна умела воспитывать детей. — Я виновата, что мы заблудились...

Кто-то из деревенских хихикнул. Но тихонько. Наверное, после истории с волками Оксана стала самой популярной девочкой среди учеников младших классов.

В принципе ничего нового Оксана мне не рассказала. И следов магии на ней тоже не было. Вот только упоминание про шкаф «со старыми книжками» меня насторожило.

— А ты названия не помнишь? — спросил я.

Оксана покачала головой.

— Попробуй вспомнить, — попросил я. Посмотрел себе под ноги — на длинную нескладную тень.

Тень послушно поднялась мне навстречу.

И серый прохладный Сумрак принял меня.

На ребятишек из Сумрака всегда приятно смотреть. В аурах — даже у самых затюканных и несчастных — еще нет той злобы и ожесточения, что окутывают взрослых людей.

Мысленно я извинился перед ребятами — все-таки мои действия были непрошеными. И прошелся по ним легким-легким неощутимым касанием. Просто так — снял те капли зла, что на них все-таки налипли.

А потом я погладил по голове Оксану. Прошептал:

— Вспомни, девочка...

Нет, я не смогу снять блок, поставленный неведомой ведьмой — если она сильнее меня или хотя бы равна по силе. Но, на мое счастье, «Деточкин тоже любил детей». Ведьма обошлась с их сознанием очень бережно.

Я вышел из Сумрака. Меня обдало горячим воздухом будто из печи. Какое все-таки жаркое выдалось лето!

— Вспомнила! — гордо сказала Оксана. — Одна книга называлась «Алиада Ансата».

Я поморщился.

От обычных травников... я имею в виду обычные ведьмовские травники, этот отличался какой-то особой злокозненностью. Там даже для одуванчиков было найдено несколько гнусных предназначений.

— Еще «Кассагар Гарсарра», — сказала Оксана.

Кто-то из детей хихикнул. Но неуверенно.

— Это как было написано? — спросил я. — По-латыни? Ну, словно по-английски... да? «Kassagar Garsarra»?

И зачем повторял? Будто на слух прозвучит разница...

— Нет, по-русски, — призналась Оксана. — Такими смешными буковками, старыми.

Никогда не слышал о переводе редчайшей даже для Темных рукописи на русский язык. Ее нельзя перепечатывать, магия заклятий сотрется. Только переписать. Только кровью. Вовсе не кровью девственниц или невинных детей, это уже позднейшие заблуждения, и такие новоделы ни на что не годны. До сих пор считалось, что «Кассагар Гарсарра» существует лишь на арабском, испанском, латыни и старонемецком языках. Кровь-то должен брать у себя маг, который переписывает книгу. И для каждого заклятия — отдельный укол. А книга толстая...

И вместе с кровью уходит Сила.

Даже гордость какая-то берет за русских ведьм! Нашлась-таки одна фанатка!

— Все? — уточнил я.

— «Фуаран».

— Такой книги нет, это вымысел... — непроизвольно сказал я. — Что? «Фуаран»?

— «Фуаран», — подтвердила Оксана.

Нет, ничего совсем уж жуткого в этой книге не было. Вот только она во всех справочниках проходила как вымысел. Потому что содержалась, по легенде, в этой книге инструкция — как человеческое дитя сделать ведьмой или ведьмаком. Инструкция подробная и вроде как работающая.

А это ведь невозможно!

Так, Гесер?

— Удивительные книги, — сказал я.

— Это ботанические книги, да? — спросила Оксана.

— Угу, — согласился я. — Вроде каталога. «Алиада Ансата» — как травки разные искать... ну и так далее. Спасибо, Ксюша.

Интересные же дела творятся в нашем лесу! Совсем рядом с Москвой сидит в чащобе... да какой чащобе — в лесочке, могучая ведьма с библиотекой редчайших книг по Темному делу. Временами детей от идиотов-оборотней спасает. Спасибо ей большое! Вот только такие книги должны быть на особом учете — в обоих Дозорах и в Инквизиции. Потому что сила за ними стоит чудовищная, опасная.

— С меня шоколадка, — сказал я Оксане. — Ты все замечательно рассказала.

Оксана кокетничать не стала, сказала «спасибо». И вроде как совершенно утратила интерес к разговору.

Видимо, ей как старшей ведьма промыла мозги получше. Только о книгах, увиденных девочкой, забыла.

И это немного успокаивало.

Глава 2

Гесер слушал меня очень внимательно. Лишь пару раз задал уточняющие вопросы, а потом молчал, вздыхал, кряхтел. Я развалился в гамаке с телефонной трубкой в руках и подробно все рассказывал... только о книге «Фуаран», которой владеет ведьма, умолчал.

— Хорошая работа, Антон, — решил наконец Гесер. — Молодец. Не расслабляешься.

— Что мне делать? — спросил я.

— Ведьму надо найти, — сказал Гесер. — Зла она не натворила, но зарегистрироваться обязана. Ну... обычная процедура, ты же знаешь.

— Оборотни? — уточнил я.

— Скорее всего какие-то московские гастролеры, — сухо прокомментировал Гесер. — Я дам команду проверить всех волкулаков, имеющих больше трех детей-оборотней.

— Щенков было всего трое, — напомнил я.

— Оборотень мог взять на охоту лишь старших, — объяснил Гесер. — У них обычно большие семьи... В деревне нет сейчас подозрительных дачников? Чтобы взрослый — и трое или больше детей?

— Нет, — с сожалением ответил я. — Мы со Светой тоже сразу подумали... Только Анна Викторовна с двумя приехала, а все остальные — либо без детей, либо с одним. В стране кризис рождаемости...

— О демографической ситуации я наслышан, спасибо, — насмешливо прервал меня Гесер. — А как у местных?

— Большие семьи есть, но местных-то как раз Светлана хорошо знает. Все чисто, обычные люди.

— Значит, заезжие, — решил Гесер. — В деревне, как я понял, люди не исчезали. А нет ли рядом пансионатов, домов отдыха?

— Есть, — отрапортовал я. — На том берегу реки, километрах в пяти — пионерский лагерь. Ну или как они теперь называются... Я уже выяснил — все в порядке, дети на месте. Да их и не пустят за реку — военизированный лагерь, все строго. Отбой, подъем, пять минут на оправку. Не беспокойтесь.

Гесер недовольно крякнул. Спросил:

— Тебе нужна помощь, Антон?

Я задумался. Это был самый главный вопрос, на который я пока не мог найти ответа.

— Не знаю. Ведьма, похоже, сильнее меня. Но я ведь не убивать ее иду... и она должна это почувствовать.

Где-то далеко-далеко, в Москве, Гесер погрузился в раздумья. Потом изрек:

— Пусть Светлана проверит вероятностные линии. Если опасность для тебя невелика... что ж, тогда попробуй справиться сам. Если выше десяти — двенадцати процентов... тогда... — Он заколебался, но закончил довольно бодро: — Тогда приедут Илья и Семен. Или Данила с Фаридом. Втроем вы справитесь.

Я улыбнулся. О другом ты думаешь, Гесер. Совсем о другом. Ты надеешься, что в случае беды меня подстрахует Светлана. А там, глядишь, и вернется в Ночной Дозор...

— К тому же у тебя есть Светлана, — закончил Гесер. — Сам все понимаешь. Так что работай, по мере надобности — докладывай.

— Слушаюсь, мой генерал, — ляпнул я. Уж больно командным голосом Гесер велел докладывать...

— По военным чинам, подполковник, — немедленно отрезал Гесер, — мое звание было бы не ниже генералиссимуса. Все, работай.

Спрятав телефон, я минуту предавался классификации степеней силы в соответствии с армейскими званиями. Седьмая ступень — рядовой... шестая — сержант... пятая — лейтенант... четвертая — капитан... третья — майор... вторая — подполковник... первая — полковник.

Ну да, если не вводить лишних сущностей, не делить звания на младшие и старшие, то я и буду подполковником. А генералом — обычный маг вне категорий.

Но Гесер-то маг необычный!

Хлопнула калитка, и вошла Людмила Ивановна. Моя теща. А вокруг нее неугомонно мельтешила Надюшка. Едва войдя в сад, она с визгом бросилась к гамаку.

Да, дочка у меня неинициированная. Но родителей чувствует. И еще многие вещи, которые обычные двухлетние девочки не делают, за ней числятся. К примеру — она не боится никаких животных, зато животные ее обожают. И псы, и кошки так и ластятся...

А комары не кусают.

— Папка, — карабкаясь на меня, сообщила Надя. — Мы гуляли.

— Здравствуйте, Людмила Ивановна! — поздоровался я с тещей. На всякий случай: утром уже здоровались.

— Отдыхаешь? — с сомнением спросила теща. Нет, у меня с ней отношения хорошие. Не из анекдотов. Но такое ощущение, что она все время меня в чем-то подозревает. В том, что я — Иной, к примеру... если бы она знала про Иных.

— Есть маленько, — бодро сказал я. — Надя, далеко ходили?

— Далеко.

— Устала?

— Устала, — согласилась Надька. — А бабушка больше устала!

Людмила Ивановна секунду постояла, будто размышляя, можно ли доверить такому оболтусу, как я, его собственную дочь. Но, видимо, решила рискнуть. И ушла в дом.

— А ты куда идешь? — спросила Надюшка, крепко облапив мою руку.

— Разве я сказал, что куда-то иду? — удивился я.

— Не сказал... — призналась Надька и взъерошила себе ручонкой волосы. — А ты идешь?

— Иду, — признался я.

Вот так. Если ребенок потенциальный Иной, да еще такой силы, то дар предвидеть будущее у него проявляется с рождения. Год назад Надька стала реветь за неделю до того, как у нее на самом деле начали резаться зубки.

— Ля-ля-ля... — глядя на забор, пропела Надя. — А забор надо покрасить!

— Бабушка сказала? — уточнил я.

— Сказала. Если бы мужик был, то он бы покрасил, — старательно повторила Надюшка. — А мужика нет, и бабушка сама будет красить.

Я вздохнул.

Ох уж мне эти дачные фанаты! Почему в людях к старости непременно просыпается страсть ковыряться в земле? Привыкнуть, что ли, пробуют?

— Бабушка шутит, — сказал я и стукнул себя в грудь. — Тут есть один мужик, и он покрасит забор! Если надо, он покрасит все заборы в деревне.

— Мужик, — повторила Надька и засмеялась.

Я зарылся лицом в ее волосенки, подул. Надюшка принялась одновременно хихикать и брыкаться. Я подмигнул вышедшей из дома Светлане, спустил дочку на землю:

— Беги к маме.

— Нет уж, лучше к бабушке, — перехватывая Надю, сказала Светлана. — Молоко пить.

— Не хочу молоко!

— Надо, — отрезала Светлана.

И Надюшка больше не спорила, безропотно двинулась на кухню. Даже у людей матери и дети имеют странное бессловесное понимание друг друга. Что уж говорить о нас? Надя прекрасно чувствовала, когда можно покапризничать, а когда не стоит и пытаться.

— Что сказал Гесер? — спросила Светлана, садясь рядом со мной. Гамак закачался.

— Предоставил выбор мне. Я могу поискать ведьму в одиночку, а могу вызвать подмогу. Поможешь решить?

— Посмотреть тебе будущее? — уточнила Светлана.

— Ага.

Светлана закрыла глаза, откинулась в гамаке. Я подтянул ее ноги, положил себе на колени. Со стороны — полная идиллия. Лежит в гамаке симпатичная женщина, отдыхает. Рядом муж сидит, по бедру ее шаловливо гладит...

Смотреть будущее я тоже умею. Но гораздо хуже, чем Светлана, не моя это специализация. И времени у меня уйдет гораздо больше, и прогноз будет более сомнительным...

Светлана открыла глаза. Посмотрела на меня.

— Ну? — не выдержал я.

— Ты гладь, гладь, — улыбнулась она. — Все у тебя чисто. Никакой опасности не вижу.

— Видимо, ведьма устала от злодеяний, — ухмыльнулся я. — Что ж. Вынесу ей устное предупреждение за отсутствие регистрации.

— Библиотека ее меня смущает, — призналась Света. — С такими книжками — сидеть в глуши?

— Может, просто города не любит, — предположил я. — Нужен ей лес, свежий воздух...

— Тогда почему Подмосковье? Уехала бы в Сибирь, там и экология получше, и травы растут редчайшие. Или на Дальний Восток.

— Местная она, — усмехнулся я. — Патриотка малой родины.

— Что-то не так, — досадливо сказала Светлана. — Я от истории с Гесером все отойти не могу... и тут — ведьма!

— А с Гесером-то что? — пожал я плечами. — Хотелось ему сына Светлым сделать. Знаешь, я его за такое не осуждаю. Представь, какое у него чувство вины перед сыном... считал пацана погибшим...

Светлана иронически улыбнулась:

— Надюшка сейчас сидит на табуретке, болтает ногами и требует снять с молока пенку.

— Ну и что? — не понял я.

— Я чувствую, где она и что с ней, — пояснила Светлана. — Потому что она — моя дочь. И потому что она — Иная. А я ведь слабее Гесера или Ольги...

— Они считали, что мальчик умер... — пробормотал я.

— Не бывает такого! — твердо сказала Светлана. — Гесер — не бесчувственный пень. Он бы чувствовал, что мальчик жив, понимаешь? Тем более — Ольга. Это ее кровь и плоть... ну не могла она поверить, что ребенок погиб! А раз знали, что жив, то дальше — дело техники. У Гесера и сейчас, и пятьдесят лет назад хватало силы, чтобы перевернуть всю страну вверх дном и найти сына.

— Выходит, они сознательно его не искали? — спросил я. Светлана молчала. — Или...

— Или, — согласилась Светлана. — Или мальчик и впрямь был человеком. Вот тогда — все сходится. Тогда они могли поверить в его смерть и найти уже совершенно случайно.

— «Фуаран», — сказал я. — Быть может, эта ведьма как-то связана с происшествием в «Ассоли»?

Светлана пожала плечами. Вздохнула:

— Антон, мне ужасно хочется пойти с тобой в лес. Найти эту добрую женщину-ботаника, да и расспросить с пристрастием...

— Но ты не пойдешь, — сказал я.

— Не пойду. Я же поклялась не участвовать в операциях Ночного Дозора.

Я все понимаю. И обиду Светланы на Гесера разделяю. И в любом случае я предпочел бы не брать с собой Светлану... не ее это дело — за ведьмами по лесу болтаться.

Но насколько проще и легче было бы работать вместе!

Вздохнув, я поднялся:

— Что ж, тянуть не буду. Жара спала, пройдусь по лесу.

— Вечер скоро, — заметила Светлана.

— А я поблизости. Детишки говорили, что избушка где-то совсем рядом.

Светлана кивнула:

— Хорошо. Только подожди минуту, я сделаю тебе бутерброды. И компота во фляжку налью.

Дожидаясь Светланы, я осторожно заглянул в сарай. И обалдел. Мало того что дядя Коля разобрал и разложил на полу уже полдизеля, так рядом с ним азартно копался в моторе другой местный алкоголик, не то Андрюха, не то Серега. И были они так увлечены противоборством с немецкой техникой, что принесенный сердобольной Светланой «шкалик» так и стоял непочатым.

> Мы с приятелем вдвоем
> Работали на дизеле... —

мурлыкал себе под нос дядя Коля.

Я на цыпочках отошел от сарая.

Хрен с ней, с машиной...

* * *

Светлана экипировала меня так, словно я не на прогулку вдоль лесной опушки собрался, а готовился к заброске в тайгу на выживание.

Пакет с бутербродами, фляга с компотом, хороший перочинный нож, спички, коробок с солью, два яблока, маленький фонарик.

Еще она проверила, заряжен ли мой мобильник. Учитывая несерьезные размеры леса, тот был совсем не лишним. В крайнем случае можно забраться на дерево — тогда точно достанет до соты.

А плеер с собой я взял сам. И сейчас, неспешно бредя к лесу, слушал «Зимовье зверей».

Средневековый город спит, дрожит измученный гранит,
И ночь молчание хранит под страхом смерти.
Средневековый город спит, унылый тусклый колорит
Вам что-то эхом повторит — ему не верьте.
В библиотеках спят тома, от бочек пухнут закрома,
И сходят гении с ума в ночном дозоре,
И усреднив, ровняет тьма: мосты, каналы и дома,
И Капитолий, и тюрьма в одном узоре...

Особых надежд встретить ведьму в этот вечер я не питал. По-хорошему надо идти с утра, да и лучше бы — с командой. Но так хотелось найти подозреваемую самому!

И заглянуть в книгу «Фуаран».

На опушке я какое-то время постоял, глядя на мир сквозь Сумрак. Ничего необычного. Ни малейших следов магии. Лишь вдалеке, над нашим домом, светящееся белое зарево. Волшебницу первого уровня издалека видно...

Ладно, пойдем глубже.

Я поднял с земли тень и шагнул в Сумрак.

Лес превратился в зыбкое марево, в морок. Лишь отдельные, самые большие деревья имели в сумеречном мире своих двойников.

Ну и где детишки вышли из леса?

Их след я нашел довольно быстро. Через пару дней легкая цепочка следов успела бы растаять, но сейчас она еще была видна. Дети оставляют четкие следы, в них много Силы. Заметнее только следы беременных.

Никаких следов «женщины-ботаника» не было. Что ж, они могли и стереться. Но скорее эта ведьма давно позаботилась не оставлять следов.

А вот детские следы не затерла! Почему? Оплошность? Русское «авось»? Или умысел?

Что ж, гадать не стану.

Я зафиксировал в памяти отпечатки детских ног и вышел из Сумрака. Следов я больше не видел, но чувствовал, куда они ведут. Можно отправляться в путь.

Но вначале я старательно замаскировался. Конечно, это не та скорлупа, что надел на меня Гесер. И все-таки маг более слабый, чем я, сочтет меня человеком. Вдруг мы переоцениваем силы ведьмы?

Первые полчаса я бдительно оглядывал окрестности, на каждый подозрительный куст смотрел через Сумрак, временами произносил простенькое поисковое заклятие. В общем — вел себя по учебнику, как дисциплинированный Иной, ведущий облаву.

Потом мне это наскучило. Вокруг был лес — пусть маленький, пусть не слишком-то здоровый, но все-таки не изгаженный туристами. Быть может, потому и не изгаженный, что всего-то леса — пятьдесят на пятьдесят километров? Но здесь водилась всякая лесная мелюзга вроде белок, зайцев и лис. Волков — настоящих, не оборотней — тут, конечно, не было. Ну и не надо нам волков. Зато было вдоволь подножного корма — один раз я присел у кустов дикой малины и минут десять обирал чуть подсохшие сладкие ягоды. Потом я наткнулся на целое поселение белых грибов. Да что там поселение — это был настоящий грибной мегаполис! Огромные, нетронутые червями белые грибы, и никакой мелкой шушеры, никаких опят и моховиков. Вот уж не знал, что в паре километров от села можно найти такой клад!

Некоторое время я колебался. Вот бы собрать все эти белые, принести домой и вывалить на стол к удивлению тещи и восхищению Светланы! А уж как Надька будет вопить от восторга и хвастаться соседским малышам удачливым папой!

Потом я подумал, что после такой добычи (ну не буду же я волочь ее в дом тайком) вся деревня кинется в лес на грибную охоту. И местные пьяницы, которые рады будут продать грибы на трассе и купить водки. И бабушки, для которых подножный корм — основное средство выжить. И все местные ребятишки.

А где-то здесь, в лесу, пошаливают волколаки...

— Не поверят же... — горестно сказал я, глядя на грибную поляну.

Очень хотелось жареных белых. Я сглотнул слюну и двинулся по следу.

И буквально через пять минут вышел к маленькому бревенчатому домику.

Все как описывали дети. Маленький домик, крошечные окошки, никакой ограды, никаких сараюшек, никаких огородов. Никто и никогда не ставит в лесу такие домики. Будь это хоть самая последняя сторожка — но хоть дровяной навес соорудить надо.

— Эй, хозяева! — крикнул я. — Ау!

Никто не отзывался.

— Избушка-избушка, — пробормотал я. — А повернись-ка к лесу задом, ко мне передом...

Избушка не шевелилась. Впрочем, она и так стояла ко мне передом. Я вдруг ощутил себя мудрым, словно Штирлиц из анекдотов.

Ладно, хватит глупостями заниматься. Вхожу, жду хозяйку, если той нет дома...

Я подошел к двери, коснулся ржавой железной ручки — и в тот же миг, будто этого движения ждали, дверь открылась.

— Добрый день, — сказала с улыбкой женщина лет тридцати.

Очень красивая женщина...

Почему-то по рассказам Ромы и Ксюши я представлял ее старше. Да и про внешность они ничего не упоминали — и у меня в голове сложился какой-то усредненный образ «просто женщины». Дурак дураком... понятно же, что для таких маленьких детей «красивая» — это значит «в ярком платье». Вот через годик-другой Ксюша, наверное, уже скажет с восторгом и восхищением: «Тетя была такая красивая!» И приведет в пример какую-нибудь Орейро или свежего девчачьего идола.

А она была в джинсах и простецкой клетчатой рубашке из тех, что с одинаковым правом носят и мужчины, и женщины.

Высокая — но ровно настолько, чтобы мужчина среднего роста не начал испытывать комплекса неполноценности. Стройная — но без худобы. Ноги такие длинные и ровные, что хочется заорать «да зачем ты натянула джинсы, дура, немедленно надень мини!» Грудь... нет, наверное, кому-то приятнее видеть два силиконовых арбуза, а кто-то обрадуется плоской, как у мальчика, груди. Но нормальный мужик в данном вопросе будет придерживаться золотой середины. Руки... ну не знаю, каким образом руки могут быть эротичными. У нее они были именно такими. Почему-то сразу возникала мысль, что этим пальчикам стоит коснуться тебя...

С такой фигурой иметь красивое лицо — не обязательная роскошь. А она была красива. Черноволосая — как смоль, большеглазая — и глаза улыбчивые, манящие. Все черты лица очень правильные, но с каким-то крошечным отступлением от идеала, для глаза незаметного, но позволяющего смотреть на нее как на живую женщину, а не как на произведение искусства.

— З-здравствуйте, — прошептал я.

Да что со мной? Можно подумать, вырос на необитаемом острове и женщин не видел!

Женщина просияла:

— Вы папа Романа, да?

— Что? — не понял я.

Женщина чуть смутилась.

— Извините... тут на днях мальчик в лесу заблудился, я его к деревне вывела. Он тоже заикался... немножко. Я и подумала...

Ну все, тушите свет.

— Обычно я не заикаюсь, — пробормотал я. — Обычно я несу всякий вздор. Но я не ожидал встретить в лесу такую красивую женщину, вот и растерялся.

«Такая красивая женщина» засмеялась:

— Ой, а эти слова — тоже вздор? Или правда?

— Правда, — признался я.

— Вы проходите. — Она отступила в дом. — Спасибо большое, тут комплименты нечасто услышишь...

— Да тут и людей нечасто встретишь, — заметил я, входя в дом и озираясь.

Никаких следов магии. Обстановка немного странная для дома в лесу, но всякое бывает. Книжный шкаф со старыми фолиантами, правда, имелся... Но в хозяйке ничего от Иной не наблюдалось.

— Тут две деревни рядом, — пояснила женщина. — Та, куда я ребятишек отвела, и другая, побольше. Я в нее за продуктами хожу, там магазин всегда работает. Но с комплиментами и там плохо.

Она снова заулыбалась:

— Меня зовут Арина. Не Ирина, а именно Арина.

— Антон, — представился я. И блеснул эрудицией первоклассника: — Арина, как няня Пушкина?

— Именно, в ее честь и назвали, — улыбнулась женщина. — Папу звали Александр Сергеевич, мама, естественно, была помешана на Пушкине. Можно сказать — фанатка. Вот я и получила имя...

— А почему не Анна, в честь Керн? Или не Наталья, в честь Гончаровой?

Арина покачала головой:

— Что вы... Мама считала, что все эти женщины играли в жизни Пушкина роковую роль. Нет, конечно, они служили источником его вдохновения, но как человек он очень страдал... А няня... она ни на что не претендовала, любила Сашу самозабвенно...

— Вы филолог? — бросил я пробный камень.

— Что тут делать филологу? — засмеялась Арина. — Вы садитесь, я чайку вам заварю, вкусного, травяного. Все сейчас помешались на матэ, на ройбусе, на всей этой иностранщине. А русскому человеку, я вам честно скажу, такая экзотика не нужна. Своих травок хватает. Или уж обычный чай, причем черный, мы не китайцы, чтобы зеленую водичку пить. Или лесные травки. Вот попробуете...

— Вы ботаник, — уныло сказал я.

— Правильно! — Арина засмеялась. — Слушайте, вы точно не Ромин папа?

— Нет, я... — помявшись, я сказал самую удобную фразу, — я друг его мамы. Спасибо вам большое, что спасли детей.

— Так уж сразу и спасла, — улыбнулась Арина. Стоя ко мне спиной, она сыпала в заварочный чайник сухие травы — щепотку одной, совсем чуть-чуть другой, ложечку третьей... Как-то непроизвольно мой взгляд остановился на той части заношенных джинсов, что обрисовывала крепкую попку. Почему-то сразу становилось ясно, что попка упругая и без малейших признаков любимой болезни городских дам — целлюлита. — Ксюша — девочка умная, сами бы вышли.

— А волки? — спросил я.

— Какие волки, Антон? — Арина удивленно посмотрела на меня. — Я же им объясняла — это бродячая собака. Откуда взяться волкам в таком лесочке?

— Одичавшая собака, да еще и щенная — тоже опасно, — заметил я.

— Ну... возможно, вы правы. — Арина вздохнула. — Но я все-таки думаю, что на ребятишек она бы не бросилась. Собаки редко нападают на детей, совсем надо животному обезуметь, чтобы на такое решиться. Люди — вот они куда опаснее животных...

Что ж, не поспоришь...

— Не скучно вам тут, в глуши? — перевел я разговор на другую тему.

— Так я тут не безвылазно сижу! — засмеялась Арина. — Приезжаю на лето, диссертацию пишу. «Этногенез некоторых видов крестоцветных средней полосы России».

— Кандидатская? — с некоторой завистью спросил я. Почему-то мне до сих пор грустно, что я свою не дописал... а не дописал потому, что стал Иным, и все эти научные игры стали мне скучны. Игры — скучны, а все равно грустно...

— Докторская, — с понятной гордостью ответила Арина. — Зимой думаю защищаться...

— Это у вас научная библиотека с собой? — кивая на шкаф, спросил я.

— Да, — кивнула Арина. — Глупо было, конечно, все с собой тащить. Но меня подвозил один... приятель. На джипе. Вот и воспользовалась, загрузила всю библиотеку.

Я попытался представить, проедет ли джип по этому лесу. Вроде как за домиком начинается какая-то довольно широкая тропинка... возможно, что и проедет...

Подойдя к шкафу, я внимательно осмотрел книжки.

И впрямь — богатая библиотека ученого-ботаника. И какие-то старые, начала прошлого века фолианты, где предисловие поет хвалу Партии и лично товарищу Сталину. И еще более древние, дореволюционные. И множество простеньких зачитанных томиков, изданных лет двадцать — тридцать назад.

— Большая часть — хлам, — не поворачиваясь, сказала Арина. — Им место только на полке библиофила. Но... рука не поднимается продать.

Я уныло кивнул, глядя на шкаф сквозь Сумрак. Все чисто. Никакой магии. Старые книги по ботанике.

Или же — так искусно наведенный морок, что я не в силах его преодолеть.

— Садитесь, чай готов, — сказала Арина.

Я сел на скрипучий венский стул. Взял чашку с чаем, понюхал.

Запах был восхитительный. Что-то в нем было и от обычного хорошего чая, а что-то и от цитруса, и от мяты. Хотя я готов был побиться об заклад — не было в настое ни чайного листа, ни цедры, ни банальной мяты.

— Ну как? — улыбнулась Арина. — Вы попробуйте только...

Она присела напротив меня и чуть подалась вперед. Мой взгляд невольно упал на расстегнутый ворот, демонстрирующий загорелую грудь. Интересно, этот «приятель на джипе»... он ее любовник? Или просто коллега-ботаник? Ага, сейчас. Ботаник на джипе...

Да что со мной? Можно подумать, я только что с необитаемого острова и женщин десять лет не видел!

— Горячий, — держа в руках чашечку, сказал я. — Пусть чуть остынет...

Арина кивнула.

— Удобно, когда есть электрический чайник, — добавил я. — Закипает быстро. А откуда у вас электричество, Арина? Что-то проводов у дома я не заметил.

Лицо Арины дрогнуло. Она жалобно сказала:

— Может быть, подземный кабель?

— Не-а, — сказал я, отводя руку с чашкой и аккуратно выливая настой на пол. — Ответ не годится. Подумайте еще раз.

Арина досадливо качнула головой:

— Ну что за беда? На такой мелочи...

— Всегда прокалываешься на мелочах, — посочувствовал я. Встал. — Ночной Дозор города Москвы, Антон Городецкий. Требую немедленно снять иллюзию!

Арина молчала.

— Ваш отказ от сотрудничества будет означать нарушение Договора, — напомнил я.

Арина мигнула. И исчезла.

Вот так вот, значит...

Я поймал взглядом свою тень, потянулся к ней, и прохладный Сумрак обнял меня.

Домик ничуть не изменился!

Арины не было.

Я сосредоточился. Здесь было слишком серо и тускло, чтобы увидеть свою тень. Но я все-таки ее нашел. И шагнул на второй уровень Сумрака.

Серый туман сгустился, пространство наполнилось далеким тягучим гулом. По коже прошел холодок. А домик изменился — и радикально: преобразился в избушку. Стены стали бревенчатыми, обросшими мхом. Вместо стекол в окнах поблескивали полупрозрачные слюдяные пластины. Мебель погрубела, постарела, венский стул, на котором я сидел, превратился в обрубок пня. Только дорогой глубокоуважаемый шкаф не изменился — красивый старый шкаф. Вот книги в нем стремительно меняли облик, неправильные буквы ссыпались на пол, дерматиновые корешки превращались в кожаные...

Арины не было. Был лишь тусклый силуэт, маячивший где-то возле шкафа, призрачная быстрая тень... ведьма ушла на третий уровень Сумрака!

Теоретически я мог туда войти.

На деле — никогда не пробовал. Для мага второго уровня — это предельное напряжение сил.

Но я был сейчас слишком зол на хитроумную ведьму. Она же очаровать меня пыталась, приворотить... старая карга!

Я встал у потемневшего окна, ловя те капельки света, что проникали на второй слой Сумрака. Нашел или подумал, что нашел, слабую-слабую тень на полу...

Труднее всего было ее заметить. Дальше тень стала послушной — и взметнулась ко мне, открывая проход.

И я шагнул на третий уровень Сумрака.

В подобие дома, сплетенное из веток деревьев и толстенных стволов.

Книг больше не было, мебели не осталось. Только гнездо из ветвей.

И Арина, стоящая напротив меня.

Как же она была стара!

Ее не скрючило, как сказочную Бабу-Ягу. Она осталась стройной и высокой. Но кожа стала морщинистой, будто кора дерева, глаза глубоко запали. Грязный балахон из мешковины служил ей единственным одеянием, и высохшие груди пустыми мешочками болтались в глубоком вырезе балахона. А еще она была лысой — только прядь волос торчала из макушки наподобие индейского вихра.

— Ночной Дозор! — повторил я. Слова вырывались изо рта неохотно, медленно. — Выйти из Сумрака! Это последнее предупреждение!

Что я могу сделать ей, так легко погрузившейся на третий уровень сумеречного мира? Не знаю. Возможно, что и ничего...

Но она не стала больше сопротивляться. Шагнула вперед — и исчезла.

Я вышел на второй уровень с заметным усилием. Обычно выходить проще, но третий уровень тянул из меня силы, как из новообращенного недоучки.

Арина дождалась меня на втором уровне. Она уже обрела свой прежний облик. Кивнула — и двинулась дальше, к привычному, уютному, спокойному человеческому миру...

А я, обливаясь холодным потом, два раза пытался поднять свою тень, прежде чем это удалось.

Глава 3

Арина сидела на стуле, скромно положив руки на колени. Она больше не улыбалась — и вообще была само послушание.

— В дальнейшем обойдемся без фокусов? — полюбопытствовал я, выйдя в реальный мир. Спина была мокрая, ноги слегка подрагивали.

— Могу ли я остаться в этом облике, дозорный? — тихо спросила Арина.

— Зачем? — не удержался я от маленькой мести. — Я уже видел вас настоящей.

— Кто решит, что в этом мире настоящее? — задумчиво сказала Арина. — Это ведь откуда посмотреть... Считайте мою просьбу женским кокетством, Светлый.

— И попытка меня обворожить — тоже кокетство?

Арина стрельнула глазками. С вызовом произнесла:

— Да! Я понимаю, что мой сумеречный облик... но здесь и сейчас — я такая! И ничто человеческое мне не чуждо. В том числе и желание нравиться.

— Хорошо, оставайтесь, — буркнул я. — Я не скажу, что мечтаю о повторении шоу... Снимите иллюзию с магических предметов!

— Как скажете, Светлый. — Арина провела ладонью по волосам, оправляя прическу.

И домик чуть-чуть изменился.

Вместо чайника на столе оказалась маленькая березовая кадушка. Из кадушки еще шел пар. Телевизор, впрочем, остался — но провод теперь не тянулся к несуществующей розетке, а был воткнут в большой бурый помидор.

— Оригинально, — кивая на телевизор, заметил я. — И часто приходится менять овощи?

— Помидоры — каждый день, — пожала плечами ведьма. — Кочан капусты два-три дня работает.

Мне еще никогда не доводилось видеть такого оригинального способа получения электричества. Нет, теоретически возможно... но на практике...

Впрочем, больше всего меня интересовал шкаф с книгами. Я подошел, вынул первый попавшийся томик, тонкий и в мягкой обложке.

«Боярышник — практическое применение в домашнем колдовстве».

Книга была отпечатана на чем-то вроде ротапринта. Выпущена год назад. И даже тираж был указан — 200 экземпляров. И даже ISBN стоял! Типография только какая-то незнакомая, ООО «ТП».

— И впрямь ботаника... Неужели печатаете свои книги в типографиях? — восхитился я.

— Бывает, — скромно сказала ведьма. — Не все же от руки переписывать...

— От руки — это еще ничего, — заметил я. — Бывает, что и кровью пишут...

И выудил из шкафа «Кассагар Гарсарра».

— Своей кровью, заметьте, — сухо произнесла Арина. — Никаких гадостей!

— Эта книга — сама по себе гадость, — заметил я. — Ну-ка, ну-ка... «Наущение людей друг противу друга без лишних усердий...»

— Что вы мне пытаетесь инкриминировать? — уже раздраженно спросила Арина. — Это все... академические издания. Антиквариат. Никого я не науськивала.

— Правда? — пролистывая книгу, сказал я. — «Успокоение почечных хворей, изгнание водянки...» Допустим...

— Вы же не станете обвинять человека, читающего де Сада, в намерении кого-нибудь замучить? — огрызнулась Арина. — Это наша история. Различные заклинания. Без деления на деструктивные и позитивные.

Я хмыкнул. В общем-то она была права. То, что здесь собраны самые различные магические рецепты, вовсе не состав преступления. К тому же... вот «Как унять роженице боли и не повредить ребеночку». Впрочем, рядом имеются «Извести плод и не повредить роженице» и «Извести плод вместе с роженицей».

Все как обычно у Темных.

Но несмотря на все эти пакостные рецепты и недавнюю попытку заморочить меня, что-то в Арине вызывало симпатию. В первую очередь — то, как она обошлась с детишками. Что ни говори, а старая умная ведьма могла бы найти им самое чудовищное применение. А еще... еще было в ней что-то тоскливое и одинокое — несмотря на всю ее силу, несмотря на ценную библиотеку и притягательный человеческий облик.

— В чем провинилась-то? — сварливо спросила Арина. — Ну, не тяни волыну, чароплёт!

— Регистрация у вас есть? — спросил я.

— Что я, вампирша или оборотень? — вопросом ответила Арина. — Штамп мне поставить захотел... ишь выдумал...

— Никто не говорит о печати, — успокоил я ее. — Вопрос лишь в том, что все маги первого и выше уровня обязаны сообщать в региональный центр о месте своего жительства. Дабы их перемещение не было сочтено враждебными действиями...

— Я не волшебница, я колдунья!

— Маги и приравненные к ним по силе Иные... — устало повторил я. — Вы находитесь на территории Московского Дозора. Вы обязаны были уведомить нас.

— Раньше того не было, — пробормотала ведьма. — Чароплёты-первыши друг другу о себе говорили, вампиров и оборотней на учет брали... а нас никто не трогал.

Что-то странное...

— Когда «раньше»? — спросил я.

— В тридцать первом, — неохотно сказала ведьма.

— Вы тут живете с тридцать первого? — не поверил я. — Арина...

— Я тут два года живу. А до того... — она поморщилась, — не важно, где была. Не слышала про новые законы.

Может быть, она и не врала. Это бывает у старых Иных, особенно тех, что не работают в Дозорах. Забьются куда-нибудь в глухомань, в тайгу или леса, сидят там десятилетиями, пока совсем тоска не одолеет.

— А два года назад решили тут поселиться? — уточнил я.

— Решила. Что ж мне, дуре, в город переться? — Арина засмеялась. — Сижу, телевизор вот смотрю, книги читаю. Наверстываю упущенное. Нашла одну старую подругу... та мне книжки из Москвы шлет.

— Что ж, — сказал я. — Тогда обычная процедура. Лист бумаги найдется?

— Да.

— Пишите объяснительную. Имя, происхождение, год рождения и инициации, состояли ли в Дозорах, на каком уровне силы находитесь...

Арина послушно достала бумагу и карандаш. Я поморщился, но предлагать ручку не стал. Пусть хоть гусиным пером пишет.

— Когда последний раз вставали на учет или иным образом заявляли о своем местопребывании в официальных органах Дозоров... Где находились после этого.

— Не стану писать. — Арина отложила ручку. — Развели бумагомарак... Кому какое дело, где я старые кости грела?

— Арина, бросьте этот лексикон деревенской бабки! — попросил я. — Вы же раньше нормально разговаривали!

— Маскировалась, — не моргнув глазом заявила Арина. — А, как угодно. Только и вы казенный тон оставьте.

Она быстро, аккуратным убористым почерком исписала весь лист. Протянула мне.

Возраст ее оказался меньше, чем я полагал. Меньше двухсот лет. Мать ее была крестьянкой, отец — неизвестен, среди родственников Иных не числилось. Инициировал девочку в одиннадцать лет Темный маг, или как упорно называла магов Арина — «чароплёт». Заезжий, из немцев. Попутно и растлил, что Арина зачемто посчитала нужным указать, добавив «стервец похотливый». А... вот в чем дело! Немец этот взял девочку в услужение и обучение — во всех смыслах. И был, видимо, не слишком умен и не слишком нежен — девочка к тринадцати годам набрала такую силу, что в честной дуэли победила и развоплотила наставника. Между прочим — мага четвертого уровня. После этого и попала под наблюдение тогдашних Дозоров. Впрочем, больше ничего криминального за ней не числилось — если верить объяснительной. Города ей не нравились, жила в деревнях, промышляла мелким колдовством. После революции ее несколько раз пытались раскулачить... крестьяне понимали, что она ведьма, и решили напустить на нее ЧК. Маузеры и магия, надо же! Побеждала магия, но бесконечно это длиться не могло. В тридцать четвертом году Арина...

Я поднял на ведьму глаза, спросил:

— Серьезно?

— Легла в спячку, — спокойно сказала Арина. — Поняла, что красная зараза — это надолго. По ряду обстоятельств могла выбрать срок сна шесть, восемнадцать или шестьдесят лет. У нас, ведьм, всегда много условностей... Шесть и восемнадцать лет — это для коммунистов мало. Уснула на шестьдесят лет.

Она помедлила, но призналась:

— Тут и спала. Избушку оградила как могла, чтобы ни человек, ни Иной подойти не смогли...

Теперь понятно. Времена были лихие, Иные гибли почти так же часто, как и обычные люди. Затеряться было несложно.

— И никому не сказали, что тут спите? — уточнил я. — Подружкам...

Арина усмехнулась:

— Если бы сказала — ты бы со мной сейчас не беседовал, Светлый.

— Почему?

Она кивнула на шкаф:

— Вот все мое богатство. И немалое.

Я сложил объяснительную, спрятал в карман. Сказал:

— Немалое. И все-таки одной редкой книги я тут не заметил.

— Какой? — удивилась ведьма.

— «Фуаран».

Арина фыркнула:

— Большой уже мальчик, а в сказки веришь... Нет такой книги.

— Ага. И девочка сама придумала это название.

— Не стала я ей память чистить, — вздохнула Арина. — Вот и скажи, стоит после этого добрые дела творить?

— Где книга? — резко спросил я.

— Третья полка снизу, четвертый том слева, — раздраженно сказала Арина. — Глаза дома забыл?

Я подошел к полке, нагнулся.

«Фуаран»!

Крупными золотистыми буквами на черной коже.

Я вынул книгу, торжествующе посмотрел на ведьму.

Арина улыбалась.

Я посмотрел надпись на обложке — «Фуаран — вымысел или правда?». Слово «Фуаран» было напечатано крупно, остальные — мелким шрифтом.

Глянул на корешок...

Ну да. Мелкие буквы стерлись, осыпались.

— Редкая книга, — призналась Арина. — Отпечатано тринадцать экземпляров, в Санкт-Петербурге, в тринадцатом году, в Его Императорского Величества типографии. Печатали, как положено, ночью в новолуние. Не знаю, сколько таких уцелело...

Могла ли маленькая напуганная девочка заметить лишь слово, напечатанное крупным шрифтом?

Да запросто!

— Что теперь со мной будет? — горестно спросила Арина. — На что я имею право?

Я вздохнул, сел за стол, перелистывая ненастоящий «Фуаран». Интересная книга, спора нет...

— Да ничего с вами не будет, — признался я. — Детям вы помогли, Ночной Дозор признателен за это.

— Зачем же зазря людей обижать, — пробормотала ведьма, — это только себе вредить...

— Учитывая этот факт, а также особые обстоятельства вашей жизни... — Я порылся в памяти, вспоминая параграфы, ссылки и примечания. — Учитывая все это, наказания вам не будет. Вот только один вопрос... каков ваш уровень Силы?

— Я же написала — «не знаю», — спокойно ответила Арина. — Разве это прибором замеришь?

— Хотя бы примерно?

— Спать ложилась — была на первом ранге, — не без гордости призналась ведьма. — А сейчас авось вне рангов вышла.

Все правильно. Потому я и не смог пробить ее иллюзию.

— Вы не собираетесь работать в Дневном Дозоре?

— Чего я там не видела? — возмутилась Арина. — Тем более нынче Завулон до главных выслужился, так?

— Завулон, — подтвердил я. — А чему вы удивлены? Неужели считаете его недостаточно сильным?

— Силы ему всегда хватало, — нахмурилась Арина. — Только своих он слишком легко сдает. Подруг... ни с одной больше десяти лет не прожил, всегда что-то случалось... а молоденькие дурехи все равно к нему в койку прыгали. А уж как он хохлов и литвинов не любит! Надо грязную работу сделать — заманивает бригаду с Украины, да и загребает жар чужими руками. Надо подставить кого-то под удар — первым кандидатом литвин будет... Думала, не удержится он с такими повадками на посту. — Арина вдруг усмехнулась. — Нет, видно, понаторел от удара уходить. Молодец!

— Да уж, — кисло сказал я. — Что ж, если вы не собираетесь работать в структурах Дневного Дозора, а продолжите вести светский образ жизни, то получите право на проведение определенных магических действий... в личных целях. В год — двенадцать действий седьмого уровня, шесть — шестого, три — пятого, одно — четвертого. Раз в два года — действие третьего уровня. Раз в четыре года — действие второго уровня.

Я замолчал.

Арина поинтересовалась:

— А действия первого уровня?

— Максимально разрешенная сила для Иных, не состоящих на службе, ограничена их предыдущим уровнем, — ехидно заметил я. — Если вы пройдете обследование и регистрацию как ведьма вне категорий, то раз в шестнадцать лет получите право на магию первого уровня. По согласованию с Дозорами и Инквизицией, разумеется. Первый уровень магии — слишком серьезная вещь.

Ведьма ухмыльнулась. Странной была эта ухмылка — совершенно старушечья и неприятная на красивом и молодом лице...

— Я уж как-нибудь без первого уровня обойдусь. Как я понимаю, ограничения касаются лишь магии, направленной на людей?

— На людей и Иных, — подтвердил я. — С собой и с неодушевленными предметами можете делать все, что вам угодно.

— И то спасибо, — согласилась Арина. — Что ж, извини, Светлый, что заморочить тебя пыталась. Ты вроде ничего. Почти как мы.

От этого сомнительного комплимента меня передернуло.

— Еще один вопрос, — сказал я. — Кто были те оборотни?

Арина помолчала. Потом спросила:

— А что, закон уже отменен?

— Какой закон? — попытался я свалять дурака.

— Старый закон. Темный на Темного доносить не обязан, Светлый на Светлого...

— Есть такой закон, — признался я.

— Ну и лови оборотней сам. Пускай дураки, пускай кровожадные, только сдавать я их не стану.

Сказано это было твердо, уверенно. И давить мне на нее было нечем. Она же оборотням не способствовала, напротив.

— Магические действия в мой адрес... — Я подумал. — Что ж. Я их вам прощаю.

— Просто так? — уточнила ведьма.

— Просто так. Мне приятно, что я устоял.

Ведьма фыркнула:

— Устоял один такой... Жена у тебя волшебница, что ж я, слепая, не чую? Она тебя и заколдовала. Чтобы ни одна баба не соблазнила.

— Врешь, — спокойно ответил я.

— Вру, — призналась ведьма. — Молодец. Колдовство ни при чем, просто ты ее любишь. Ну так привет жене, привет дочке. Завулона встретишь — скажи, что козлом он был, козлом и остался.

— С удовольствием, — пообещал я. Ай да ведьма! Завулону хамить не боится! — А Гесеру чего передать?

— А я ему весточек и не передаю, — презрительно сказала Арина. — Куда нам, деревенским дурочкам, до великих тибетских магов!

Я стоял и смотрел на эту странную женщину — такую красивую в человеческом облике, такую отвратительную в истинном виде. Ведьма, могучая ведьма. Но не сказать, что злобная — всего намешано...

— Не грустно тебе здесь одной, бабушка? — спросил я.

— Оскорбляешь? — вопросом ответила Арина.

— Да нет, ничуть. Я все-таки чему-то учился.

Арина кивнула, но смолчала.

— Вовсе тебе не хотелось меня соблазнить, и никаких плотских желаний у тебя не осталось, — продолжал я. — У ведьм это иначе, не так, как у волшебниц. Ты старуха и чувствуешь себя старухой, на мужиков тебе плевать. Другое дело, что ты еще тысячу лет можешь старухой оставаться. Так что соблазняла ты меня просто ради спортивного интереса.

Миг — и Арина преобразилась. Превратилась в опрятную старушку, румяную, чуть сгорбленную, с живыми бойкими глазами, умеренно беззубым ртом, седыми, но крепко уложенными волосами. Спросила:

— Так лучше?

— Да, пожалуй, — признал я с легкой грустью. Все-таки ее прежний облик был очень приятен.

— Я была такой... сто лет тому назад, — сказала ведьма. — И такой, как тебя встретила, тоже была... когда-то. А уж какой я была в шестнадцать! Ах, Светлый, какой я была веселой, красивой девкой! Пусть и ведьмой... Знаешь, почему и как мы старимся?

— Кое-что слышал, — признался я.

— Это плата за продвижение в ранге. — Она опять употребила это старомодное словцо, в последние годы начисто вытесненное пришедшим из компьютерных игрушек словечком «уровень». — Можно и ведьме оставаться молодой телом. Только тогда на третьем ранге и застрянешь. Мы крепче связаны с природой, а она не любит фальши. Понимаешь?

— Понимаю, — сказал я.

Арина кивнула:

— Вот так, Светлый... радуйся, что твоя жена — чародейка. Ты со мной по-хорошему поступил, врать не стану. Могу я подарок сделать?

— Нет. — Я покачал головой. — Я на службе. И подарок от ведьмы...

— Понимаю. Не тебя одарить хочу, твою жену!

Я растерялся. Арина бодро проковыляла к обитому железом сундуку (раньше на его месте стоял заурядный комод), открыла, запустила внутрь руку. Через секунду вернулась ко мне с маленьким костяным гребнем.

— Бери, дозорный. Без умысла, без корысти, не для беды и горести. Стать мне тенью, если вру, разлететься на ветру...

— Что это? — спросил я.

— Диковина. — Арина поморщилась. — Как это сейчас зовут... артефакт!

— И все-таки?

— Силенок не хватает увидеть? — понимающе спросила Арина. — Твоя жена поймет. А тебе зачем объяснения, Светлый? Я же и совру — недорого возьму. Совру, а ты поверишь. Ты ведь слабее меня, сам знаешь.

Я молчал, кусал губы. Что ж... все-таки я пару раз ей нагрубил. И получил достойный ответ.

— Бери, не бойся, — повторила Арина. — Баба-Яга — она хоть и злая, а добрым молодцам помогает.

Да что я, собственно говоря?

— Лучше бы волкулаков сдала, — беря гребень, сказал я. — Я принимаю твой подарок лишь как посредник, и этот дар не накладывает ни на кого никаких обещаний.

— Стреляный воробей, — хмыкнула Арина. — А волки... извини. Сами поймаете, знаю. Но сдавать не стану. Кстати, книжку можешь взять. На время. Для проверки. Есть ведь у тебя такое право?

И только теперь я сообразил, что до сих пор держу в левой руке злосчастный «Фуаран — вымысел или правда?».

— Для экспертизы, на время, в рамках своих прав дозорного, — мрачно сказал я.

Все-таки бабка крутила мной, как хотела! И будь ее желание — я только дома заметил бы ненароком прихваченную книжку. А она имела бы полное право обратиться в Дозоры с жалобой — на кражу ценной «диковины».

Когда я вышел из дома, то увидел, что уже наступила непроглядная ночь. И мне предстоит шарахаться по лесу не меньше чем два-три часа.

Но едва я сошел с крыльца, как впереди загорелся призрачный голубой огонек. Я вздохнул, покосился на домик, где ярким электрическим светом горели окна. Арина меня провожать не вышла. Огонек призывно танцевал в воздухе.

Я пошел за ним.

И через пять минут услышал ленивое побрехивание собак.

А еще через десять — вышел к околице.

Самым обидным было то, что все это время я не чувствовал ни малейших следов магии.

Глава 4

Машина в сарае уже обрела прежний вид. Однако садиться за руль и проверять, работает ли многострадальный дизель, побывавший в руках русских механизаторов, я не рискнул. Тихонько прошел в дом, прислушался — теща в своей комнатенке уже спала, а в нашей слабо горел ночник.

Я отворил дверь, вошел.

— Все прошло удачно? — спросила Светлана. Впрочем, вопросительной интонации в ее голосе было едва-едва. Она все прекрасно чувствовала и без слов.

— Более-менее, — кивнул я. Посмотрел на кроватку Надюшки — дочка крепко спала. — Оборотней не нашел. С ведьмой поговорил.

— Рассказывай, — сказала Светлана. Она сидела на кровати в одной ночнушке, рядом лежал толстый томик «Мумми-троллей». То ли Наде читала — ей сейчас все равно, что перед сном слушать, хоть учебник сопромата, лишь бы маминым голосом. То ли сама решила отдохнуть перед сном с доброй книжкой.

Я сбросил туфли, разделся, сел рядом. И стал рассказывать.

Несколько раз Светлана хмурилась. Несколько раз улыбалась. А когда я повторил слова ведьмы о том, что меня «жена заколдовала», Светлана даже растерялась.

— Да нет же! — совершенно беспомощно воскликнула она. — Спроси Гесера... он любое мое заклятие увидит... у меня и мыслей таких никогда не было!

— Я знаю, — успокоил я ее. — Ведьма призналась, что соврала.

— Хотя нет, мысли были, — вдруг усмехнулась Светлана. — Куда от мыслей-то деваться... но это так, сдуру, ничего серьезного. Это мы с Ольгой мужиков обсуждали... давно уже...

— Скучаешь по Дозору? — не удержался я.

— Скучаю, — призналась Светлана. — Давай не будем об этом... Антон, а ты молодец! На третий слой Сумрака вышел?

Я кивнул.

— Первая категория... — неуверенно сказала Светлана.

— Выше головы не прыгнешь, — возразил я. — Вторая. Честная вторая. Мой потолок. И об этом мы тоже говорить не будем, ладно?

— Давай лучше о ведьме, — улыбнулась Светлана. — Значит, в спячку впадала? Я слышала о таком, но все-таки редкость огромная. Можешь статью написать.

— Куда? В газету «Аргументы и факты»? Найдена ведьма, шестьдесят шесть лет проспавшая в подмосковном лесу?

— В информационную рассылку Ночного Дозора, — предложила Светлана. — А вообще надо бы выпускать свою газету. Для людей там должен быть другой текст... все что угодно. Что-нибудь узкоспециальное. «Вестник русского аквариума», к примеру. Как разводить цихлид и устраивать в квартире проточный аквариум.

— Откуда такие знания? — удивился я. И осекся. Вспомнил, что ее первый муж, которого я не видел-то никогда, был заядлым аквариумистом.

— Да так, вспомнилось, — поморщилась Светлана. — А любой, даже слабенький Иной, должен видеть настоящий текст.

— Я уже придумал первый заголовок, — сказал я. — «За передовую магию». С буквой «н» в слове «передовую».

Мы улыбнулись вместе.

— Покажи тот «артефакт», — попросила Светлана.

Дотянувшись до одежды, я достал завернутый в носовой платок гребень. Признался:

— Я в нем никакой магии не вижу.

Светлана некоторое время держала гребень в руках.

— Ну? — спросил я. — Что надо сделать? Бросить за спину, и там вырастет лес?

— Ты ничего и не должен увидеть, — с улыбкой сказала Светлана. — И дело не в Силе, посмеялась над тобой ведьма. Возможно, даже Гесер ничего не увидит... это не для мужчин.

Она поднесла гребень к волосам, стала плавно расчесываться. Небрежно сказала:

— Вот представь... лето, жара, усталость, ночь не спал, весь день работал... А потом — выкупался в прохладной воде, тебе сделали массаж, ты вкусно поел и выпил бокал хорошего вина. И тебе стало хорошо...

— Улучшает самочувствие? — понял я. — Снимает усталость?

— Исключительно женщинам, — улыбнулась Светлана. — Он старый, ему лет триста, не меньше. Видимо, подарок какого-то могучего мага своей любимой женщине. Может быть, даже человеческой женщине...

Она посмотрела на меня — глаза ее сияли. Мягко сказала:

— А еще он должен делать женщину привлекательной. Неотразимой. Манящей. Работает?

Я секунду смотрел на нее — а потом взглядом погасил ночник.

Магический полог, который гасит все звуки, Светлана поставила сама.

Проснулся я рано, еще не было и пяти утра. Но, на удивление, ощутил себя совершенно свежим — как хозяйка магического гребня, расчесавшаяся всласть. Хотелось великих свершений. Еще хотелось плотного завтрака.

Будить я никого не стал, тихонько порывшись на кухоньке, отломил пару кусков батона и нашел пластиковый пакетик колбасной нарезки. В большую кружку отлил домашнего кваса — и со всем этим добром выбрался на улицу.

Уже рассвело, но в деревне стояла тишина. Никто не спешил на утреннюю дойку — коровник лет пять как пуст. Никто вообще никуда не спешил...

Я вздохнул и сел на траву под давным-давно одичавшей и неплодоносящей яблоней. Съел огромный бутерброд, выпил кваса. И, чтобы совсем уж было комфортно, вытащил из комнаты книгу о книге «Фуаран» — магией, через окно. Надеюсь, теща спит и левитирующий предмет не заметит...

За вторым бутербродом я погрузился в чтение.

И было оно, скажу я вам, преинтереснейшим!

В ту пору, когда книгу писали, не было еще никаких умных словечек — никаких «генов», «мутаций» и прочей биологической мудрости, которой нынче пытаются обосновать природу Иных. Поэтому коллектив ведьм, работавших над книгой — авторов было пять, перечисленных только по именам, — пользовался словами «сродство к колдовству», «изменение природы» и тому подобными. Кстати, среди авторов значилась и Арина, о чем ведьма вчера скромно умолчала!

Вначале ученые ведьмы долго рассуждали о самой природе Иных. Вывод их был такой — в каждом человеке живет «сродство к колдовству». Уровень этого «сродства» у всех разный. За точку отсчета можно принять природный уровень магии, разлитой во всем мире. Если «сродство» у человека *сильнее*, чем мировой уровень магии, то он будет самым обычным человеком! В Сумрак войти не сумеет и лишь изредка, в силу каких-то колебаний природного уровня магии, будет ощущать что-то странное. Если же в человеке «сродство» *слабее*, чем в окружающем мире, то он сумеет Сумраком пользоваться!

Звучало это как-то очень странно. Для себя я всегда считал, что Иные — это люди с сильно развитыми магическими способностями. А тут озвучивалась прямо противоположная точка зрения.

Впрочем, в качестве примера приводилась такая забавная аналогия: допустим, что во всем мире температура стоит 36 с половиной градусов. Тогда большинство людей, имея температуру тела выше, станут свое тепло отдавать вовне, «греть природу». А вот те немногие, кто почему-то имеет температуру тела ниже 36 с половиной, станут тепло *получать*. И раз к ним идет постоянный приток Силы, сумеют этой силой пользоваться, в то время как куда более теплые люди бесцельно «греют природу»...

Интересная теория. Я читал несколько версий о нашем происхождении и отличии от людей. Такая раньше не попадалась. Было в ней что-то обидное...

Впрочем, какая разница! Результат-то не меняется! Есть люди, есть Иные...

Я принялся читать дальше.

Вторая глава была посвящена различиям «магов и волшебниц» от «ведьм и колдунов». В ту пору, выходит, словом «колдун» называли не Темных магов, а всего лишь «ведьм мужеского пола», Иных, склонных к пользованию артефактами. Статья была интересная, и мне показалось, что писала ее именно Арина. Сводилось все к тому, что разницы, по сути, нет. Волшебница оперирует непосредственно Сумраком, выкачивая из него Силу и совершая те или иные магические действия. Ведьма же создает вначале некие «диковины», аккумулирующие Силу Сумрака и способные работать самостоятельно в течение длительного времени. Преимущество волшебниц и магов — им не нужны никакие приспособления, посохи и кольца, книги и амулеты. Преимущество ведьм и колдунов — создав удачный артефакт, они могут накопить в нем очень большой запас Силы, который выкачать из Сумрака одномоментно — крайне затруднительно. Вывод напрашивался сам собой, и Арина его озвучила: разумный маг не станет пренебрегать артефактами, умный колдун постарается научиться работать и с Сумраком напрямую. По мнению автора, «лет через сто мы увидим, как самые великие и заносчивые маги не гнушаются воспользоваться амулетом, а самые ортодоксальные ведьмы не сочтут себе убытком войти в Сумрак».

Что ж, прогноз сбылся на все сто. В Ночном Дозоре большинство сотрудников — маги. Но артефактами мы пользуемся постоянно...

Я сходил на кухню, сделал себе еще пару бутербродов и налил кваса. Посмотрел на часы — шесть утра. Где-то начали гавкать собаки, но деревня еще не проснулась.

Третья глава затрагивала многочисленные попытки Иных превратить человека в Иного — как правило, на подобные действия Иных толкала любовь или корысть, а также попытки людей, тем или иным образом узнавших правду, стать Иными.

Подробно разбиралась история Жиля де Реца, оруженосца Жанны д'Арк. Жанна была очень слабенькой Темной Иной, «ведьмой седьмого ранга», что, впрочем, не мешало ей совершать поступки большей частью благородные. Очень туманно описывалась гибель Жанны, имелся даже намек, что она отвела глаза инквизиторам и спаслась из костра. Я решил, что это сомнительно: Жанна нарушила Договор, вмешавшись своей магией в человеческие отношения, так что за казнью приглядывала и наша Инквизиция. Ей глаза не отведешь... А вот история бедолаги Жиля де Реца была описана куда подробнее. То ли от любви, то ли в силу взбалмошности и безалаберности, Жанна все ему рассказала о природе Иных. И прославившийся отвагой и благородством юный рыцарь съехал с катушек. Он решил, что магическую Силу можно отобрать у обычных людей — молодых и здоровых. Для этого надо всего лишь их мучить, заниматься каннибализмом и просить темные силы о помощи... В общем — решил человек стать Темным Иным. И замучил несколько сотен женщин и детей, за что (а также за неуплату податей) в конце концов и отправился на костер.

Из текста было ясно, что даже ведьмы таким поведением остались недовольны. Имелись тут и язвительные выпады в адрес болтуньи Жанны, и нелицеприятные эпитеты ее спятившего оруженосца. Но вывод был дан сухо и академично — никаким способом нельзя использовать «сродство к колдовству», имеющееся у обычных людей, для превращения в Иного. Ведь Иной отличается не повышенным уровнем «сродства», которое старался увеличить кровожадный и глупый Жиль де Рец, а пониженным! Так что все живодерские эксперименты делали его лишь все более и более человеком...

Звучало убедительно. Я почесал затылок. Так... выходит, я куда менее способен к магии, чем алкоголик дядя Коля? И только благодаря этому могу пользоваться Сумраком? Ну и дела.

А Светлана, выходит, имеет еще меньший уровень «сродства»?

А Надюшка теоретически к магии совсем не способна? И потому Сила в нее так и хлещет — бери и пользуйся?

Вот так ведьмы, вот так затейницы!

Следующая глава обсуждала, можно ли повысить уровень Силы в природе, чтобы большее количество людей превратилось в Иных. Вывод был неутешителен — нельзя. Ведь Силу используют не только Иные, которые могли бы в принципе отказаться на время от магии. Силу с радостью жрет синий мох — единственное известное растение, живущее на первом уровне Сумрака. Будет больше Силы — сильнее вырастет сумеречный мох... А быть может, на более глубоких слоях есть и другие потребители Силы... Так что уровень Силы является константой — я даже усмехнулся, встретив это слово в архаичной книжке.

Далее пошла, собственно говоря, история книги «Фуаран». Название это восходило к имени древней восточной колдуньи, которая очень хотела сделать Иной свою дочь. Долгое время колдунья экспериментировала — вначале шла по пути Жиля де Реца, потом осознала ошибку и начала пытаться повысить уровень Силы в природе... В общем — сходила по всем ложным направлениям. И в итоге поняла, что ей надо «принизить сродство дочери к колдовству». Попытки это сделать и описаны, по слухам, в «Фуаране». Ситуация осложнялась тем, что природа «сродства» в ту пору была неизвестна — впрочем, и в год выхода книги, и сейчас положение ничуть не изменилось. Но все-таки методом проб и ошибок ведьма добилась успеха и превратила свою дочь в Иную!

На беду для ведьмы столь великое открытие заинтересовало всех Иных без исключения. Тогда еще не было Договора и Дозоров, не было Инквизиции... в общем — за рецептом бросились все, до кого дошел слух о чуде. Некоторое время Фуаран и ее дочь успешно отражали набеги, видимо, и без того могучая ведьма не только дочку сделала сильной Иной, но и свою силу подняла. Огорченные Иные объединились в целую армию магов — не делясь на Темных и Светлых, ударили все разом и в страшном бою уничтожили семейку ведьм. В свой последний час Фуаран отчаянно боролась за жизнь — даже превратила в Иных своих слуг-людей... но те хоть и обрели Силу, но были слишком растерянны и неумелы. Лишь один из слуг, оказавшийся поумнее прочих, не стал таскать каштаны из огня, а прихватил книгу и был таков. Когда маги-победители сообразили, что «лабораторный журнал» ведьмы исчез (ведь по сути, «Фуаран» был всего-то лабораторным журналом ведьмы), следы беглеца уже затерялись. В дальнейшем книгу искали долго и безуспешно. Временами кто-то утверждал, что встречал беглого слугу, ставшего довольно сильным Иным, что видел и листал книгу. Появлялись и фальшивки — часть их создали безумные последователи ведьмы, часть была делом рук Иных-авантюристов. Все случаи были тщательно проверены и задокументированы.

Последнюю главу занимали рассуждения на тему: «Что же придумала Фуаран?» В том, что она и впрямь добилась успеха, авторы не сомневались, но книгу считали безнадежно утерянной. Вывод был печален — открытие, очевидно, столь случайно и нетривиально, что догадаться о его сути нельзя.

А больше всего меня удивило краткое резюме — если все же книга «Фуаран» существует по сей день, то долг каждого Иного — немедленно ее уничтожить, «по понятным всем причинам, несмотря на изрядный соблазн и личные корысти...».

Ох уж эти Темные! Как они держатся за свое могущество!

Закрыв книгу, я прошелся по двору. Снова заглянул в сарай и снова не рискнул завести двигатель машины.

Фуаран и ее книга существовали. Ведьмы в этом убеждены. Я допускал возможность мистификации, но в глубине души в нее не верил.

Значит, теоретическая возможность превратить человека в Иного — есть!

И тогда происшествие в «Ассоли» становится понятнее. Сын Гесера и Ольги был человеком — как обычно и случается у Иных. Потому Великие не могли его найти. А найдя — превратили в Иного, потом устроили весь спектакль... даже Инквизицию не побоялись обмануть.

Я лег в гамак, достал плеер. Включил режим случайного воспроизведения, закрыл глаза. Хотелось отключиться от мира, забить уши чем-нибудь бессмысленным...

Но мне не повезло. Выпал «Пикник».

> Нет и нет, мне не до смеха,
> Нет окна и дверь размыта;
> Ведь пытать меня приехал
> Сам Великий Инквизитор.
> Инквизитор наседает,
> Подбирает инструмент;
> «Ты скажи мне все, что знаешь,
> Полегчает и тебе».

> Он, наверное, хочет меня открыть,
> Как простой чемодан, он знает одно:
> Даже в самом пустом из самых пустых
> Есть двойное дно, есть двойное дно.

Не люблю я таких совпадений! Даже самые обычные люди умеют влиять на реальность, они лишь не способны управлять своей Силой. Каждому человеку это знакомо — подходящие очень вовремя или упрямо не появляющиеся автобусы; звучащие по радио песни, что попадают в унисон к твоим мыслям; телефонные звонки людей, о которых думаешь... Есть, кстати, простейший способ понять, что ты близок к возможностям Иного. Если несколько дней подряд при случайном взгляде на электронные часы обнаруживаешь цифры 11:11, 22:22 или 00:00 — значит твоя связь с Сумраком обострилась. В такие дни не стоит пренебрегать предчувствиями и догадками...

Но это все человеческие мелочи. У Иных эта связь — столь же неосознанная, как и у людей, — выражена гораздо сильнее. И мне очень не нравилось, что песенка про Великого Инквизитора выпала именно сейчас...

> Если б были еще силы,
> Я б сказал ему: «Мой милый,
> Я не знаю, кто я, где я,
> Что за силы правят миром;
> И мои опутал ноги
> Длинных улиц лабиринт»...
> Инквизитор мне не верит,
> Заворачивает винт.
> Он, наверное, хочет меня открыть,
> Как простой чемодан, он знает одно:
> Даже в самом пустом из самых пустых
> Есть двойное дно, есть двойное дно.

Ага. Хотел бы и я знать, что за силы правят миром... Меня легонько похлопали по плечу.

— Я не сплю, Света... — сказал я. И открыл глаза.

Инквизитор Эдгар покачал головой и сдержанно улыбнулся. Я прочитал по его губам: «Извините, Антон, но это не Света». Несмотря на жару, Эдгар был в костюме, при галстуке и в лакированных черных туфлях, на которые не село ни пылинки. И в этом городском одеянии он не выглядел нелепым. Что значит прибалтийская кровь!

— Какого!.. — вываливаясь из гамака, рявкнул я. — Эдгар?

Эдгар терпеливо ждал. Я вытащил из ушей пуговицы наушников, перевел дыхание — и повторил:

— Я нахожусь в отпуске. Согласно правилам, беспокоить сотрудника Ночного Дозора в нерабочее время...

— Антон, я всего лишь заглянул в гости, — сказал Эдгар. — Вы против?

У меня не было неприязни к Эдгару. Светлым ему никогда не стать, но его переход в Инквизицию внушал мне уважение. Пожелай Эдгар со мной поговорить — я в любое время встретился бы с ним.

Но не на даче, где отдыхают Света с Надюшкой!

— Против, — жестко сказал я. — Если у вас нет служебного предписания — покиньте мою территорию!

И жестом, донельзя нелепым, я указал на покосившийся деревянный штакетник. Территория... ну и словечко выскочило.

Эдгар вздохнул. И медленно полез во внутренний карман пиджака.

Я знал, что он достанет. Но идти на попятный было поздно.

Предписание Московского бюро Инквизиции гласило, что «в рамках служебного расследования повелеваем сотруднику Ночного Дозора г. Москвы Антону Городецкому, Светлому магу второго ранга, оказывать всевозможное содействие Инквизитору третьего ранга Эдгару». Реальных предписаний Инквизиции я никогда не видел и сейчас почему-то отметил несколько мелких деталей — Инквизиторы продолжали мерить силу в старомодных «рангах», не стеснялись употреблять словечки вроде «повелеваем» и звали друг друга только по именам даже в официальных документах.

А потом я заметил самое главное — внизу стояла печать Ночного Дозора и росчерк Гесера: «Ознакомлен, согласен».

Надо же!

— Если я откажусь? — спросил я. — Не люблю, знаете ли, когда мной «повелевают».

Эдгар поморщился, покосился на бланк. Сказал:

— Секретарше нашей лет триста стукнуло. Не обижайтесь, Антон. Это всего лишь архаичная терминология. Как и «ранг».

— Без фамилий обходитесь тоже в силу старой традиции? — уточнил я. — Просто интересно.

Эдгар недоуменно заглянул в бумагу. Снова поморщился. Сказал раздраженно, начиная тянуть гласные:

— Во-от старая пе-еречница... Забыла она мою фамилию, а спросить гордость не позволила.

— Тогда у меня есть повод выбросить предписание в компостную кучу. — Я поискал взглядом на участке эту самую кучу, но не нашел. — Или в нужник. В предписании нет твоей фамилии, значит, оно неправомерно. Так?

Эдгар молчал.

— А что мне грозит за отказ в сотрудничестве? — снова повторил я.

— Ничего страшного, — хмуро сказал Эдгар. — Даже если я принесу новое предписание. Жалоба твоему непосредственному начальству, наказание — на его усмотрение...

— Таким образом, суровая бумага сводится к просьбе помочь?

— Да, — кивнул Эдгар.

Я наслаждался ситуацией. Страшная Инквизиция, которой новички пугают друг друга, сама оказалась беззубой старой перечницей!

— Что случилось-то? — спросил я. — В отпуске я, понимаешь? С женой и дочкой. И еще с тещей. Не работаю.

— Но ведь это не помешало вам посетить Арину, — не моргнув глазом сказал Эдгар.

Так мне и надо. Не расслабляйся!

— Это входит в мои непосредственные служебные обязанности, — отпарировал я. — Защищать людей, контролировать Темных. Всегда и везде. Кстати, откуда информация об Арине?

Настал черед Эдгара улыбаться и тянуть время.

— Гесер сообщил, — сказал он наконец-то. — Вы вчера ему звонили, докладывали, верно? Поскольку ситуация нестандартная, Гесер счел своим долгом предупредить Инквизицию. В знак наших неизменно дружеских отношений.

Ничего не понимаю!

Если ведьма как-то замешана в истории с сыном Гесера... Значит, не замешана?

— Я должен ему позвонить, — сказал я и демонстративно отошел к дому. Эдгар послушно остался стоять возле гамака. Покосился, впрочем, на пластиковый стул, но счел его недостаточно чистым.

Я ждал, прижимая к уху мобильник.

— Слушаю тебя, Антон.

— Ко мне приехал Эдгар...

— Да, да, да, — рассеянно сказал Гесер. — Вчера, после твоего доклада, я счел необходимым сообщить Инквизиции о ведьме. Если есть желание — помоги ему. А нет — посылай куда подальше. У него предписание составлено неправильно, заметил?

— Заметил, — косясь на Эдгара, сказал я. — Шеф, как насчет тех оборотней?

— Проверяем, — с легкой заминкой ответил Гесер. — Пока глухо.

— И еще, об этой ведьме... — Я покосился на «книгу о книге». — Забавную книжку у ведьмы реквизировал... «Фуаран — вымысел или правда?».

— Читал, читал, — добродушно сказал Гесер. — Если бы ты настоящий «Фуаран» нашел — цены бы тебе не было. У тебя все, Антон?

— Да, — признался я. И Гесер прервал связь.

Эдгар терпеливо ждал.

Я подошел к нему, выдержал театральную паузу и спросил:

— Какова цель вашего расследования? И что требуется от меня?

— Будете сотрудничать, Антон? — искренне обрадовался Эдгар. — Мое расследование касается ведьмы Арины, которую вы обнаружили. Требуется показать к ней дорогу.

— А что за дело Инквизиции до старухи? — поинтересовался я. — Ни малейшего состава преступления не вижу. Даже со стороны Ночного Дозора.

Эдгар замялся. Ему хотелось соврать — и в то же время он понимал, что я могу почувствовать ложь. По силе мы примерно равны, и даже его инквизиторские штучки не обязательно сработают.

— На нее есть старые ориентировки, — признался Темный маг. — С тридцатых годов лежат. Инквизиция имеет к ведьме ряд вопросов...

Я кивнул. Меня с самого начала смутил рассказ о преследованиях со стороны злого НКВД. Всякое бывало, могли крестьяне под шумок и попытаться расправиться с ведьмой. Но именно попытаться. С Иным низкого уровня фокус еще мог пройти. Но не с такой могучей ведьмой...

— Что ж, сходим, — согласился я. — Хотите позавтракать, Эдгар?

— Не откажусь. — Маг не стал кокетничать. — А... ваша супруга не против?

— Сейчас и спросим, — сказал я.

Интересный получился завтрак. Инквизитор все-таки чувствовал себя не в своей тарелке, неуклюже пытался шутить, говорил комплименты Светлане и Людмиле Ивановне, сюсюкал с Надюшкой, нахваливал простецкую яичницу.

Надюшка, умница, внимательно посмотрев на «дядю Эдгара», помотала головой и сказала:

— Ты — другой.

И больше не отходила от матери.

Светлану визит Эдгара забавлял. Она задавала Эдгару какие-то невинные вопросы, вспоминала «историю с зеркалом», вообще вела себя так, будто принимала коллегу по работе и хорошего товарища.

Зато Людмила Ивановна пришла от Эдгара в полный восторг. Ей нравилась его манера одеваться, говорить, даже то, что он держал вилку в левой руке, а нож в правой, приводило тещу в восхищение. Можно подумать, остальные ели руками... А уж то, что Эдгар решительно отказался от «стопочки для аппетита», вызвало такой назидательный взгляд в мою сторону, будто по утрам я имел обыкновение хлопнуть стаканчик-другой водки.

Так что в путь мы с Эдгаром отправились сытыми, но слегка раздраженными. Я — восторгами тещи, а он, похоже, ее вниманием.

— Можете рассказать, что за претензии к ведьме? — спросил я, когда мы подходили к опушке леса.

— Вообще-то мы пили на брудершафт, — напомнил Эдгар. — Снова станем звать друг друга на «ты»? Или моя новая работа...

— Не хуже работы в Дневном Дозоре, — хмыкнул я. — Давай на ты.

Удовлетворенный этим Эдгар больше тянуть не стал:
— Арина — сильная и уважаемая ведьма... в их узких кругах. Ты же понимаешь, Антон, внутри каждой группы — своя иерархия. Гесер может сколь угодно издеваться над Витезславом, но среди вампиров тот — сильнейший. Среди ведьм Арина занимает примерно такое же положение. Крайне высокое.

Я кивнул. Непроста моя новая знакомая, что уж тут говорить...

— Дневной Дозор неоднократно звал ее на работу, — продолжал Эдгар. — Столь же настойчиво, как вы боролись за Светлану... не обижайся, Антон!

Да я и не обижался...

— Ведьма отказывалась наотрез. Что ж, ее право! Тем более что в некоторых ситуациях она шла на временное сотрудничество. Но в начале прошлого века, вскоре после социалистической революции, произошло неприятное событие...

Он помолчал, колеблясь. Мы вошли в лес, и я, с немного нарочитой уверенностью, повел Эдгара за собой.

Темный маг, нелепый в своем городском костюмчике, бесстрашно лез через кусты и буераки. Даже галстук не ослабил...

— Ночной и Дневной Дозоры тогда боролись за право социального эксперимента... — рассказывал Эдгар. — Коммунизм, как известно, был придуман Светлыми...

— А Темными — извращен, — не удержался я.

— Да брось, Антон, — обиженно сказал Эдгар. — Ничего мы не извращали. Люди сами выбрали, какое общество строить! Так вот, Арину просили о сотрудничестве. Она согласилась выполнить... некую миссию. Там были свои интересы и у Темных, и у Светлых, и даже у самой ведьмы. Каждая сторона была согласна на... на миссию. Каждая рассчитывала в итоге выиграть. Инквизиция поглядывала, но повода вмешаться не было. Как-никак все делалось с согласия обоих Дозоров...

Интересная новость! Что же это за миссия такая была, что ее одинаково одобряли Темные и Светлые?

— Миссия была Ариной блистательно выполнена, — продолжал Эдгар. — Она даже получила от Дозоров поощрение... Светлые, если не ошибаюсь, дали ей право на темную магию второго уровня.

Серьезные дела. Я кивнул, принимая к сведению информацию.

— Но через какое-то время у Инквизиции возникли сомнения в законности действий Арины, — сухо сказал Эдгар. — Возникло подозрение, что в своей работе она попала под влияние одной из сторон и действовала в ее интересах.

— И эта сторона?

— Светлые, — мрачно сказал Эдгар. — Ведьма и помогает Светлым — невероятно, правда? Именно поэтому ее долго не могли заподозрить, но слишком уж много было косвенных признаков предательства... Инквизиция вызвала Арину... для беседы. И тут она исчезла. Поиски какое-то время велись, но в те годы, сам понимаешь...

— Что же она натворила? — спросил я, не особенно рассчитывая на ответ.

Но Эдгар вздохнул и ответил:

— Вмешательство в сознание людей... полная реморализация.

Я хмыкнул. Какой интерес тут мог быть у Темных?

— Удивлен? — буркнул Эдгар. — Ты хорошо представляешь, что такое реморализация?

— Даже проводил ее. Сам себе.

Несколько секунд Эдгар оторопело смотрел на меня, потом кивнул:

— Ах... да, конечно. Тогда объяснить несложно. Реморализация — процесс относительный, а не абсолютный. В мире, что ни говори, нет эталона морали. Поэтому реморализация заставляет человека поступать абсолютно этично, но лишь в рамках его базовой морали. Грубо говоря, папуас-людоед, который не считает поедание врага преступным, совершенно спокойно продолжит свои трапезы. А вот то, что его мораль запрещает, он и впрямь делать больше не станет.

— Я в курсе, — сказал я.

— Ну так вот, эта реморализация была не совсем относительной. Людям... о многих ты наверняка слышал, но имена для дела не важны, вложили в сознание коммунистическую идеологию.

— Моральный кодекс строителя коммунизма, — хмыкнул я.

— Тогда его еще не придумали, — очень серьезно ответил Эдгар. — Ну, что-то близкое, допустим. Эти люди стали поступать в полном соответствии с эталоном — декларируемой коммунистической этикой.

— Я могу понять, какой интерес тут имелся у Ночного Дозора, — сказал я. — Принципы у коммунизма вполне симпатичны... А интерес Темных?

— Темные хотели убедиться, что навязывание нежизнеспособной этики ни к чему хорошему не приведет. Что жертвы эксперимента либо сойдут с ума, либо погибнут, либо начнут поступать вопреки реморализации.

Я кивнул. Ай да эксперимент! Куда там нацистским докторам, калечащим тело! Тут под скальпель легли души...

— Ты возмущен поведением Светлых? — вкрадчиво спросил Эдгар.

— Нет. — Я покачал головой. — Уверен, что зла этим людям не желали. И надеялись, что такой эксперимент приведет к построению нового, счастливого общества.

— В КПСС не состоял? — ухмыльнулся Эдгар.

— Только в пионерах. Ладно, я понял суть эксперимента. А почему для него привлекли именно ведьму?

— В данном случае использование колдовства куда экономичнее, чем использование магии, — пояснил Эдгар. — Объектом эксперимента стали тысячи человек — самого разного возраста и социального положения. Представляешь, какие силы пришлось бы собирать магам? А ведьма сумела все сделать посредством зелий...

— В водопровод, что ли, подмешала?

— В хлеб. Ее устроили работать на хлебозавод. — Эдгар усмехнулся. — Она и предложила новую, экономичную технологию выпечки хлеба — с добавкой разных травок. Даже премию за это получила.

— Ясно. А какой интерес был у Арины?

Эдгар фыркнул. Ловко перепрыгнул через поваленное дерево, заглянул мне в глаза:

— Да ты что, Антон? Кому же не хочется побаловаться магией такой силы, а тут — разрешение от Дозоров и Инквизиции!

— Допустим... — пробормотал я. — Значит, эксперимент... И результат?

— Как и следовало ожидать, — сказал Эдгар, и в глазах его появилась ирония. — Некоторые сошли с ума, спились, покончили с собой. Другие были репрессированы — за излишнюю верность идеалам. Третьи — нашли способы обойти реморализацию.

— Возобладала точка зрения Темных? — поразился я и даже остановился. — Но при этом Инквизиция считает, что ведьма исказила заклятие — действуя по указке Светлых?

Эдгар кивнул.

— Бред, — сказал я и двинулся дальше. — Полная чушь! Темные фактически отстояли свою точку зрения. А вы говорите — виноваты Светлые!

— Не все Светлые, — невозмутимо ответил Эдгар. — Кто-то один... возможно — маленькая группа. Зачем — не знаю. Но Инквизиция недовольна. Чистота эксперимента была нарушена, равновесие сил поколеблено, начата какая-то очень долгосрочная и непонятная интрига...

— Ага, — кивнул я. — Раз интрига — станем все валить на Гесера.

— Я не называл никаких имен, — быстро сказал Эдгар. — Я их не знаю! И могу напомнить, что уважаемый Гесер в ту пору работал в Средней Азии, так что предъявлять ему претензии смешно...

Он вздохнул — быть может, вспомнил давешнее происшествие в «Ассоли»?

— Но вы хотите докопаться до истины? — спросил я.

— Непременно! — твердо сказал Эдгар. — Тысячи людей были насильно обращены к Свету — это преступление против Дневного Дозора. Все эти люди пострадали — это преступление против Ночного Дозора. Разрешенный Инквизицией социальный эксперимент был нарушен — это преступление...

— Понял, — прервал я его. — Что ж, мне тоже крайне не нравится эта история...

— Поможешь докопаться до правды? — спросил Эдгар. И улыбнулся.

— Да, — сказал я, не колеблясь. — Это преступление.

Эдгар протянул руку, и мы обменялись рукопожатием.

— Далеко еще топать? — спросил Инквизитор.

Я огляделся — и с радостью узнал знакомые очертания полянки, где вчера наблюдалось грибное буйство.

Сегодня, впрочем, никаких грибов не осталось.

— Уже рядом, — успокоил я Темного мага. — Только бы хозяйка оказалась дома...

Глава 5

В едьма Арина варила зелья — как и положено работящей ведьме в своем лесном домишке. Стояла у русской печки с ухватом, в котором парил зеленоватыми клубами чугунный горшок. И бормотала:

> Белый дрок и бересклет,
> Горсть песка с обрыва,
> Вереск, зяблика скелет,
> Гной из-под нарыва...

Мы с Эдгаром вошли и стояли у дверей — а ведьма будто не видела нас, стояла спиной, потряхивала горшок, приговаривала:

> Снова дрок и бересклет,
> Три пера орлиных...

Эдгар кашлянул и продолжил:

> Ацетон, кефир, паркет,
> Две розги недлинных?

Арина подскочила на месте, вскрикнула:
— Ой, матушки-батюшки!
Прозвучало это без малейшей фальши... но почему-то я четко понял, что ведьма нас ждала.
— Здравствуйте, Арина, — суховато сказал Эдгар. — Инквизиция. Прошу вас прекратить колдовство.

Арина ловко засунула горшок в печь и лишь после этого обернулась. Сейчас она выглядела лет на сорок — крепкая, дородная, красивая деревенская баба. И очень раздраженная. Подбоченясь, она сварливо воскликнула:

— Здрасьте и вам, господин Инквизитор! А колдовству-то зачем мешать? Что мне, снова зябликов ловить и у орлов перья дергать?

— Ваши вирши — всего лишь способ запомнить количество ингредиентов и последовательность действий, — невозмутимо ответил Эдгар. — Зелье легкой поступи вы уже сварили, мои слова никоим образом помешать не могли. Садитесь, Арина. В ногах правды нет, верно?

— В ногах нет, да нет ее и выше, — хмуро ответила Арина и прошла к столу. Села, вытерла руки о веселенький фартук с ромашками и васильками. Покосилась на меня.

— Добрый день, Арина, — сказал я. — Господин Эдгар попросил меня выступить в роли проводника. Вы не против?

— Была бы против, в болото бы забрели! — с легкой обидой отозвалась Арина. — Слушаю вас, господин Инквизитор Эдгар. С чем пожаловали?

Эдгар уселся напротив Арины. Запустил руку под полу пиджака — и вытащил маленькую кожаную папку. Где она у него умещалась-то?

— Вам была отправлена повестка, Арина, — мягко сказал Инквизитор. — Вы ее получали?

Арина погрузилась в раздумья. Эдгар открыл свой бювар, продемонстрировал Арине узкую полоску желтой бумаги.

— Тридцать первый год! — охнула ведьма. — Ой, старина-то какая... Нет, не получала. Я уже господину из

227

Ночного Дозора объясняла — спать я легла. Чека мне дело шила...

— ЧК — не самое страшное в жизни Иного, — сказал Эдгар. — Далеко не самое страшное... Итак, вы получили повестку...

— Не получала, — быстро сказала Арина.

— Не получили, — поправился Эдгар. — Что ж, допустим. Нарочный обратно не вернулся... что ж, все могло случиться с вольнонаемным работником в суровых московских лесах.

Арина хранила молчание.

А я стоял у дверей и наблюдал. Мне было интересно. Работа Инквизитора сходна с работой любого дозорного, но у ситуации имелась и своя особенность. Темный маг допрашивал Темную ведьму. Причем — куда более сильную, и Эдгар не мог этого не понимать.

Но за его спиной стояла Инквизиция. А в такой ситуации рассчитывать на помощь «своего» Дозора уже не приходится.

— Будем считать, что теперь вы повестку получили, — продолжал Эдгар. — Мне поручено провести с вами предварительный разговор до принятия окончательных решений... итак...

Он достал еще один листок. Спросил, глядя в него:

— В марте одна тысяча девятьсот тридцать первого года вы работали на Первом московском хлебокомбинате?

— Работала, — кивнула Арина.

— С какой целью?

Арина посмотрела на меня.

— Он в курсе, — сказал Эдгар. — Отвечайте.

— Ко мне обратилось руководство Ночного и Дневного Дозоров Москвы, — со вздохом сказала Арина. — Иные хотели проверить, как поведут себя люди, живущие в строгом соответствии с коммунистическими идеалами. Поскольку оба Дозора хотели одного и того же, а Инквизиция поддержала их просьбу, я согласилась. Городов отродясь не любила, там всегда...

— Не отвлекайтесь, — попросил Эдгар.

— Я выполнила задание, — враз закончила Арина. — Сварила зелье, и в течение двух недель оно добавлялось в ситный хлеб. Всё! Получила благодарность от Дозоров, уволилась с хлебозавода, вернулась к себе. А тут чекисты совсем уж...

— О ваших сложных отношениях с госбезопасностью можете написать мемуары! — внезапно гаркнул Эдгар. — Меня интересует, зачем вы нарушили рецептуру!

Арина медленно поднялась. Глаза ее гневно сверкнули, голос загремел, будто не женщина стояла в избе, а самка Кинг-Конга:

— Запомните, молодой человек! Никогда Арина не ошибалась в рецептах! Никогда!

На Эдгара это не произвело никакого впечатления.

— Я и не говорю, что вы ошиблись. Вы нарушили рецептуру сознательно. И в результате... — Он сделал паузу.

— Что в результате? — возмутилась Арина. — Готовое зелье проверяли! Эффект был именно таким, какой требовался!

— В результате зелье подействовало мгновенно, — сказал Эдгар. — Ночной Дозор никогда не был сборищем дурачков-идеалистов. Светлые понимали, что все десять тысяч подопытных, мгновенно перешедших на коммунистическую мораль, будут обречены. Зелье должно было сработать постепенно, чтобы реморализация вышла на полную силу через десять лет, к весне сорок первого.

— Ну да, — рассудительно сказала Арина. — Так и было сделано.

— Зелье сработало практически мгновенно, — сказал Эдгар. — Мы не сразу разобрались в происходящем, но уже через год количество подопытных сократилось вдвое. До сорок первого года дожили менее ста человек. Те, кто сумел преодолеть реморализацию... проявив моральную гибкость.

— Ох, незадача-то какая, — всплеснула руками Арина. — Ой, лишенько... жалко людишек... — Она села. Покосилась на меня. Спросила: — Что, Светлый, тоже считаешь, будто я на Темных сработала?

Если она врала — то очень убедительно. Я пожал плечами.

— Все было сделано верно, — упрямо сказала Арина. — Основные ингредиенты намешаны в муку... а знаете, как это трудно в те годы, вредительством заниматься? Замедлителем зелья простой сахар служил... — Она вдруг всплеснула руками. Торжествующе уставилась на Эдгара: — Так вот в чем дело! Годы-то голодные, работнички-то на хлебозаводе сахарок воровали... Вот и сработало раньше времени...

— Интересная версия, — сказал Эдгар, перекладывая листочки.

— Тут моей вины нет, — твердо заявила Арина. — План операции был согласован. Если мудрецы дозорные до такой простой вещи не додумались — кто тому виной?

— Все бы хорошо, — сказал Эдгар и поднял один листок. — Вот только первый эксперимент вы провели на работниках хлебозавода. Вот ваш отчет, узнаете? После этого они уже не могли воровать сахарок. Так что остается только один вариант — вы намеренно завалили операцию.

— Давайте еще версии рассмотрим? — жалобно сказала Арина. — К примеру...

— К примеру — донос вашей подруги Луизы, — предложил Эдгар. — О том, как в дни операции она случайно увидела вас общающейся с неустановленным Светлым магом — около трибун ипподрома. О том, что вы долго спорили, торговались, после чего Светлый вручил вам какой-то пакет, а вы кивнули — после чего ударили по рукам. Луиза даже расслышала фразу «Сделаю, и года не пройдет...». Напоминаю, что на время эксперимента вам было запрещено контактировать с Иными. Было?

— Да, — сказала Арина, склонила голову. — Лушка жива?

— Увы, нет, — сказал Эдгар. — Но показания ее запротоколированы...

— Жалко... — пробормотала Арина. К чему именно это «жалко» относилось, не уточнила. Но догадаться, что Луизе еще повезло, было нетрудно.

— Вы можете объяснить, с каким Светлым вы общались, что обещали сделать и что получили от него?

Арина подняла голову, горько улыбнулась мне. Сказала:

— Как нескладно... Вот всегда у меня нескладушки выходят... по мелочам. Как с чайником...

— Арина, я вынужден доставить вас для дальнейшего допроса, — сказал Эдгар. — Именем Инквизиции...

— Попробуй, второранговый, — насмешливо сказала Арина.

И исчезла.

— Она ушла в Сумрак! — крикнул я, отлепляясь от стены и ища взглядом свою тень. Но Эдгар все же секунду помедлил: проверял, не отвела ли нам ведьма глаза.

На первом слое мы оказались почти одновременно. На Эдгара я взглянул с легкой опаской — в кого превратит его сумеречный мир?

Нет, ничего. Почти не изменился. Только волосы поредели.

— Глубже! — Я энергично махнул рукой, Эдгар повел головой, поднес к лицу ладонь — и ладонь словно бы всосала его целиком.

Эффектно. Инквизиторские штучки.

На втором слое, где домик превратился в бревенчатую избу, мы остановились и посмотрели друг на друга. Арины, конечно же, тут не было.

— Ушла на третий слой... — прошептал Эдгар. Волосы у него исчезли совсем, череп вытянулся, словно утиное яйцо. А так ничего, лицо почти человеческое.

— Можешь? — спросил я.

— Один раз смог, — честно ответил Эдгар. От нашего дыхания шел пар. Вроде бы и не очень холодно, но наползает стылость...

— И я один раз смог, — признался я.

Мы мялись, как самоуверенные купальщики, внезапно сообразившие, что река перед ними — слишком уж бурная и холодная. И никто не решался сделать первого шага.

— Антон... ты поможешь? — спросил наконец-то Эдгар.

Я кивнул. А зачем же еще я бросился в Сумрак?

— Пошли... — сосредоточенно глядя себя под ноги, сказал Инквизитор.

И через несколько мгновений мы шагнули на третий слой — тот, куда по-хорошему стоит соваться лишь магам первого уровня.

Ведьмы не было.

— Экая... затейница... — прошептал Эдгар, озираясь. Дом-шалаш и впрямь производил впечатление. — Антон... она его сама строила... она здесь подолгу бывает.

Медленно — пространство вокруг сопротивлялось резким движениям — я подошел к «стене». Раздвинул ветки, выглянул.

Это совсем не было похоже на человеческий мир.

Плыли в небе сверкающие облака — будто взвесь стальных опилок в глицерине. Вместо Солнца где-то высоко-высоко расплылось багровое огненное облако — единственное цветное пятно в сером мареве. А вокруг, до самого горизонта, тянулись искореженные низкие деревья, из которых ведьма и построила свой дом. Впрочем — деревья ли это были? Никаких листьев, только причудливо переплетенные сучья...

— Антон, она ушла глубже. Антон, она вне категорий, — сказал за спиной Эдгар. Я повернулся и посмотрел на мага. Кожа — темно-серая, лысый вытянутый череп, глаза запали... Впрочем, глаза человеческие. — Как выгляжу? — Эдгар оскалился в улыбке. Зря, зубы у него были конические, острые, будто у акулы.

— Не очень, — признался я. — Наверное, и я не лучше?

— Это только видимость, — небрежно ответил Эдгар. — Ты держишься?

Я держался. Второе погружение в глубины Сумрака далось легче.

— Надо идти на четвертый слой! — сказал Эдгар. В глазах, пусть и человеческих, горел огонь фанатизма.

— Ты вне категорий? — ответил я вопросом. — Эдгар, мне и вернуться-то сложно!

— Мы можем объединить силы, дозорный!

— Как? — Я даже растерялся. И у Темных, и у Светлых есть понятие «круга Силы». Но вещь это опасная, и требуется для нее не менее трех-четырех Иных... к тому же — как объединить Светлую и Темную Силу?

— Это моя проблема! — Эдгар энергично замотал головой. — Антон, она уйдет! Уйдет по четвертому уровню! Доверься мне!

— Темному?

— Инквизитору! — рявкнул маг. — Я Инквизитор, понимаешь? Антон, доверься, я прика... — Эдгар замолчал и уже другим тоном добавил: — Прошу тебя!

Не знаю, что на меня подействовало. Азарт охоты? Желание поймать-таки ведьму, которая погубила тысячи людей? Просьба Инквизитора?

А может быть, просто желание увидеть четвертый слой? Самые тайные глубины Сумрака, куда и Гесер-то нечасто заглядывает, где никогда не бывала Светлана?

— Что надо делать? — спросил я.

Лицо Эдгара озарила улыбка. Он протянул руку — пальцы заканчивались тупыми крючковатыми когтями, — сказал:

— Именем Договора, равновесием, которое храню... призываю Свет и Тьму... прошу Силу... от имени Тьмы!

Под его настойчивым взглядом я тоже протянул руку — и сказал:

— От имени Света...

Это отчасти походило на заключение клятвы между Темным и Светлым. Но только отчасти. В моей руке не вспыхнул лепесток пламени, на ладони Эдгара не появился сгусток тьмы. Все произошло извне — серый, расплывчатый мир вокруг нас вдруг обрел четкость. Нет, красок не появилось, мы по-прежнему были в Сумраке. Появились тени. Будто на экране телевизора, где до отказа убрали цветность, внезапно подбавили яркости и контрастности.

— Наше право признано... — прошептал Эдгар, озираясь. Лицо его было по-настоящему счастливым. — Наше право признали, Антон!

— А если бы не признали? — насторожился я.

Эдгар поморщился. Сказал:

— Всяко бывало... Но ведь признали? Идем!

В этом новом, «контрастном» Сумраке двигаться было куда проще. Я поднял свою тень легко, будто в обычном мире.

И оказался там, где дозволено находиться лишь магам вне категорий.

Деревья — если это и впрямь деревья — исчезли. Весь мир вокруг стал ровным, плоским, будто средневековый блин Земли, лежавший на трех китах. Никакого рельефа — бескрайняя песчаная равнина... Я нагнулся, пропустил меж пальцев горсть песка. Он был серым, как и положено всему в Сумраке. Но в этой серости угадывались зарождающиеся краски — дымный перламутр, цветные искорки, золотистые крупинки...

— Ушла... — сказал Эдгар над самым ухом. Вытянул руку — ставшую неожиданно длинной и тонкой.

Я посмотрел в том направлении. И увидел — вдалеке, только на равнине так далеко и видишь, — стремительный серый силуэт. Ведьма неслась огромными прыжками, взмывая в воздух, пролетая над землей метров десять, раскидывая руки и смешно перебирая ногами — будто счастливый ребенок, бегущий вприпрыжку по весеннему лугу...

— Выпила свое зелье? — догадался я. Никаких иных предпосылок к подобным прыжкам я не находил.

— Да. Не зря варила, — сказал Эдгар. Размахнулся — и что-то метнул вслед Арине.

Череда мелких огненных шариков понеслась за ведьмой. Групповой файербол, обычное боевое заклинание Дозоров, но в какой-то особой, инквизиторской версии.

Несколько зарядов лопнуло, не долетев до ведьмы. Один резко ускорился и все-таки ее догнал, клюнул в спину, взорвался, окутывая ведьму огнем. Но пламя мгновенно опало, а ведьма, не оборачиваясь, что-то бросила за спину — и там разлилась лужа сверкающей ртутной жидкости. Пролетая над лужей, оставшиеся заряды теряли скорость, высоту, ныряли в жидкость — и исчезали.

— Ведьмовские фокусы... — с отвращением произнес Эдгар. — Антон!

— А? Чего? — не отрывая взгляда от исчезающей вдали Арины, спросил я.

— Пора уходить. Сила была дарована только для поимки ведьмы, а охота кончилась. Нам ее не догнать.

Я посмотрел вверх. Багрового облака, что светило на предыдущем слое Сумрака, не было. Все небо равномерно сияло розовато-белым.

Как странно. Тут появляются краски...

— Эдгар, есть и другие уровни? — спросил я.

— Они всегда есть. — Эдгар явно начал волноваться. — Идем, Антон! Идем, мы застрянем!

Мир вокруг и впрямь терял контрастность, заволакивался серым дымком. Но краски по-прежнему оставались — перламутровый песок и розоватое небо...

Вслед за Эдгаром, уже ощущая на коже холодное пощипывание Сумрака, я вернулся на третий слой. Будто дождавшись этого момента, мир окончательно выцвел и посерел, наполнился холодным ревущим ветром. Взявшись за руки — не ради обмена Силой, это почти невозможно, а ради того, чтобы устоять на ногах, — мы несколько раз пытались вернуться на второй слой. Вокруг с едва слышным треском ломались «деревья», заваливался набок ведьмовской шалаш, а мы все искали и искали свои тени. Я даже не помню тот миг, когда Сумрак раскрылся передо мной и выпустил на второй слой — почти привычный, совсем не пугающий...

...Мы сидели на чистом, скобленом полу и тяжело дышали. Нам сейчас было одинаково плохо, что Темному Инквизитору, что Светлому дозорному.

— На. — Эдгар неловко запустил руку в карман пиджака, выудил оттуда плитку шоколада «Гвардейский». — Ешь...

— А ты? — срывая обертку, спросил я.

— У меня еще... — Эдгар долго рылся в карманах, наконец-то нашел еще одну шоколадку. На этот раз «Вдохновение». Стал разворачивать одну за другой шоколадные палочки.

Некоторое время мы жадно ели. Сумрак выкачивает силы — и речь идет не только о магической Силе, но и о банальном уровне глюкозы в крови. Это то немногое, что удалось выяснить о Сумраке методами современной науки. Все остальное — по-прежнему загадка.

— Эдгар, сколько слоев у Сумрака? — спросил я.

Эдгар прожевал очередную шоколадку и ответил:

— Я знаю о пяти. На четвертом был первый раз.

— А что там, на пятом?

— Я лишь знаю, что он существует, дозорный. Не более того. Я и о четвертом-то ничего не знал.

— Там появился цвет, — сказал я. — Он... он совсем другой. Верно?

— Угу, — пробормотал Эдгар. — Другой. Не нашего это ума дело, Антон. И не наших сил. Гордись, что побывал на четвертом слое, там и маги первого уровня не все бывали.

— А вы, значит, можете?

— По служебной необходимости, — подтвердил Эдгар. — В Инквизицию не обязательно идут самые сильные. Нам надо что-то противопоставить спятившему магу вне категорий, верно?

— Если спятит Гесер или Завулон — ничего вы им не противопоставите, — сказал я. — Даже с ведьмой не получилось...

Эдгар подумал и согласился, что против Гесера или Завулона Московское бюро Инквизиции слабовато. Но только в том случае, если они оба нарушат Договор одновременно. А так... Гесер будет рад помочь в нейтрализации Завулона, Завулон — в нейтрализации Гесера. На том Инквизиция и стоит.

— Что теперь делать с ведьмой? — спросил я.

— Будем искать, — деловито ответил Эдгар. — Я уже связался со своими, район оцепят. На тебя можно рассчитывать в дальнейшем?

Я подумал.

— Нет, Эдгар. Арина — Темная. И что-то она и впрямь натворила... семьдесят с лишним лет назад. Но если ее использовали Светлые...

— То ты продолжишь стоять на своей стороне, — с отвращением сказал Эдгар. — Антон, неужели ты не понимаешь? Нет ни Света, ни Тьмы в чистом виде. Оба ваших Дозора — все равно что демократы и республиканцы в Америке. Ссоры, споры, а по вечерам — совместные коктейль-пати.

— Еще не вечер.

— Вечер — он всегда, — мрачно сказал Эдгар. — Поверь, я был законопослушным Темным. Пока не прижало... пока не ушел в Инквизицию. И знаешь, что я теперь думаю?

— Скажи.

— Сила ночи, сила дня — одинаково фигня. Я между Завулоном и Гесером больше разницы не вижу. Вот ты мне симпатичен... по-человечески. Придешь в Инквизицию — рад буду вместе с тобой работать.

Я усмехнулся:

— Вербуешь?

— Да. Любой дозорный вправе пойти в Инквизицию. Тебя не вправе задерживать. Даже отговаривать не вправе!

— Спасибо, но меня не надо отговаривать. Я не собираюсь идти в Инквизицию.

Эдгар с кряхтением поднялся с пола. Отряхнул костюм — хотя на нем и так не было ни пылинки, ни складочки.

— Костюмчик-то заколдован, — сказал я.

— Просто умею носить. И ткань хорошая. — Эдгар подошел к книжному шкафу, достал какую-то книгу, полистал. Другую, третью... С завистью произнес: — Какая библиотека! Узкоспециальная, но...

— Я думал, что тут и «Фуаран» есть, — признался я.

Эдгар только засмеялся.

— С избушкой-то что делать будем? — спросил я.

— Вот видишь — ты продолжаешь мыслить как мой союзник! — немедленно заметил Эдгар. — Повешу защитные и сторожевые заклинания, что еще... Часа через два-три сюда прибудут эксперты. Проверят все досконально. Идем?

— А сам не хочешь порыться? — спросил я.

Эдгар внимательно осмотрелся и сказал, что не хочет. Что в домике может оказаться множество неприятных сюрпризов, оставленных хитрой ведьмой. И что копаться в инвентаре ведьмы вне категорий — занятие вредное для здоровья... пусть уж им занимаются те, кому это по должности положено.

Я подождал, пока Эдгар развесит вокруг избушки несколько сторожевых заклятий, — помощи ему не потребовалось. И мы двинулись к поселку.

Обратный путь оказался куда длиннее. Словно исчезло какое-то неуловимое волшебство, помогавшее нам выйти к домику ведьмы. Зато Эдгар стал куда словоохотливее — может быть, моя помощь расположила его к откровенности?

Он рассказывал о своем обучении — как его учили пользоваться не только Темной Силой, но и Светлой. Про других курсантов Инквизиции — среди них были две украинские Светлые волшебницы, венгерский волкулак, голландский маг и еще множество самых разных Иных. Про то, что слухи о переполненных магическими артефактами спецхранах Инквизиции сильно преувеличены: артефактов много, но большинство давно уже потеряло магическую силу и ни на что не годны. Про какие-то вечеринки и пати, которые курсанты затевали в свободное время...

Все это было очень забавно, но я прекрасно понимал, куда клонит Эдгар. Так что с преувеличенным энтузиазмом стал вспоминать годы своего обучения, разные забавные случаи из истории Ночного Дозора, исторические байки Семена...

Эдгар вздохнул и тему замял. К тому же мы вышли к поселку — и Эдгар остановился на опушке.

— Я подожду своих, — сказал он. — Вот-вот должны прибыть. Даже Витезслав отложил отъезд и обещал заглянуть.

Приглашать Инквизитора в свой дом я вовсе не стремился. И уж тем более в компании с Высшим вампиром. Кивнул, но полюбопытствовал:

— Твой прогноз, как все дальше сложится?

— Тревогу я поднял вовремя, этот район ведьме не покинуть, — сдержанно сказал Эдгар. — Сейчас подтянутся следопыты, все проверим, Арину арестуем. Будем судить. Если ты потребуешься — тебя вызовут в качестве свидетеля.

Я оптимизм Эдгара разделял не вполне, но кивнул. Ему виднее, на что способна Инквизиция.

— А волки-оборотни?

— Это прерогатива Ночного Дозора, верно? — вопросом ответил Эдгар. — Если наткнемся на них — дадим знать, а специально бегать по лесам не станем. Да и с чего ты взял, будто они еще здесь? Обычные городские гастролеры, выехали в сельскую местность поохотиться. Тщательнее нужно подопечных контролировать, Антон.

— Почему-то мне кажется, что они еще тут, — пробормотал я. Мне и впрямь так казалось, хотя объяснить свою уверенность я не мог. В деревне — все чисто... а оборотни редко гуляют в волчьих телах больше суток.

— Проверь соседние деревушки, — посоветовал Эдгар. — Хотя бы ту, куда ведьма за продуктами ходила. Впрочем — пустое. После неудачной охоты они немедленно поджимают хвост и прячутся... знаю я их породу.

Я кивнул — совет при всей его элементарности был хорош. Стоило мне сразу проехать по окрестностям, а не ловить беззлобную ведьму. Сыщик... книга «Фуаран» заинтересовала... надо больше внимания уделять рядовой, скучной работе. Профилактике преступлений — как совершенно верно декларировали в советское время.

— Удачи тебе, Эдгар, — сказал я.

— И тебе удачи, Антон. — Эдгар подумал и добавил: — Да, кстати. Ситуация сложилась любопытная, в деле с ведьмой замешаны и оба Дозора. Ты как бы представляешь интересы Ночного. Но я думаю, что Завулон тоже кого-то пришлет... до разрешения ситуации.

Я вздохнул. Час от часу не легче.

— Даже догадываюсь, кого он пришлет, — сказал я. — Завулону доставляет удовольствие делать мне мелкие пакости.

— Ты лучше радуйся, что он не озаботился пакостями крупными, — хмуро сказал Эдгар. — А мелкие — терпи. Никому не под силу изменить природу человека, был твой приятель Темным — Темным и умрет.

— Костя уже умер. И он не человек, а вампир. Иной.

— Какая разница? — мрачно сказал Эдгар. Засунул руки в карманы дорогих брюк, которые так великолепно умел носить, ссутулился, глядя на опускающееся за горизонт красное солнце. — Все едино в этом мире, дозорный...

Нет, положительно служба в Инквизиции странным образом влияет на Иных! Придает какой-то нигилистический взгляд на жизнь. Базаровщина...

— Удачи, — повторил я и стал спускаться с холма. А Эдгар, безжалостно сминая костюм, улегся на траву и уставился в небо.

Глава 6

На полпути к дому я встретил Ксюшу и Ромку — дети деловито шагали по пыльной улице, взявшись за руки. Я помахал им — Ксюша немедленно крикнула:

— А ваша Надюшка с бабкой пошли к реке гулять!

Я усмехнулся. Все-таки Людмила Ивановна нечасто слышит в свой адрес «бабушка» — и как любая московская женщина пятидесяти лет ненавидит такое обращение.

— Хорошо, пусть гуляют, — сказал я.

— А вы волков уже нашли? — крикнул Ромка.

— Нет, убежали твои волки, — отозвался я.

Может быть, в психотерапевтических целях надо было сказать, что я поймал волков и сдал в зоопарк? Впрочем, не похоже, что у ребенка остался какой-то страх после встречи с оборотнями. Арина потрудилась на славу.

Здороваясь с немногочисленными жителями, я дошел до нашего дома. Светлана оккупировала мой гамак — с бутылкой пива и книжкой «Фуаран — вымысел или правда?», открытой уже на последних страницах.

— Интересно? — спросил я.

— Угу, — кивнула Светлана. Пиво она пила совершенно по-простецки, из горлышка. — Веселее, чем «Папа и море» Туве Янсен. Я теперь поняла, почему раньше печатали не все сказки о мумми-троллях. Последние —

совершенно не детские. У Туве Янсен явно была хандра, когда она их писала.

— Писатель тоже имеет право на хандру, — сказал я.

— Если пишет детские книги — то не имеет! — сурово ответила Светлана. — Детские книги должны быть добрыми. А иначе — это как тракторист, который криво вспашет поле и скажет: «Да у меня хандра, мне было интереснее ездить кругами». Или врач, который пропишет больному слабительного со снотворным и объяснит: «Настроение плохое, решил развлечься».

Дотянувшись до стола, она отложила фальшивый «Фуаран».

— Ну ты и строга, мать. — Я покачал головой.

— Мать — потому и строга, — в тон ответила Светлана. Засмеялась: — Да шучу я. Все равно книги чудесные. Только последние очень грустные.

— Надюшка с мамой пошли к речке гулять, — сказал я.

— Встретил их?

— Нет, Оксана сказала. Так, мол, и так, ваша Надя с бабкой гулять пошли...

Светлана прыснула. Тут же сделала страшное лицо.

— При матери не повтори! Расстроится.

— Что я, камикадзе?

— Лучше расскажи, чем ваш поход закончился.

— Ведьма удрала, — сказал я. — Гнались за ней до четвертого слоя Сумрака, но все равно ушла...

— До четвертого? — Глаза у Светланы вспыхнули. — Ты серьезно?

Я сел рядом — гамак негодующе закачался, деревца скрипнули, но выдержали. И кратко пересказал наши приключения.

— А вот я на четвертом слое не была... — задумчиво сказала Светлана. — Интересно как... Снова появляются цвета?

— Мне показалось, что даже запахи какие-то.

Светлана рассеянно кивнула:

— Да, слухи такие ходят... Интересно.

Несколько секунд я молчал. А потом сказал:

— Светлана, тебе надо вернуться в Дозор.

Против обыкновения, Светлана промолчала. Ободренный, я продолжил:

— Нельзя жить вполсилы. Рано или поздно ты...

— Не будем об этом, Антон. Я не хочу становиться Великой Волшебницей. — Светлана усмехнулась. — Маленькая бытовая магия, вот и все, что мне нужно.

Стукнула калитка — вернулась Людмила Ивановна. Я глянул на нее мельком, отвел было взгляд — и снова уставился, ничего не понимая.

Моя теща сияла. Можно было подумать, что она только что удачно отругала какую-нибудь невоспитанную продавщицу, нашла на улице сто рублей и поздоровалась за руку со своим любимым Якубовичем.

Она даже шла по-другому — легко, расправив плечи, высоко вздернув подбородок. И улыбалась совершенно благостно. И негромко напевала:

— Мы рождены, чтоб сказку сделать былью...

Я даже головой помотал. Теща мило улыбнулась нам, помахала ручкой — и прошла в двух шагах, направляясь в дом.

— Мама! — окрикнула ее Светлана, вскакивая. — Мама!

Теща остановилась, посмотрела на нее — все с той же блаженной улыбкой на лице.

— С тобой все хорошо, мама? — спросила Светлана.

— Очень, — ласково ответила Людмила Ивановна.

— Мама, где Надюшка? — чуть-чуть повышая голос, произнесла Светлана.

— С подружкой пошла погулять, — невозмутимо ответила теща.

Я вздрогнул. Светлана воскликнула:

— Да ты что, мама? Уже вечер... детям одним гулять... с какой подружкой?

— С моей подружкой, — не переставая улыбаться, объяснила теща. — Не бойся. Что ж я, дурочка какая, маленькую одну отпускать?

— Какой твоей подружкой? — выкрикнула Светлана. — Мама! Что с тобой? С кем Надя?

Улыбка стала медленно сползать с лица тещи, уступая место неуверенности.

— С той... этой... — она поморщилась. — С Ариной. Подружка моя... Арина... подружка?

Что именно Светлана сделала, я заметить не успел — лишь пробежал по коже холодок от рассеченного Сумрака, Светлана чуть подалась к матери, а та — застыла с открытым ртом, мелкими глотками хватая воздух.

Читать мысли у людей довольно трудно, куда проще заставить их говорить. Но с близких родственников можно снять информацию точно так же, как мы делаем для быстроты между собой.

Впрочем, я в этой информации не нуждался.

Я и так все понял.

И мне стало даже не страшно — пусто. Будто весь мир вокруг заледенел и остановился.

— Иди спать! — крикнула Светлана матери. Людмила Ивановна повернулась и походкой зомби отправилась в дом.

Светлана посмотрела на меня. Лицо ее было очень спокойно — и это сильно мешало мне собраться. Все-таки мужчина чувствует себя гораздо сильнее, когда его женщина напугана.

— Подошла. Дунула. Взяла Наденьку за руку. Ушла с ней в лес, — выпалила Светлана. — А она... еще час гуляла, дура набитая!

Вот тут я понял, что Светлана на грани истерики.

И смог собраться сам.

— Да что она могла против ведьмы? — Я схватил Светлану за плечи, встряхнул. — Твоя мать — всего лишь человек!

В глазах Светланы блеснули слезы — и тут же исчезли. Она вдруг мягко оттолкнула меня, сказала:

— Отойди, Антон, а то зацеплю... ты и так еле стоишь...

Спорить я не стал. После наших с Эдгаром приключений помощник из меня был никакой. И Силы во мне почти не оставалось, поделиться со Светланой было нечем.

Я отбежал на несколько шагов, обхватил ствол чахлой яблони, доживающей свои последние годы. Закрыл глаза.

Мир вокруг вздрогнул.

И я почувствовал, как зашевелился Сумрак.

Светлана не стала собирать Силу из окружающих, как сделал бы я. Ей хватало собственной — упорно отрицаемой, неиспользуемой... и скапливающейся. Говорят, после родов женщины-Иные испытывают колоссальный прилив Силы, а в Светлане я тогда никаких изменений не заметил. Все куда-то исчезало, пряталось, накапливалось... как оказалось — на черный день.

Мир выцветал. Я понял, что проваливаюсь в Сумрак, на первый уровень: напряжение магии было столь велико, что все, хоть сколько-нибудь магическое, не удерживалось в человеческой реальности. Провалилась сквозь дощатый стол и тяжело шлепнула о землю книга «Фуаран — правда или вымысел?». Где-то в отдалении, за три дома, на крыше вспыхнули и мгновенно сгорели клочья синего мха, живущего в Сумраке эмоционального паразита.

Светлану окутало белое сияние. Она быстро шевелила руками, будто ткала невидимую пряжу. Через мгновение «пряжа» стала видна — тонкие, будто паутинки, нити отрывались от ее рук и разлетались, гонимые несуществующим ветром. Вокруг Светланы забушевала метель — и стихла, когда тысячи сверкающих нитей разлетелись во все стороны света.

— Что? — крикнул я. — Света!

Я знал заклинание, которое она только что применила. Даже сам бы смог раскинуть «снежную паутину» — может быть, не так эффектно и быстро, но...

Светлана не отвечала. Она подняла руки к небу — будто в молитве. Но мы не верим ни в богов, ни в Бога. Мы сами — свои собственные боги и свои собственные демоны.

От ладоней Светланы оторвался и величаво поплыл в небо радужный шар, мыльный пузырь-переросток. Пузырь расширялся и медленно вращался вокруг оси. Темно-красное пятно на прозрачной радужной оболочке заставляло вспомнить планету Юпитер. Когда при одном обороте красное пятно оказалось напротив меня, я ощутил холодное жгучее касание, будто дунуло ледяным ветром.

Светлана создала «око мага». Опять же — первый уровень... но создать его сразу после «снежной паутины»!

Третьим заклинанием, таким неуловимо-быстрым, что я сообразил — оно давным-давно хранилось у Светланы наготове, вот для таких именно случаев, Светлана выпустила из ладоней стаю призрачных матово-белых птиц. Их можно было бы назвать голубями — вот только клювы у призрачных птичек оказались слишком уж большими и острыми, хищными.

Этого заклинания я вообще не знал.

Светлана опустила руки. И Сумрак успокоился. Пополз обратно к нам, коснулся кожи осторожным хищным холодком.

Я вышел в обычный мир.

Следом — Светлана.

Тут ничего не изменилось. У валяющейся на земле книги еще не успела захлопнуться раскрывшаяся от удара обложка.

Только по всей деревне выли, лаяли, брехали собаки.

— Света, что? — бросаясь к ней, спросил я.

Она повернулась ко мне — глаза были затуманены. Ее невидимые магические посланники еще не успели развеяться и сейчас, развоплощаясь в десятках и сотнях километров от нас, слали свои последние доклады.

Я знал какие.

— Пусто... — прошептала Светлана. — Пусто везде. Ни Надюшки... ни ведьмы...

Глаза ее вновь обрели жизнь. Это значит — истлела магическая паутина, упали на землю и растаяли белые птицы, лопнул в небе радужный шар.

— Везде пусто, — повторила Светлана. — Антон... надо успокоиться.

— Она не могла уйти далеко, — сказал я. — И ничего плохого Наде не сделала, поверь!

— Заложник? — спросила Светлана. На ее лице я прочел надежду.

— Район обложила Инквизиция. У них свои методы, даже Арине мимо заслонов не пройти.

— Так... — прошептала Светлана. — Ясно.

— Чтобы убежать, ей требуется помощь со стороны, — то ли Свету, то ли себя убеждая, сказал я. — Добром она ее не получит. Решила нас шантажировать.

— Мы сможем выполнить ее требования? — сразу взяла быка за рога Светлана. Не уточняя, станем ли выполнять... Да куда мы денемся? Все выполним... если сможем.

— Надо дождаться требований.

Светлана кивнула.

— Да... дождаться. Чего именно, звонка?

И тут же вскинула руку, посмотрела на окно спальни.

Через миг, разбив стекло, из спальни вылетел подаренный Ариной гребень. Светлана взяла его в руки — брезгливо, будто омерзительное насекомое. Несколько секунд смотрела на гребень — а потом, поморщившись, провела им по волосам.

Раздался тихий, добродушный смешок. И где-то в голове голос Арины произнес:

— Ну здравствуй, милая. Вот и познакомились. Пригодился подарочек-то?

— Запомни, старая тварь... — держа перед собой гребень, начала Светлана.

— Знаю, знаю, родная. Все знаю и помню. Если только волосок с головы Наденьки упадет — ты меня на краю света найдешь, с пятого слоя вытащишь, жилу за жилой вытянешь, на кусочки порежешь и свиньям скормишь. Все знаю, что хочешь сказать. И верю — так и сделаешь.

Голос Арины был серьезным. Она не издевалась, а вполне серьезно объясняла, как, по ее мнению, надо с ней поступить. И Светлана молчала, не выпуская из рук гребень. Лишь когда ведьма замолкла, произнесла:

— Хорошо. Тогда мы не станем зря тратить время. Я хочу поговорить с Надюшкой.

— Наденька, скажи маме «привет», — попросила Арина.

Мы услышали вполне веселый голосок:

— Привет!

— Надюша, с тобой все в порядке? — осторожно спросила Светлана.

— Ага... — сказала Надя.

И тут же заговорила Арина:

— Волшебница, я твоей дочке вреда не причиню. Если только ты сама глупостей не наделаешь. Мне от вас немного надо — за кордоны выведите и получите дочку назад.

— Арина, — беря Светлану за руку, сказал я, — район оцеплен Инквизицией. Ты это понимаешь?

— Иначе бы помощи не просила, — сухо ответила Арина. — Думай, чароплёт! В любом заборе слабая досочка найдется, в любой сети — прореха. Выведи меня — верну дочку.

— А если не смогу?

— Тогда мне все едино, — проронила Арина. — С боем буду прорываться. А девочку вашу, не обессудьте, убью.

— Зачем? — очень спокойно спросил я. — Какая с того тебе польза?

— Как это — какая? — удивилась Арина. — Если прорвусь, то в следующий раз любому будет ясно — не шутки шучу. Да и еще... знаю я того, кто любит чужими руками грязную работу делать. За смерть вашей девочки он мне хорошо заплатит.

— Мы попробуем, — сказала Светлана, крепко сжимая мою руку. — Слышишь, ведьма? Не трогай ребенка, мы спасем тебя!

— Вот и договорились, — будто бы обрадовалась Арина. — Думайте тогда, как мне за кордоны выйти. Сроку вам — три часа. Придумаешь раньше, чаровница, так возьми снова гребень и причешись.

— Только не трогай Надюшку! — крикнула Светлана дрогнувшим голосом.

И тут же сделала левой рукой легкий пасс.

Гребень покрылся ледяной коркой. Светлана бросила его на стол. Пробормотала:

— Старая дрянь... Антон?

Секунду мы смотрели друг на друга. Будто перебрасывали мячик инициативы.

Заговорил я:

— Света, риск очень большой. В открытом бою она с нами не справится. Поэтому возвращать Надю для нее значит подставляться.

— Мы найдем ей коридор... выход... — прошептала жена. — Пусть выйдет за границы оцепления и оставит Наденьку. Я ее сразу найду. Пусть хоть в другой город уедет и там Надю оставит! Я открою проход... я знаю как. Я сумею! Я через минуту там буду!

— Правильно, — кивнул я. — Через минуту. И что дальше? Ведьма-то далеко уйти не успеет. А как только Надя будет с нами, ты захочешь найти Арину и развоплотить.

Светлана кивнула:

— Разорвать, а не развоплотить... Для ведьмы правильнее — воспользоваться нашей помощью, но Надю все равно убить. Антон, так что же делать? Звать Гесера?

— Если она это почует? — вопросом ответил я.

— Позвонить? — предположила Света.

Я подумал. Кивнул. Все-таки Арина изрядно отстала от жизни. Догадается ли она, что мы можем связываться с Гесером не магическим образом, а по обычному сотовому телефону?

Телефон Светланы оставался в доме. Она вытащила его оттуда таким же небрежным пассом, как и гребень. Еще раз посмотрела на меня — я кивнул.

Время просить о помощи. Время требовать помощь. Всю мощь Московского Ночного Дозора. В конце концов, Гесер делает на Наденьку свои, неизвестные нам ставки...

— Подождите! — окликнули нас от калитки.

Мы обернулись, наверное, излишне резко вскидывая руки в боевую стойку. Мир для нас уже не был обычным, человеческим. Мы теперь жили в мире Иных, опасном мире, где все решает сила заклинаний и скорость реакции.

Но сражаться не пришлось.

У калитки стоял молодой человек, за ним трое детишек, два мальчика и девочка. И мужчина, и дети были одеты во что-то серовато-зеленое, полувоенное, напоминающее униформу разгромленной армии. Мужчине было лет двадцать пять, детям — лет по десять. Отцом он быть не мог, да и братом тоже — слишком разные черты лица.

Только одно общее — темная аура. Дикая, косматая, никак не вязавшаяся с симпатичными лицами и аккуратными короткими стрижками.

— А вот и наши оборотни пожаловали, — пробормотал я.

Мужчина коротко склонил голову, признавая мою правоту.

Какой же я дуралей!

Искал взрослого с тремя детьми, а пионерлагерь проверить не удосужился!

— Пришли сдаваться? — холодно спросила Светлана. — Не вовремя!

Какими бы слабыми Иными они ни были, но недавний вихрь Силы должны были уловить. Да и ту веющую от Светланы мощь, что не оставляла никаких шансов оборотням, вампирам и прочей магической шушере. Света сейчас могла одним взмахом руки врыть их по шею в землю.

— Погодите! — быстро сказал мужчина. — Выслушайте нас! Меня зовут Игорь. Я... я зарегистрированный Темный Иной шестого уровня.

— Город? — коротко спросила Светлана.

— Сергиев Посад.

— Дети? — продолжала она допрос.

— Петя из Звенигорода, Антон из Москвы, Галя из Коломны...

— Зарегистрированы? — уточнила Светлана. Ей явно хотелось услышать ответ «нет» — после чего судьба Игоря была бы решена.

Мальчишки молча задрали рубашки. Девочка чуть замялась, но тоже расстегнула верхнюю пуговицу.

У всех были печати.

— Это тебе не сильно поможет, — пробормотала Светлана. — Идите в сарай, там ждите оперативную бригаду. Будешь объяснять трибуналу, почему повел щенков охотиться на людей.

Но Игорь опять замотал головой. На его лице отразилось искреннее волнение, причем не за себя, вот ведь что удивительно!

— Подождите! Прошу вас! Это важно! У вас ведь есть дочка? Девочка-Иная, Светлая, лет двух-трех?

— Мы видели, куда ее повели, — тихонько сказал мой маленький тезка.

Я отстранил Светлану. Вышел вперед. Спросил:

— Чего вы хотите?

И мы понимали, чего хотят оборотни. И оборотни знали, что мы все понимаем. Самое печальное — им было ясно, что мы согласимся на торг.

Но всегда есть детали, которые стоит обговорить.

— Обвинения в мелкой халатности, — быстро сказал Игорь. — Во время прогулки мы случайно попались на глаза детям и напугали их.

— Ты охотился, зверь! — не выдержала Светлана. — Ты со щенками охотился на человеческих детей!

— Нет! — Игорь замотал головой. — Ребятишки расшалились, решили поиграть с человеческими детенышами. Я подошел, оттащил их. Виноват, недоглядел.

Он все правильно рассчитал. Я не смог бы полностью закрыть глаза на случившееся, даже пожелай этого. Факту уже дан ход. Вопрос лишь в том, как классифицировать случившееся. Попытка убийства — это почти наверняка развоплощение для Игоря и строжайший контроль за щенками. Мелкая халатность — всего лишь протокол, штраф и «особый контроль» за его дальнейшим поведением.

— Хорошо, — сказал я. Торопливо, чтобы Светлана меня не опередила. — Если поможете — будет вам «мелкая халатность».

Пусть эти слова будут на мне.

Игорь расслабился. Наверное, ожидал более долгого торга.

— Галя, рассказывай, — велел он. Пояснил: — Она видела... Галка у нас егоза, вечно ей на месте не сидится...

Светлана подошла к девочке. А я жестом велел Игорю отойти в сторону. Он снова напрягся, но послушно пошел следом.

— Несколько вопросов, — объяснил я. — И советую отвечать честно.

Игорь кивнул.

— Как ты получил право инициировать троих чужих детей? — спросил я, проглотив очень желавшее прицепиться к фразе словечко «скотина».

— Они все были обречены, — ответил Игорь. — Я в медицинском учился. Был на практике в детской онкологии... все трое умирали от лейкоза. Там был еще врач-Иной. Светлый. Он мне и предложил... я кусаю троих, превращаю их в оборотней, они исцеляются. А он, как бы в ответ, получает право исцелить несколько других детей.

Я молчал. Я вспомнил этот случай годичной давности. Дурацкий, ни в какие ворота не лезущий случай явного сговора Темного и Светлого, который оба Дозора предпочли спустить на тормозах. Светлый спас два десятка детей, надорвался, пользуясь редчайшим шансом по-настоящему исцелять, но спас. Темные получили трех оборотней. Небольшой размен. Все счастливы, включая детей и их родителей. Были приняты какие-то очередные уточнения к Договору, чтобы избегнуть в будущем подобных случаев. А этот прецедент предпочли побыстрее забыть...

— Осуждаешь? — спросил Игорь.

— Не мне тебя осуждать, — прошептал я. — Хорошо. Что бы тобой ни двигало... ладно. Второй вопрос. Зачем ты поволок их охотиться? Не ври, сейчас не ври! Ты именно охотился! Ты собирался нарушить Договор!

— Сорвался, — спокойно ответил Игорь. — Чего уж тут врать. Выволок щенят на прогулку, специально выбрал самый глухой район. И вдруг — эти детеныши...

Живые. Пахнут вкусно. Повело меня, переклинило. А уж этих-то щенят... они первого кролика только в этом году словили, вкус крови поняли.

И он улыбнулся — виновато, смущенно, очень искренне. Пояснил:

— Голова совсем по-другому работает, когда в зверином теле. В следующий раз осторожнее буду.

— Хорошо, — сказал я.

А что еще я мог сказать? Сейчас, когда жизнь Надюшки — на волоске? Даже если он врет — не стану я допытываться.

— Антон! — окликнула меня Светлана. — Лови!

Я посмотрел на нее — и в голове чередой закружились образы.

...Красивая женщина в длинном старушечьем платье, в цветастом павловском платке...

...Идущая рядом с ней девочка... отстает... женщина берет ее на руки...

...Вдоль реки...

...Трава... высокая трава... почему же такая высокая — выше головы...

...Прыгаю через ручей — всеми четырьмя лапами, опускаю нос к земле, ловлю след нижним чутьем...

...Чахлый лесок, переходящий в бугристое поле... рвы, канавы...

...Запах... какой странный запах идет от этой земли... он будоражит... и заставляет поджимать хвост...

...Женщина с девочкой на руках спускается в глубокую траншею...

...Назад... назад... эта та самая ведьма, эта та самая, это ее запах...

— Что это? — спросила Светлана. — Если недалеко, то почему же я их не нашла?

— Поле боя, — прошептал я, вытряхивая из головы увиденные девочкой-волчонком образы. — Тут же была линия фронта, Света. Там вся земля — на крови. Там прицельно надо искать, чтобы хоть что-то найти. Это все равно что Кремль магией прощупывать.

Игорь подошел, деликатно кашлянул. Спросил:

— Все честно? Может быть, мы подождем дознавателей в лагере? Или не станем горячку пороть, через неделю смена закончится, я сам явлюсь в Ночной Дозор для объяснений...

Я думал. Пытался соотнести увиденное с картой местности, которую вызвал в памяти. Километров двадцать... ох не пешком уходила ведьма с Надюшкой. Спрямила путь — ведьмы это умеют. На машине мы ее не догоним, у меня не джип, да и во всей деревне ни «нивы», ни «уазика». Разве что трактор для таких дорог...

Впрочем, можно войти в Сумрак.

А еще лучше — ускориться.

— Света. — Я посмотрел ей в глаза. — Ты останешься здесь.

— Что? — Она даже растерялась от этих слов.

— Ведьма не дура. Она не даст нам три часа на размышления. Она выйдет на связь раньше. Именно с тобой — от меня она подвигов не ждет. Ты останешься и когда ведьма позовет — поговоришь с ней. Скажи, что я ушел готовить коридор через оцепление... наври что-нибудь. А я тебя позову и отвлеку ее.

— Ты не справишься, — сказала Светлана. — Антон, тебе не под силу ее взять! А я не знаю, как быстро открою портал. Я даже не знаю, сумею ли! Я же не пробовала, я только читала! Антон!

— Я буду не один, — ответил я. — Правда, Игорь?

Он побледнел и замотал головой:

— Эй, дозорный... Мы так не договаривались!

— Мы договорились, что ты поможешь, — напомнил я. — Что входит в помощь, мы не уточняли. Ну?

Игорь покосился на своих подопечных. Поморщился и выдохнул:

— Сволочь ты, дозорный... Мне проще с магом схватиться, чем с ведьмой! У нее же магия вся — от земли! Сразу по-живому лупит...

— Ничего, мы вместе будем, — сказал я. — Впятером.

Щенки — я заставлял себя думать о них только как о щенках — переглянулись. Галя пихнула Петю кулаком в бок и что-то прошептала.

— Они-то тебе зачем? — повысил голос Игорь. — Дозорный! Они же дети!

— Волчата-оборотни, — поправил я. — Чуть не сожравшие детей. Хочешь искупить свою вину? Выговором отделаться? Тогда хватит брехать попусту!

— Дядя Игорь, мы не боимся, — вдруг сказал мальчик по имени Петя.

Мой тезка его поддержал:

— Мы с тобой!

На меня они смотрели спокойно, без обиды. Видимо, ничего иного и не ждали.

— Они ничего еще не могут... — сказал Игорь. — Дозорный...

— Ничего, отвлекут ведьму — и на том спасибо. Перекидывайтесь!

Светлана отвернулась. Но ничего не сказала.

Оборотни молча принялись раздеваться. Только девочка стеснительно оглянулась — и отошла за кусты смородины, остальные не смущались.

Краем глаза я заметил, что по дороге идет какая-то деревенская тетка с ведром, полным картошки. Наверное, накопала с колхозного поля. Увидев происходящее за забором, она приостановилась, но мне сейчас было на нее наплевать. Я и так не в лучшей форме, чтобы тратить силы на случайных свидетелей. Мне надо научиться бегать. Очень быстро бегать, так, чтобы не отстать от волкулаков.

— Дай помогу, — сказала Светлана. Провела в воздухе ладонью — и я почувствовал, как тело приятно заныло, а мускулы ног налились силой. Сразу стало жарко, будто я вошел в перегретую сауну. «Ход» — заклинание простое, но применять его надо крайне осторожно. Зацепишь помимо ног миокард — заработаешь инфаркт.

Рядом со мной хрипло застонал Игорь и выгнулся дугой — руки и ноги на земле, хребет, будто переломившийся напополам, к небу. Вот откуда все эти сказки про необходимость перепрыгнуть через трухлявый пень... Кожа потемнела, покрылась ярко-красной сыпью — и вспучилась клочьями мокрой, стремительно растущей шерсти.

— Быстрее! — гаркнул я. Воздух выходил изо рта горячим и влажным, даже показалось, что я вижу пар от своего дыхания, будто на морозе. Стоять было невыносимо трудно — тело жаждало движения.

Одно утешало — оборотни испытывали то же самое. Крупный волк оскалился. Последними почему-то у него менялись зубы. В волчьей пасти человеческие зубы смотрелись комично и в то же время — жутко. У меня вдруг мелькнула странная мысль, что оборотни вынуждены обходиться без пломб и коронок.

Впрочем, их организм гораздо крепче человеческого. Оборотни кариесом не страдают.

— Пош-ш-шли... — шепеляво пролаял волк. — Печч-чет.

К волку подбежали волчата — поскуливающие, тоже мокрые, будто потные. У одного глаза оставались человеческими, но я даже не смог понять, мальчик это или девочка.

— Бежим, — сказал я.

И рванулся, не оборачиваясь на Светлану, не задумываясь — увидят нас или нет. Потом разберусь. Или Светлана подчистит следы.

Но улицы были пусты, даже тетка с ведром ушла. Может быть, Светлана разогнала людей по домам? Хорошо, если так. Странное это зрелище — человек, бегущий быстрее, чем позволено природой, и четверка волков, следующая рядом.

Ноги будто сами несли меня вперед. Сапоги-скороходы детских сказок, быстроногий товарищ барона Мюнхгаузена — вот как отражается в человеческих мифах эта маленькая магия. Вот только в сказках не сказано, как больно бьет асфальт по подошвам...

Через минуту мы уже свернули к реке, и бежать по мягкой земле стало легче. Я держался рядом с волком, будто деликатный Иван-Царевич, не желающий утомлять своего серого друга. Щенята немного отстали — им было труднее. Оборотни очень сильны, но их скорость не вызвана магией.

— Что... ты... надумал? — пролаял волк. — Что... будешь... делать?

Если бы я знал ответ!

Бой между Иными — это манипуляции Силой, растворенной в Сумраке. У меня второй уровень — это немало. Арина вообще выходит за рамки классификаций. Но Арина ведьма, а это и плюс, и минус одновременно. Она не могла захватить с собой свои талисманы и обереги, зелья и амулеты... разве что — самую малость. Зато она может черпать Силу непосредственно от природы. В городе ее способности падают, здесь — возрастают. Для серьезной магии ей надо взять тот или иной амулет, это лишнее время... но зато и накопленный в амулете заряд может быть чудовищно силен.

Не знаю. Слишком много переменных. Даже исход схватки Арины и Гесера я не рискнул бы предсказать. Скорее всего Великий маг победит, но это будет непросто.

А что я могу противопоставить ведьме?

Скорость?

Она уйдет в Сумрак, где чувствует себя куда увереннее. И с каждого следующего слоя Сумрака я буду для нее все более и более медлителен.

Неожиданность?

Отчасти. Я все-таки надеюсь, что Арина не ожидает моего появления.

Простая физическая сила? Огреть ее по башке камнем... Но для этого надо еще к ней подобраться.

По всему выходило, что мне стоит подобраться к ней как можно ближе. И как только ведьма отвлечется, напасть. Грубо и примитивно ударить.

— Слушай! — крикнул я волку. — Когда приблизимся, уйду в Сумрак. Опережу и подкрадусь к ведьме. Вы идите открыто. Когда она с вами заговорит и отвлечется — я нападу. Тогда помогайте.

— Хор-рошо, — никак не высказывая своего отношения к плану, прорычал волк.

Глава 7

Осталось ли это место на картах Второй мировой? Быть может, это известный историкам и воспетый в книгах плацдарм, на котором когда-то сошлись в крово-пролитной схватке две армии, вгрызлись друг другу в глотки — и дрогнувшая машина блицкрига откатилась назад?

А может быть, это одно из безвестных полей нашего позора, где отборные немецкие части растоптали бро-шенных им навстречу необученных и плохо вооружен-ных ополченцев? И место ему — лишь в архивах Мини-стерства обороны?

Плохо я знаю историю. Но скорее всего — второе. Уж больно здесь пусто, уныло, мертво. Брошенная, му-сорная земля, на которую даже колхозы не зарились.

Не любят в нашей стране ставить памятники на по-лях поражений.

Может быть, потому и с победами не все гладко?

Я стоял на берегу речушки и смотрел на мертвое поле. Не слишком большое: полоса земли между лесом и рекой, километр в ширину, километров десять в дли-ну. И не так уж много людей здесь полегло. Скорее сот-ни, чем тысячи.

Впрочем, разве можно сказать, что это мало?

Поле было совершенно пустынным. Я никого не ви-дел обычным зрением, взгляд сквозь Сумрак тоже ока-зался бесполезен.

Тогда я поймал свою тень — заходящее солнце светило в спину. И вошел в Сумрак.

На первом слое земля поросла синим мхом, но не слишком густо. Обычные тощие клоки, жадно ловящие отголоски человеческих эмоций.

И все же кое-что меня насторожило. Мхи будто кольцами опоясывали какую-то точку. Я знал, что мох умеет ползать — медленно, но упорно приближаясь к пище.

Здесь у него была лишь одна причина образовать круги.

Я пошел сквозь туманную серую дымку. Человеческий мир проступал вокруг, будто размытая, недоэкспонированная черно-белая фотография. Было холодно и неуютно — здесь я каждую секунду терял энергию. Но в этом был и плюс. Даже Арина не может постоянно находиться в Сумраке. Она может поглядывать на первый слой из обычного мира, но и это требует сил.

А она сейчас не в том положении, чтобы безоглядно тратить запасенное годами.

На первом слое рельеф местности почти совпадает с земным. Здесь тоже была земля под ногами, рытвины и пригорки. Но здесь нашлось и еще кое-что. Я видел, точнее, угадывал в земле старое оружие. Не все, конечно, а только то, которому доводилось убивать. Полусгнившие автоматные стволы, чуть лучше сохранившиеся винтовки... Винтовок было больше.

Метрах в ста от Арины я присел и побежал на корточках. Наложенное Светланой заклинание еще действовало, иначе я быстро бы выдохся. Метрах в пятидесяти — лег и пополз. Земля была сырой, я сразу же измазался. Хорошо еще, что эта грязь при выходе из Сумрака отвалится сама собой. Синий мох зашевелился, не зная, на что решиться — то ли приблизиться ко мне, то ли отползти от беды. Плохо. Арина может понять, отчего волнуется мох...

И тут совсем рядом, метрах в пяти, стала медленно подниматься черноволосая голова. Ощущение было таким, будто Арина выныривает прямо из земли. Слишком узкая и густо заросшая траншея...

Я застыл.

Но Арина не смотрела в мою сторону. Медленно-медленно встала в полный рост — до того, похоже, сидела на дне старого окопа. Картинно поднесла ладонь козырьком ко лбу. Я понимал, что она смотрит сквозь Сумрак.

К счастью, не на меня.

Приближались мои подневольные рекруты.

Красиво они бежали! Даже из Сумрака их бег выглядел быстрым, вот только в прыжках зависали слишком уж надолго. Впереди — старый, мудрый вожак. За ним — волчата.

Человек бы испугался.

Арина засмеялась. Встала, руки в боки, ни дать ни взять крепкая молодуха из Малороссии, взирающая на приближение непутевого муженька с собутыльниками. Заговорила — поплыли в воздухе низкие, гулкие звуки. В Сумрак она входить не спешила.

И я тоже вышел в человеческий мир.

— ...пустобрехи! — донеслось до меня. — Али плохо я вас попотчевала?

Волки перешли на шаг. Остановились метрах в двадцати.

Вожак выступил вперед и пролаял:

— Ведьма! Говорить... надо говорить!

— Говори, серый, — добродушно сказала Арина.

Надолго Игорю ведьму не отвлечь, это я понимал. В любой миг она нырнет в Сумрак и оглядится как следует.

Где же Надюшка?

— Девочку... отдай... — проорал-провыл волк. — Светлый... буйствует... отдай девочку... хуже будет...

— Да ты никак угрожать вздумал? — удивилась Арина. — Совсем сбрендил. Кто же отдаст ребенка волкам? Убирайтесь подобру-поздорову!

Странно — она будто тянула время.

— Жив... ребенок? — чуть чище произнес волк.

— Наденька, ты жива? — глядя куда-то вниз, спросила Арина. Пригнулась — и подняла девочку из траншеи, поставила на землю.

У меня перехватило дыхание. Надюшка совсем не выглядела испуганной или усталой. Похоже было, что происходящее ей даже нравилось — куда больше, чем прогулки с бабушкой.

Но она была близко, слишком близко к ведьме!

— Волчок, — сказала Надя, глядя на оборотня. Протянула к нему ручонку — и радостно засмеялась.

Оборотень завилял хвостом!

Нет, это продлилось всего несколько секунд. Игорь напрягся, вздыбилась шерсть — и снова перед нами был зверь, а не ручная собачка. И все-таки этот миг был — оборотень залебезил перед двухлетней девочкой, неинициированной Иной!

— Волчок, — согласилась Арина. — Наденька, а посмотри, кто тут еще? Глазки закрой и посмотри. Как я учила.

Надюшка с готовностью закрыла глаза ладошками. И стала поворачиваться в мою сторону.

Да она же ее инициирует!

Если Надюшка и впрямь научилась смотреть сквозь Сумрак...

Дочка повернулась ко мне. Улыбнулась.

— Папка...

В следующий миг я понял сразу две вещи.

Первое — Арина прекрасно знала, что я рядом! Ведьма играла со мной.

Второе — Надюшка не смотрела сквозь Сумрак! Она развела пальчики и подглядывала между ними.

Вначале я ушел в Сумрак. Нервы были так взвинчены, что я рухнул сразу на второй слой — в глухую ватную тишину и бледные серые тени.

Аура Арины пылала оранжевым и бирюзовым. Вокруг Надюшки сиял чистый белый ореол — будто маяк бил в пространство: потенциальная Иная! Светлая! Огромной силы!

И начавшие бег оборотни — комки красного и багрового, ярость и злость, голод и страх...

— Светлана! — крикнул я, вскакивая. В серое пространство, в мягкую тишину. — Приди!

Место для портала я наметил просто — швырнул в Сумрак чистой Силой, будто огненную цепочку протянул, посадочный коридор. От себя — и до Арины.

И одновременно побежал, так, чтобы Надюшка не закрывала от меня Арину, сбрасывая с кончиков пальцев давно заученные заклинания.

«Фриз» — локальная остановка времени.

«Опиум» — сон.

«Тройное лезвие» — самое грубое и простое из силовых заклинаний.

«Танатос» — смерть.

Ни на одно из них я не возлагал никакой надежды. Все это может сработать, когда перед тобой слабейший. Превосходящий по силе Иной удары отразит, будь он в Сумраке или в человеческом мире.

Мне надо было лишь отвлечь и задержать ведьму. Перегрузить ее защиту, наверняка построенную на амулетах и талисманах. Все эти эффектные фейерверки на то и рассчитаны — нащупать брешь в обороне.

«Фриз» будто в никуда канул.

Сонное заклятие срикошетило и ушло в небо. Надеюсь, над нами нет самолетов.

«Тройное лезвие» не подвело — сверкающие клинки вонзились в ведьму. Вот только плевать она хотела на тройное лезвие.

С призывом смерти вышло хуже всего! Не зря я не люблю эту магию, стоящую так опасно близко к заклинаниям Темных. Арина, даром что была в обычном мире, успела подставить руку. Сгусток серой мглы, убивающий волю и останавливающий сердце, послушно лег в ее ладонь.

Арина смотрела на меня сквозь Сумрак и улыбалась. Ладонь ее нависла над головой Надюшки, и серый клубок медленно сочился сквозь пальцы.

Я прыгнул к ним — не отразить удар, так хоть подставиться под него самому...

Но Арина уже была на втором слое Сумрака, стремительная и ослепительно красивая. Движением пальцев скомкала мое заклятие — и небрежно бросило в волков.

— Не спеши... — напевно сказала ведьма. В тишине второго слоя ее слова гремели — и ноги предали меня. Я рухнул на колени в шаге от Арины и Надюшки.

— Не трогай! — крикнул я.

— Просила же... — тихо сказала ведьма. — Ну помог бы уйти... что тебе старая ведьма?

— Я тебе не верю!

Арина кивнула, устало и горько:

— Правильно не веришь... А мне-то что делать, чароплёт?

Ее рука скользнула по юбке, сорвала с пояса веточку сушеных ягод. Швырнула в пылающие белые огни, вспухли клубы черного дыма — и ориентир для портала исчез.

Светлана не успела!

— Выбора мне не оставляешь, Светлый... — Арина скривилась. — Понял? Тебя убить придется, и дочка твоя без надобности становится. Куда же ты с вторым уровнем-то полез?

И в этот миг в спину Арине ударил сверкающий белый клинок. Вынырнул на миг из груди, с оттягом пошел назад, повинуясь невидимой руке.

— А-а-а-а... — простонала ведьма, невольно подаваясь вперед.

Огненное лезвие плыло в сумраке.

Потом серая мгла разошлась, выпуская Светлану.

Ведьма будто уже оправилась от удара. Отступала, приплясывая, не отрывая взгляд от Светланы. Прожженная прореха на платье дымилась, но кровь не текла. А во взгляде было скорее восхищение, чем ненависть.

— Ух ты... Великая... — Арина рассмеялась каркающим смехом. — Я просчиталась?

Светлана не отвечала. Такой ненависти в ее взгляде я даже представить себе не мог — человек умер бы, лишь посмотрев ей в глаза. В правой руке она сжимала белый меч, пальцы левой перебирали воздух — будто собирали невидимый кубик Рубика.

Сумрак потемнел. Вокруг Надюшки вспыхнула радужная сфера. Следующий пасс Светланы достался мне — к телу вернулась подвижность. Я вскочил, стал заходить ведьме за спину. В этой войне у меня вторые роли.

— Ты с какого уровня зашла, егоза? — почти добродушно спросила ведьма. — Неужто с четвертого? На третий-то я поглядывала...

И я почувствовал — ей очень, очень важен ответ.

— С пятого, — вдруг произнесла Светлана.

— Плохо-то как... — пробормотала ведьма. — Вот она, ярость материнская... — Покосилась на меня краем глаза, снова уставилась на Светлану. — Ты уж не трепись попусту, чего там увидала...

— Не учи ученую, — кивнула Светлана.

Ведьма кивнула. И быстро-быстро засучила руками, выдирая у себя волосы. Не знаю, ждала ли этого Светлана — я посчитал за благо отпрыгнуть. И не зря — вокруг ведьмы закружилась черная метель, будто каждый волос превратился в тонкое острое лезвие из черной стали. Ведьма стала наступать на Светлану. Светлана бросила в ведьму белый меч — лезвия раскрошили и погасили его, но тут перед Светланой возник прозрачный, сам собой плывущий щит.

Кажется, это называлось «защита Лужина».

Лезвия беззвучно и почти мгновенно поломались о щит.

— Ой, мамочки... — жалобно сказала Арина. Странно — у меня не было сомнений, что она говорит искренне. И в то же время — театрально, работая на публику.

То есть — на меня.

— Сдавайся, тварь, — сказала Светлана. — Пока предлагаю — сдавайся!

— А если... если так... — вдруг произнесла Арина. — А?

За амулеты она в этот раз не бралась. Только напевно затянула свои нескладные вирши:

> Собирайся к праху прах,
> Силу ощути в руках,
> Будь слугой и будь опорой,
> А не то развею скоро!

От Арины я ожидал чего угодно. Но не этого. Даже у Темных настоящие некроманты встречаются редко.

Из земли медленно поднимались мертвые!

Немецкие солдаты Второй мировой вновь шли в бой!

Четверо одетых в лохмотья скелетов — между костями набилась земля, плоти давно уже не оставалось, кольцом встали вокруг Арины. Один слепо побрел ко мне, нелепо помахивая беспалыми руками — фаланги пальцев сгнили начисто. При каждом шаге от нелепого зомби отваливались куски. Трое таких же несчастных уродцев двинулись к Светлане. Один из них даже держал в руках черный автомат с отвалившимся магазином.

— Сумеешь Красную Армию поднять? — задорно выкрикнула Арина.

Зря она это сделала — Светлана будто окаменела. И процедила сквозь зубы:

— У меня дед воевал. Пугать вздумала...

Что она сделала — я не понял. Я бы использовал «серый молебен», но она обошлась чем-то из высших, недоступных мне разрядов магии. Зомби рассыпались пылью.

А Светлана, и Арина безмолвно уставились друг на друга.

Шутки кончились.

Волшебница и ведьма сошлись в прямом противоборстве Силы.

Пользуясь короткой передышкой, собирался с силами и я. Если вдруг Светлана дрогнет — я ударю...

Дрогнула Арина.

Вначале с нее сорвало платье. Наверное, на мужчину это могло бы подействовать деморализующе.

Потом ведьма стала стремительно стареть. Роскошные черные волосы обратились в жалкий седой клок. Втянулись груди, ссохлись руки и ноги. Не то Гингема из детской сказки, не то Гагула из взрослой.

И никаких красочных эффектов.

— Имя! — крикнула Светлана.

Арина колебалась недолго.

Беззубый рот шевельнулся и прошамкал:

— Арина... я в твоей власти, чародейка...

Только тут Светлана расслабилась — и будто поникла. Обойдя смирившуюся Арину, я взял жену под руку.

— Ничего... я держусь. — Светлана улыбнулась. — Получилось.

Старуха — язык не поворачивался называть ее Ариной — печально смотрела на нас.

— Позволишь ей принять прежний вид? — спросил я.

— Что, прежняя была симпатичнее? — Светлана даже попыталась пошутить.

— Она от старости умрет в любой миг, — сказал я. — Ей же двести с лишним...

— Вот и пусть дохнет... — пробормотала Светлана. Исподлобья посмотрела на Арину. — Ведьма! Я позволяю тебе стать моложе!

Тело Арины стремительно распрямилось, налилось жизнью. Ведьма жадно глотнула воздух. Посмотрела на меня и сказала:

— Спасибо, чароплёт...

— Выходим, — приказала Светлана. — И без глупостей... даю тебе лишь право выйти из Сумрака!

Сейчас вся сила ведьмы — та, что не исчезла вместе с сорванной одеждой и амулетами, — была под полным контролем Светланы. Образно говоря, она держала руку на рубильнике.

— Чароплёт... — не отрывая от меня взгляда, сказала Арина. — Вначале сними щиты с дочки. У нее под ногами — граната с выдернутой чекой. Вот-вот взорвется.

Светлана вскрикнула.

Я бросился к радужному шару. Ударил, пробивая Сферу Отрицания. Под ней было еще два щита — я сорвал их грубо, работая на одной лишь энергии.

Со второго слоя ничего не было видно.

Найдя свою тень, я вывалился на первый слой. Здесь было чисто, никаких следов синего мха — бушевавшая битва выжгла его начисто.

И почти сразу я увидел древнюю «лимонку», лежащую под ногой Надюшки. Арина положила ее, ныряя в Сумрак. Подстраховалась, стерва...

Чека была вырвана. Где-то внутри гранаты томительно медленно горел запал, а в человеческом мире уже прошло три-четыре секунды...

Радиус поражения — двести метров.

Если бы она взорвалась внутри щитов, от Надюшки осталась бы только кровавая пыль...

Я нагнулся, подхватывая гранату. Очень трудно работать с предметами реального мира, находясь в Сумраке. Хорошо хоть, у гранаты был четкий сумеречный двойник — такой же ребристый, подернутый грязью и ржой...

Выбросить?

Нельзя.

В человеческом мире она далеко не улетит. Заберу в Сумрак — тут же взорвется.

Я не нашел ничего лучшего, чем рассечь гранату напополам — будто выковыривая косточку из авокадо. И еще на несколько кусочков... выискивая среди железа и взрывчатки тлеющую трубочку замедлителя. Призрачное лезвие, клинок чистой Силы, шинковало гранату, будто спелый помидор.

Наконец я его нашел — крошечный огонек, уже подползший к запалу. Затушил — пальцами.

И вывалился в человеческий мир. Потный, едва стоящий на трясущихся ногах, мотающий рукой. Обожженные пальцы ныли.

— Мужикам только дай в железяках поковыряться, — язвительно сказала Арина, появившаяся вслед за мной. — Закрыл бы ее в щит, пусть взрывается! Или морозом кинул, пусть застынет до завтра...

— Папка, научи меня так прятаться, — сказала Надюшка как ни в чем не бывало. Увидела Арину — и громко возмутилась: — Тетя, ты дура? Голой нельзя ходить!

— Я тебе сколько раз говорила, не смей так разговаривать со взрослыми! — воскликнула Светлана. И тут же, схватив Надюшку на руки, принялась ее целовать.

Сумасшедший дом какой-то...

Еще бы тещу сюда, пусть выскажется...

Я сел на край траншеи. Хотелось курить. Еще хотелось выпить. И поесть. И поспать. Или хотя бы закурить.

— Больше не буду, — привычно пробормотала Надя. — А волчок заболел!

Только сейчас я вспомнил про оборотней. Обернулся.

Волк лежал и слабо сучил лапами. Вокруг метались волчата.

— Уж извини, чароплёт, — сказала Арина. — Я твоей мертвечиной в оборотня кинула. Времени не было разбираться.

Я посмотрел на Светлану. «Танатос» — это вовсе не обязательно верная смерть. Заклятие еще можно снять.

— Я пустая... — тихо сказала Светлана. — Я все выложила.

— Хотите — спасу паскудника, — предложила Арина. — Мне не трудно.

Мы переглянулись.

— Почему ты сказала про гранату? — спросил я.

— Какая мне польза, если дитё умрет? — равнодушно ответила Арина.

— Она будет Великой Светлой, — сказала Светлана. — Самой Великой!

— Ну и пускай будет. — Арина улыбнулась. — Может, вспомнит тетю Арину, с которой о травках и цветочках говорила... Не бойтесь, Темной ее никто не сделает. Не простой это ребеночек, тут без магии не обошлось... Что с волчарой делать?

— Спаси его, — просто сказала Светлана.

Арина кивнула. А мне вдруг бросила:

— Там, в окопе, сумка стоит... в ней курево есть и еда. Я этот схрон давно приготовила.

С Игорем ведьма возилась минут десять. Вначале отогнала рычащих волчат: те отбежали в сторонку, попробовали там перекинуться в детей, не сумели и залегли в кустах. Потом принялась что-то нашептывать, поминутно срывая то одну, то другую травку. Прикрикнула на волчат — те разбежались в стороны и вернулись с какими-то веточками и корешками в зубах.

Мы со Светланой смотрели друг на друга — и ни о чем не говорили. И так все было понятно. Я докурил вторую сигарету, смял в руках третью и достал из черной матерчатой сумки плитку шоколада. Кроме курева, шоколада и пачки английских фунтов — предусмотрительна ведьма! — в сумке ничего не было.

А я почему-то до сих пор надеялся найти «Фуаран»...

— Ведьма! — крикнула Светлана, когда оборотень, все еще мелко вздрагивая, поднялся на ноги. — Иди сюда!

Арина, грациозно покачивая бедрами и ничуть не стесняясь наготы, вернулась к нам. Оборотень тоже лег поблизости. Он тяжело дышал, волчата сгрудились вокруг и принялись его вылизывать. Светлана поморщилась, глядя на эту сцену, потом перевела взгляд на Арину:

— В чем тебя обвиняют?

— По указке не установленного Светлого нарушила рецептуру зелья. Этим сорвала совместный эксперимент Инквизиции, Ночного и Дневного Дозоров.

— Так и было? — уточнила Светлана.

— Было, — легко призналась Арина.

— Зачем?

— С самой революции мечтала красным навредить.

— Не ври. — Светлана сморщилась. — Плевать тебе на красных, белых и голубых. Зачем рисковала?

— Какая тебе разница, чародейка? — Арина вздохнула.

— Есть разница. Для тебя в первую очередь.

Ведьма вскинула голову. Посмотрела на меня, на Светлану. У нее дрогнули веки.

— Тетя Арина, тебе грустно? — спросила Надюшка. Покосилась на маму и сама закрыла рот ладошками.

— Грустно, — ответила ведьма.

Очень, очень не хотелось Арине попадать в лапы Инквизиции.

— Эксперимент поддерживали все Иные, — сказала Арина. — Темные считали, что появление в руководстве страны, а продукция хлебозавода шла в первую очередь в Кремль и наркоматы, тысяч убежденных коммунистов ничего не изменит. Напротив, вызовет неприязнь к Советам во всем остальном мире. Светлые же считали, что после трудной, но победоносной войны с Германией — ее вероятность уже тогда отчетливо читалась провидцами — Советский Союз сумеет стать действительно привлекательным обществом. Был такой закрытый отчет... в общем — коммунизм люди бы построили к восьмидесятому году...

— А кукурузу сделали главной кормовой культурой, — фыркнула Светлана.

— Не балаболь попусту, чародейка, — спокойно оборвала Свету ведьма. — Про кукурузу не помню. А вот лунный город уже в семидесятых должны были соорудить. На Марс слетать, еще чего-то... Вся Европа была бы коммунистической. Причем — не из-под палки. И сейчас был бы на Земле огромный Советский Союз, огромные Соединенные Штаты... вроде как Британия, Канада и Австралия в них входили... Еще Китай сам по себе оставался.

— Значит, просчитались Светлые? — спросил я.

— Нет. — Арина покачала головой. — Не просчитались. Кровищи, конечно, море бы пролилось. Но то, что получалось в итоге, оказалось бы штукой довольно сносной. Куда получше всех нынешних режимов... Светлые другого не учли! При таком раскладе примерно в наши дни люди узнавали о существовании Иных.

— Ясно, — сказала Светлана. Надюшка беспокойно ерзала у нее на коленях — ей надоело сидеть, ей хотелось «к волчку».

— Поэтому тот... не установленный Светлый... — Арина улыбнулась, — который догадался просчитать будущее тщательнее других, пришел ко мне. Мы несколько раз встречались, обсуждали ситуацию. Беда состояла в том, что эксперимент планировали не только Высшие, способные оценить опасность нашей демаскировки, но и большое количество магов первой-второй категории... даже некоторые из третьей и четвертой. Проект пользовался большой популярностью... Чтобы его отменить официально, надо было дать полную информацию тысячам Иных. На это пойти было нельзя.

— Понимаю, — сказала Светлана.

А вот я ничего не понимал!

Мы таим свое существование от людей, потому что боимся. Нас все-таки слишком мало, и никакая магия не позволит нам уцелеть, если начнутся новые «охоты на ведьм». Но в этом добром и хорошем будущем, что, по словам Арины, могло уже состояться, разве грозила бы нам опасность?

— Поэтому мы решили саботировать эксперимент, — продолжала Арина. — Это увеличивало жертвы во Второй мировой, зато снижало жертвы от экспорта революции в Европу и Северную Африку. Примерно так на так и выходило... Конечно, жизнь в России сейчас не такая сытная и благостная, как должна была быть. Но кто сказал, что счастье измеряется сытостью пуза?

— И впрямь, — не выдержал я. — Любой поволжский учитель или украинский шахтер с тобой согласится.

— Счастье надо искать в духовном богатстве! — отбрила Арина. — А не в ваннах с пузырьками или теплом сортире. Зато об Иных люди не знают!

Я смолчал. Сидящая перед нами женщина была не просто виновна — ее под трибунал следовало волочь на веревке, побивая по пути камнями! Город на Луне, значит? Ладно, нет у нас города на Луне и не надо. А вот за то, что обычные города чуть живы, что до сих пор на нас весь мир с опаской смотрит...

— Бедная, — сказала Светлана. — Тяжело тебе пришлось?

Вначале мне показалось, что она издевается над Ариной.

То же самое подумала и ведьма.

— Жалеешь или насмешничаешь? — спросила она.

— Жалею, — ответила Светлана.

— Людишек мне не жалко, не думай лишнего, — процедила ведьма. — А вот страну — да, жалко. Моя это страна, какая есть, а вся моя! Только лучше уж так, как вышло. Жить будем — не помрем. Люди новых людей нарожают, города построят, поля вспашут.

— Ты не от ЧК в спячке пряталась, — сказала вдруг Светлана. — И даже не от Инквизиции. Отбрехалась бы, чую... Тебе не хотелось видеть, что с Россией делается после твоего саботажа.

Арина смолчала.

А Светлана посмотрела на меня и спросила:

— Что теперь будем делать?

— Решай сама, — как-то не до конца понимая вопрос, сказал я.

— Ты куда собиралась бежать? — спросила Светлана.

— В Сибирь, — спокойно ответила Арина. — В России так заведено — в Сибирь али ссылают, али сами бегут. Выберу деревеньку почище, да и поселюсь на отшибе. На жизнь я себе заработаю... мужика найду. — Она с улыбкой провела рукой по пышной груди. — Подожду годков двадцать, посмотрю, что творится. Заодно и подумаю, что Инквизиции говорить, если поймают.

— Сама ты за оцепление не уйдешь, — пробормотала Светлана. — И мы тебя вряд ли выведем.

— Я... спрячу... — хрипло прокашлял оборотень. — За мной... должок...

Арина прищурилась, спросила:

— За то, что исцелила?

— Нет... не за это... — туманно ответил оборотень. — Выведу... через лес... в лагерь... там спрячу... потом... уйдешь.

— Никто и никуда... — начал я. Но ладонь Светланы мягко коснулась моих губ — словно она Надюшку успокаивала.

— Антон, так будет лучше. Арине лучше уйти. Она ведь Наденьку не тронула, верно?

Я замотал головой. Чушь, бред, морок! Неужели ведьма таки исхитрилась и подчинила ее своей воле?

— Так будет лучше! — с напором повторила Светлана.

И повернулась к Арине:

— Ведьма! Дай клятву, что никогда больше не отнимешь у человека или Иного жизнь!

— Не могу я таких клятв давать. — Арина замотала головой.

— Дай клятву, что в течение ста лет ты не отнимешь жизнь человека или Иного, если только он не будет угрожать твоей жизни... и у тебя не останется иных способов защититься, — помедлив секунду, сказала Светлана.

— Вот другое дело! — Арина улыбнулась. — Сразу видно, повзрослела Великая... Век беззубой вековать — мало радости. А все ж таки подчиняюсь. Пусть Тьма будет мне свидетелем!

Она подняла ладонь — и сгусток мрака на миг возник над ладонью. Оборотни, и взрослый, и щенки, тихо заскулили.

— Возвращаю тебе твою Силу, — сказала Светлана, прежде чем я успел ее остановить.

И Арина исчезла.

Вскочив, я встал рядом со спокойно сидящей Светланой. У меня оставалось немного Сил... на пару ударов хватит, вот только что ведьме эти удары...

Арина вновь появилась перед нами. Уже одетая, кажется, даже причесанная. Улыбающаяся.

— А ведь я и без смертоубийства могу тебе напакостить! — с ехидцей сказала она. — Параличом разбить или уродиной сделать.

— Можешь, — согласилась Светлана. — Спору нет. Вот только к чему это тебе?

И на короткий миг в глазах Арины проснулась такая пронзительная тоска, что у меня больно заныло в груди.

— Ни к чему, чародейка. Что ж, прощай. Я добра не помню, но спасибо сказать не постыжусь... спасибо, Великая. Трудно тебе будет... теперь.

— Я уже поняла, — тихо сказала Светлана.

Взгляд Арины остановился на мне, и она кокетливо улыбнулась:

— И ты прощай, чароплёт. Ты меня не жалей, не люблю этого. Эх... жалко, что ты жену любишь...

Она присела на колени, потянулась рукой к Надюшке.

Светлана ее не остановила!

— До свидания, девочка! — весело сказала ведьма. — Я злая тетка, но тебе добра желаю. Не дурак был тот, кто твою судьбу загодя рисовал... ох не дурак... Может, у тебя то получится, чего у нас не вышло? Возьми и ты от меня подарочек... — Она покосилась на Светлану.

Светлана кивнула!

Арина взяла Надюшку за пальчик. Пробормотала:

— Силу тебе желать? И без того Силы много. Всего дали... всего в достатке... Ты цветочки любишь, правда? Возьми от меня дар — цветы да травки пользовать. Это и Светлой волшебнице пригодится.

— До свидания, тетя Арина, — тихо сказала Надюшка. — Спасибо.

Ведьма еще раз посмотрела на меня — ошарашенного, растерянного, ничего не понимающего. И обернулась к оборотням.

— Что ж, веди, серый! — воскликнула она.

Волчата бросились вслед за ведьмой и своим наставником. Один паскудник даже остановился, задрал лапу на кустик и, демонстративно глядя на нас, попрыскал. Надюшка захихикала.

— Светлана... — прошептал я. — Уходят же...

— Пусть уходят, — ответила она. — Пусть.

И повернулась ко мне.

— Что произошло? — заглядывая ей в глаза, спросил я. — Что и когда?

— Давай вернемся домой, — сказала Светлана. — Нам... нам надо поговорить, Антон. Серьезно поговорить.

Как же я ненавижу эти слова!

После них никогда не бывает ничего хорошего!

Эпилог

Теща квохтала вокруг Надюшки, укладывая ее спать:
— Ах ты выдумщица, ах, фантазерка...

— Мы гуляли с тетей... — сонно спорила дочка.

— Гуляли, гуляли... — радостно подтвердила теща.

Светлана болезненно поморщилась. Рано или поздно всем Иным приходится манипулировать с памятью своих родных.

Ничего приятного в этом нет.

Конечно, у нас есть выбор. Можно раскрыть правду — или часть правды — близким людям.

Но это тоже ни к чему хорошему не приводит.

— Спокойной ночи, доченька, — сказала Светлана.

— Идите-идите, — фыркнула теща. — Совсем замотали мою девочку, мою сладкую...

Мы вышли из комнаты, Светлана плотно притворила дверь. Стало тихо, только поскрипывали на стене старые ходики.

— Сплошные ути-пуси, — сказал я. — Нельзя так с ребенком...

— С девочкой — можно, — отмахнулась Светлана. — Тем более в три года. Антон... пойдем в сад.

— В сад, все — в сад, — бодро согласился я. — Идем.

Не сговариваясь, мы прошли к гамаку. Сели рядом — и я почувствовал, что Светлана пытается отстраниться, как ни трудно это сделать в гамаке.

— Начни с самого начала, — посоветовал я.

— С начала... — Светлана вздохнула. — С начала не получится. Все слишком перепуталось.

— Тогда объясни, почему ты отпустила ведьму?

— Она слишком много знает, Антон. И если будет суд... если все это откроется...

— Но она — преступница!

— Арина ведь не сделала нам ничего плохого, — тихо, будто себя уговаривая, произнесла Светлана. — Я думаю, в ней нет подлинной кровожадности. Большинство ведьм по-настоящему злобные, но бывают и такие...

— Сдаюсь! — Я поднял руки. — И оборотней приструнила, и Надю не обидела. Арина Родионовна, право слово. А что со срывом эксперимента?

— Она же объяснила.

— Что объяснила? Что без малого сотня лет истории России пошла коту под хвост? Что вместо нормального общества была построена бюрократическая диктатура... со всеми вытекающими последствиями?

— Ты же слышал — в итоге люди узнали бы про нас! Глубоко вдохнув, я попытался собраться с мыслями.

— Света... ну что ты говоришь? Пять лет назад ты сама была человеком! Мы и остались людьми... только мы более продвинутые. Ну, новый виток эволюции. Узнали бы люди — и ничего страшного!

— Мы не более продвинутые. — Светлана покачала головой. — Антон, когда ты меня позвал... я догадывалась, что ведьма станет следить за Сумраком. Я прыгнула сразу на пятый уровень. Думаю, кроме Гесера и Ольги, там никто из наших не бывал...

Она замолчала. И я понял — это и есть то, о чем Светлана хочет сказать. Что-то по-настоящему ужасное.

— Что там, Света? — прошептал я.

— Я довольно долго там была, — продолжала Светлана. — В общем... я кое-что поняла. Не важно сейчас, как именно.

— Ну?

— В той ведьмовской книге все написано правильно, Антон. Мы не настоящие маги. Мы не обладаем большими способностями, чем люди. Мы — все равно что синий мох с первого слоя. Помнишь тот пример из ведьмовской книжки про температуру тела и окружающей среды? Так вот, у всех людей магическая температура — тридцать шесть и шесть. Тех, кто очень счастлив или очень несчастлив, лихорадит. У них — температура выше. И вся эта энергия, вся эта Сила — она греет мир. У нас — температура тела ниже нормы. Мы ловим чужую Силу и можем ее перераспределять. Мы — паразиты. У какого-нибудь слабенького Иного вроде Егора температура — тридцать четыре градуса. У тебя, к примеру, двадцать. У меня — десять.

Я ответил сразу. Я уже думал об этом, едва прочитав книгу.

— Ну и что, Света? Ну и что с того? Люди не могут пользоваться своей Силой. Мы — можем. Какая разница?

— Разница в том, что люди с этим никогда не смирятся. Даже самые хорошие, самые добрые всегда поглядывают с завистью на тех, кому дано больше. На спортсменов, на красавцев и красавиц, на гениальных и талантливых. Но тут и жаловаться-то не на что... судьба, случай. А теперь представь, что ты — обычный человек. Самый обычный. И вдруг узнаешь, что кто-то живет сотни лет, умеет предугадывать будущее, исцеляет болезни и наводит порчу. Все всерьез, все по-настоящему! И все — за твой счет! Мы — паразиты, Антон. Такие же, как вампиры. Такие же, как синий мох. Если это выплывет наружу, если придумают какой-нибудь прибор, отделяющий людей от Иных, — на нас станут охотиться и нас станут истреблять. Рассеемся среди людей — выловят поодиночке. Собьемся в кучку и создадим свое государство — забросают атомными бомбами.

— Разделять и защищать... — прошептал я главный лозунг Ночного Дозора.

— Верно. Разделять и защищать. И не людей от Темных, а людей от Иных вообще.

Я засмеялся. Я смотрел в ночное небо и смеялся — вспоминая себя самого, чуть-чуть моложе, идущего по темной улице навстречу вампирам. С горячим сердцем, чистыми руками и пустой, холодной головой...

— Мы столько раз с тобой говорили, в чем же наше отличие от Темных... — тихо сказала Светлана. — Я нашла еще одну формулировку. Мы — добрые пастухи. Мы бережем стадо. Наверное, это уже немало. Но только не надо обманываться самим и обманывать других. Никогда все люди не станут Иными. Никогда мы не откроемся перед ними. И никогда не позволим людям построить более или менее приличное общество. Капитализм, коммунизм... дело не в этом. Нас устроит только мир, в котором люди будут озабочены размером кормушек и качеством сена. Потому что как только они вынут голову из кормушки, оглядятся и увидят нас — нам придет конец.

Я смотрел в небо — и баюкал на коленях руку Светланы. Только руку, теплую и безвольную... совсем недавно обрушивавшую громы и молнии на ведьму-вредительницу...

Беспомощную руку Великой Волшебницы, в которой в два раза меньше магии, чем во мне.

— И ничего не сделать, — прошептала Светлана. — Дозоры не выпустят людей из хлева. В Штатах будут большие и сытные кормушки, в которые хочется зарыться с головой. В каком-нибудь Уругвае — редкая травка на косогорах, чтоб не было времени посмотреть в небо. Все, что мы можем сделать, — выбрать хлев посимпатичнее и покрасить его в веселенький цвет.

— Если рассказать об этом Иным?

— Темных это не огорчит. Светлые смирятся. Я узнала правду, которую не хочу знать, Антон, — и смирилась. Может быть, мне не стоило тебе говорить? Но это было бы нечестно. Словно ты тоже часть стада.

— Света... — Я посмотрел на слабый свет ночника в окне. — Света, а какова магическая температура у Надюшки?

Она помедлила, прежде чем ответить.

— Ноль.

— Величайшая из Великих... — сказал я.

— Абсолютно лишенная магии... — откликнулась Светлана.

— Что нам теперь делать?

— Жить, — просто сказала Светлана. — Я Иная... и поздно изображать невинность. Беру я Силу у людей, тяну из Сумрака — все равно это чужая Сила. Но моей вины в этом нет.

— Света, я поеду к Гесеру. Прямо сейчас. Я уйду из Дозора.

— Знаю. Езжай.

Я встал, придержал качнувшийся гамак. Было темно, и я не мог разглядеть лица Светланы.

— Езжай, Антон, — повторила она. — Нам будет трудно смотреть в глаза друг другу. Надо время, чтобы свыкнуться.

— Что там, на пятом слое? — спросил я.

— Тебе лучше не знать.

— Хорошо. Я спрошу у Гесера.

— Пусть он и отвечает... если хочет.

Наклонившись, я коснулся ее щеки — она была мокрой от слез.

— Противно... — прошептала она. — Противно... быть паразитом.

— Держись...

— Я держусь.

Когда я вошел в сарай, хлопнула дверь — Светлана ушла в дом. Не включая свет, я сел в машину, захлопнул дверь.

И что тут наработал дядя Коля? Заведусь или нет?

Машина завелась сразу, мягко и очень тихо заурчал дизель.

Включив ближний свет, я выехал из сарая.

Правила маскировки?

Плевать. К чему пастуху таиться от овец!

Легким пассом я открыл ворота, не вылезая из машины. Выехал на улицу — и тут же газанул. Деревня казалась пустой и безжизненной. Овцам подсыпали в корм снотворного...

Машина вырвалась на проселок. Переключившись на дальний свет, я вдавил газ. В опущенное стекло ударил ветер.

Нащупав на руле дистанционку, я включил плеер.

В этот ветреный город я вошёл без плаща.
Он обвил моё горло наподобие плюща.
Змеиные кольца сковали душу мою.
Я вижу чёрное солнце. Под ним я ни слезы не пролью.
Я выпадаю из роли. Я обнаглел и неправ.
На что надеется кролик, которого глотает удав?
Змеиные кольца лишь поначалу тесны,
Я вижу чёрное солнце и такие же сны.
Пороков от добродетелей мне не отличить, хоть убей.
Похоже, кто-то убирает свидетелей, превращая нас в змей.

И я согласен гнить под любым флагом,
Я готов скользить по земле зигзагом,
И даже петь о любви по кадык в рвоте,
Если так нужно моей Родине.

Впереди, где-то у въезда на трассу, появился огонек. Прищурившись, я посмотрел сквозь Сумрак. Поперек дороги стоял переносной милицейский барьер. А рядом ждали два человека и двое Иных.

Темных Иных.

Улыбнувшись, я сбросил скорость.

Мой мозг — это улей, где вместо пчёл — муравьи.
Центр тяжести пули смещён в направленьи любви.
Но змеиные кольца — это броня.
Я вижу чёрное солнце. Солнце ненавидит меня.
Я мог бы сдаться без боя, попав к дьяволу в пасть.
Но я умру стоя — кольца не дадут мне упасть.
Змеиные кольца — мой корсет и каркас.
Я вижу чёрное солнце. Это вредно для глаз.

Остановившись у самого барьера, я ждал, пока подошел гаишник, придерживающий на груди автомат. Инквизиция никогда не церемонилась, привлекая людей для оцепления.

Я протянул гаишнику права и доверенность на машину, убавил звук.

И посмотрел на Иных.

Первым был незнакомый мне Инквизитор — сухонький пожилой азиат. Я бы сказал, что у него второй-третий уровень Силы, но у Инквизиторов это труднее понять.

Вторым был обычный Темный из московского Дневного Дозора. Вампир Костя.

— Мы ищем ведьму, — сказал Инквизитор. Гаишники не обращали на них никакого внимания, гаишникам было приказано не видеть.

— Арины здесь нет, — ответил я. — Облавой руководит Эдгар?

Инквизитор кивнул.

— Спросите у него насчет меня. Антон Городецкий, Ночной Дозор.

— Я его знаю, — пробормотал Костя, склоняясь к Инквизитору. — Все в порядке. Законопослушный Светлый...

— Проезжайте, — вернул мне документы гаишник.

— Вы можете ехать дальше, — кивнул Инквизитор. — Дальше будут еще посты.

Я кивнул и выехал на трассу.

Костя стоял и смотрел мне вслед.

Я снова включил звук.

> Я не за и не против. Я не добро и не зло.
> Тебе со мной, моя Родина, до фига повезло!
> Твои змеиные кольца — мой дом, моя западня.
> Я буду ползать под солнцем,
> Под этим чёртовым солнцем,
> Отсюда — досюда, отсюда — досюда,
> Отсюда до Судного дня.

История третья

НИЧЬЯ СИЛА

Пролог

Е му редко снились сны.

А сейчас он даже не спал. И все же это было почти сном, почти грезой за миг до пробуждения...

Легкой, чистой, почти детской грезой...

— Продувка... протяжка... ключ на старт...

Серебристая колонна ракеты в легком тумане.

Плещущее под дюзами пламя.

Каждый ребенок мечтает быть космонавтом — пока не услышит в десятый раз «Кем хочешь быть, космонавтом?».

Иные перестают мечтать о космосе, когда становятся Иными.

Сумрак интереснее чужих планет. Открывшаяся Сила — притягательнее славы космонавта.

Но сейчас ему снова грезилась ракета — старая нелепая ракета, поднимающаяся в небо.

Земля, плывущая под ногами или над головой.

Толстое кварцевое стекло иллюминатора.

Странные мечты для Иного, верно?

Земля... вуаль облаков... огни городов... люди.

Миллионы. Миллиарды.

И он — глядящий на них с орбиты.

Иной в космосе... что может быть смешнее? Разве что Иной против Чужого. Однажды он смотрел фантастический фильм — и вдруг подумал, что сейчас отважной Рипли самое время войти в Сумрак... и бить, бить, бить неповоротливых, беспомощных гадов.

Подумал — и тут же рассмеялся.

Чужих нет.

А космос есть. Вот только раньше непонятно было — зачем.

Теперь он понял.

Стоял с закрытыми глазами, грезя о маленькой, медленно вращающейся под ногами Земле.

Каждый ребенок мечтает стать великаном — пока не задумается, зачем это нужно.

Теперь он знал все.

Части головоломки сошлись.

И его предназначение Иного.

И его нелепая мечта о космосе.

И тонкий томик, переплетенный в человеческую кожу, исписанный аккуратной рукописной вязью.

Он взял книгу, лежавшую прямо на дощатом полу.

Открыл на первой странице.

Буквы не выцвели — их хранила легкая, но надежная магия.

Этот язык давно уже не звучал на Земле. Индологу он напомнил бы санскрит, но мало кто понял бы, что это пайшачи.

Но Иным доступен даже мертвый язык.

«Да охранит вас Слоноликий, то вверх, то вниз качающий головой, словно Шива, раскачивающийся вверх-вниз на Уме! Да наполнит меня Ганапати сладостной влагой мудрости!

Имя мое — Фуаран, я из женщин славного города Канакапури.

Исполнитель Желаний, супруг Парвати, щедро наградил меня в дни моей молодости, даровав умение ходить в мире призраков. Пока в нашем мире лепесток, кружась на ветру, падает с цветущего дерева, в том мире проходит день — такова его природа. И в мире том скрыта великая сила...»

Он закрыл «Фуаран».

Сердце частило в груди.

Великая сила!

Выпавшая из рук ведьмы, сгинувшей почти два тысячелетия назад.

Бесхозная, беспризорная, скрытая даже от Иных.

Ничья Сила.

Глава 1

К зданию Ночного Дозора я подъехал в начале восьмого утра. Самое глухое время — пересменка. Оперативники, дежурившие ночью на улицах города, сдали рапорты и ушли домой. Штабные работники, согласно московским обычаям, появятся не ранее девяти.

Пересменка была и в комнате охраны. Уходящие охранники подписывали какие-то бумаги, пришедшие — проглядывали журнал дежурства. Я обменялся рукопожатиями со всеми и прошел вообще без должной проверки. На самом деле — упущение... хотя этот пост предназначался, в первую очередь, для людей.

На третьем этаже охрана уже сменилась. Здесь дежурил Гарик и никаких послаблений мне не дал — осмотрел сквозь Сумрак, кивком головы велел коснуться амулета: затейливой фигуры петуха, сделанной из золотистой проволоки. У нас это звалось «привет Додону» — теоретически прикосновение Темного должно было заставить петуха кукарекать. Впрочем, некоторые острословы уверяли, что, почувствовав Темного, петух человеческим голосом верещит: «Противный!»

Лишь после этого Гарик вполне приветливо улыбнулся и пожал мне руку.

— Гесер у себя? — спросил я.

— Кто ж его знает? — вопросом ответил Гарик.

И впрямь, нашел, чего спросить! Высшие маги могут ходить многими путями.

— У тебя же вроде отпуск... — будто насторожившись от странного вопроса, спросил Гарик.

— Надоело уже отдыхать. Понедельник, как говорится, начинается...

— И вымотан ты до предела... — продолжал маг, все более настораживаясь. — А ну-ка... погладь петушка еще раз!

Я снова передал привет Додону, потом постоял неподвижно, пока Гарик проверял мою ауру с помощью какого-то хитрого амулета из цветного стекла.

— Извини, — убирая амулет, сказал Гарик. Немного смущенно добавил: — Ты сам не свой.

— Отдыхал со Светкой в деревне, а там объявилась древняя ведьма, — пояснил я. — И еще стая оборотней хулиганила. Пришлось гоняться за волками, гоняться за ведьмой... — Я махнул рукой. — После такого отдыха надо больничный брать.

— Вот оно что, — сразу же успокоился Гарик. — Ты подай заявку, у нас вроде есть еще лимит на восстановление сил.

Вздрогнув, я покачал головой.

— Справляюсь сам. Спасибо.

Распрощавшись с Гариком, я поднялся на четвертый этаж. Постоял перед приемной Гесера, потом постучал.

Мне никто не ответил, и я вошел.

Секретарши, конечно, на месте не было. Дверь в кабинет Гесера была плотно прикрыта. Впрочем, кофейный автомат весело помигивал лампочкой готовности, компьютер был включен, даже телевизор тихо-тихо бормотал на новостном канале. Диктор рассказывал, что песчаная буря вновь помешала американским войскам в очередной миротворческой миссии, перевернула несколько танков и даже уронила два вертолета.

— А еще набила морду солдатам и нескольких взяла в плен, — невольно добавил я.

Ну что за странная привычка у некоторых Иных — смотреть телевизор? Либо дурацкие «мыльные оперы», либо вранье по новостям. Одно слово — люди...

Другое слово — скот?

Они не виноваты. Они слабы и разобщены. Они — люди, а не скот!

Скоты — мы.

А люди — трава.

Я стоял, опершись о секретарский стол, и смотрел в окно, на плывущие над городом облака. Почему в Москве такое низкое небо? Нигде больше я не видел такого низкого неба... разве что в Москве зимней...

— Траву можно подстригать, — раздался голос за моей спиной. — А можно вырывать с корнем. Что тебе больше нравится?

— Доброе утро, шеф, — сказал я, поворачиваясь. — Думал, вас нет.

Гесер зевнул. Он был в халате и шлепанцах. Из-под халата проглядывала пижама.

Ну никогда бы не подумал, что Великий Гесер носит пижаму, разрисованную диснеевскими мультяшками! Начиная от Микки Мауса с Дональдом Даком и кончая Лило и Стичем. Не может Великий, проживший тысячи лет и с легкостью читающий мысли, носить такую пижаму!

— Я спал, — мрачно сказал Гесер. — Я тихо спал. Я лег в пять утра.

— Извините, шеф, — сказал я. Почему-то, кроме как «шеф», иное слово на ум не шло. — Ночью было много работы?

— Книжку читал, интересную, — включая кофейный автомат, сказал Гесер. — Мне черный с сахаром, тебе — несладкий с молоком...

— Что-нибудь магическое? — поинтересовался я.

— Нет, блин, Головачева! — буркнул Гесер. — Уйду в отставку и попрошусь к нему в соавторы, книжки писать! Держи кофе.

Взяв чашку, я вслед за Гесером вошел в его кабинет.

Здесь, как всегда, добавилось диковинок. В одном из шкафов появилось множество маленьких фигурок мышей — стеклянных, оловянных, деревянных, стояли керамические чаши и лежали стальные ножи. К задней стенке шкафа была прислонена старая брошюра ДОСААФ, на обложке которой было изображено жюри, оценивающее парашют, рядом стояла простенькая литография, на которой зеленела лесная чаща.

Почему-то — я не мог понять почему — все это навевало мысли о начальных классах школы.

Еще под потолком висел хоккейный шлем золотистого цвета, поразительно похожий на лысину. В шлем было воткнуто несколько стрелок для игры в дартс.

Косясь на все эти вещи, которые могли значить что-то очень важное, а могли и не значить ровным счетом ничего, я сел в одно из кресел для посетителей. И заметил, что в сетчатой мусорной корзине валяется какая-то книжка в яркой цветной обложке. Неужели и впрямь Гесер читал Головачева? Но присмотревшись, я решил, что ошибаюсь — на книге было написано «Шедевры мировой фантастики».

— Кофе пей, мозги поутру прочищает, — все тем же недовольным тоном пробормотал Гесер. Сам он пил кофе шумно, прихлебывая, казалось — дай ему блюдце и колотый сахар, так он из блюдца примется пить.

— Мне надо получить ответы на вопросы, шеф, — сказал я. — На многие вопросы.

— Получишь, — кивнул Гесер.

— Иные — куда слабее людей в магии.

Гесер поморщился.

— Чушь. Оксюморон.

— Но ведь магическая Сила людей...

Гесер поднял палец и погрозил мне.

— Стоп. Не путай потенциальную энергию с кинетической!

Настала моя очередь замолчать. А Гесер, расхаживая с кружкой по кабинету, неторопливо вещал:

— Первое... Да, все живое способно продуцировать магическую Силу. Все живое — не только люди! Даже звери, даже трава. Имеет ли эта Сила под собой физические основы, можно ли измерить ее научным прибором? Не знаю. Возможно, что это не узнает никто и никогда. Второе... Управлять собственной Силой не может никто. Она рассеивается в пространстве, поглощается Сумраком, частично улавливается синим мхом, а частично — Иными. Понимаешь? Есть два процесса — излучение своей Силы и поглощение чужой Силы. Первый непроизволен и усиливается по мере погружения в Сумрак. Второй, в той или иной мере, тоже свойствен всем — и людям, и Иным. Больной ребенок просит маму — посиди со мной, погладь меня по животику! Мама гладит — и боль проходит. Мать хочет помочь своему дитю, и ее Сила частично оказывает целенаправленное действие. Так называемый экстрасенс, то есть человек с урезанными, кастрированными способностями Иного, способен воздействовать не только на близких людей, не только под воздействием душевного порыва, но и лечить или проклинать других людей. Истекающая из него Сила более оформлена. Уже не пар, но еще и не лед — водица. Третье... Мы — Иные. У нас баланс поглощения и излучения Силы смещен в сторону поглощения.

— Что? — воскликнул я.

— А ты думал — все просто, как у вампиров? — Гесер весело улыбнулся. — Ты думаешь, Иные только берут, не отдавая ничего взамен? Нет, все мы отдаем ту Силу, что продуцируем. Но если у обычного человека процесс поглощения-излучения находится в динамическом равновесии, лишь изредка, вследствие душевного волнения, баланс несколько нарушается, то у нас все иначе. Мы изначально разбалансированы. Мы впитываем из окружающего мира больше, чем отдаем.

— И можем оперировать остатком, — сказал я. — Так?

— Мы оперируем разницей потенциалов. — Гесер опять погрозил мне пальцем. — Не важно, какова твоя «магическая температура»... этот термин использовали раньше ведьмы. Ты можешь генерировать очень много Силы, правда, и скорость ее излучения будет расти в геометрической прогрессии. Есть такие Иные... они отдают в общую копилку Силы даже больше, чем люди, но и впитывают Силу очень активно. На этой разнице потенциалов и работают.

Помолчав, Гесер самокритично добавил:

— Но это редкие случаи, признаю. Куда чаще Иные уступают людям в способности продуцировать магическую Силу, зато равны или превосходят в способности ее поглощать. Антон, не существует таких вещей, как средняя температура по больнице. Мы не банальные вампиры. Мы еще и доноры.

— Почему этому не учат? — спросил я. — Почему?

— Да потому, что в самом банальном понимании — мы все-таки потребляем чужую Силу! — гаркнул Гесер. — Вот ты, зачем приперся в такую рань? Гневные филиппики мне читать! Ах как же так, мы потребляем вырабатываемую людьми Силу! А ведь тебе доводилось отбирать ее напрямую, выкачивать, подобно настоящему вампиру! Надо было — не смутился. Пошел, весь в белом, с печалью на благородном челе! А позади тебя детишки плакали!

Он, конечно, был прав. Частично.

Но я уже достаточно поработал в Дозоре, чтобы понимать: частичная правда — это тоже ложь.

— Учитель... — негромко сказал я, и Гесер вздрогнул.

Я отказался быть его учеником в тот самый день, когда отбирал у людей Силу.

— Слушаю тебя, ученик, — глядя в глаза, ответил он.

— Дело ведь не в том, сколько Силы мы потребляем, а сколько отдаем, — сказал я. — Учитель, цель Ночного Дозора — разделять и защищать?

Гесер кивнул.

— Разделять и защищать до тех пор, пока нравы людей улучшатся и новые Иные будут обращаться только к Свету?

Гесер снова кивнул.

— И все люди обратятся в Иных?

— Чушь. — Гесер покачал головой. — Кто тебе такую ерунду сказал? Хоть в одном документе Дозоров есть такая фраза? В Великом Договоре?

Закрыв глаза, я посмотрел на послушно вспыхнувшие строки.

«Мы — Иные...»

— Нет, таких слов нигде нет, — признался я. — Но все обучение, все наши действия... все выстроено так, что создается именно такое ощущение.

— Это ощущение — ложное.

— Да, но этот самообман поощряется!

Гесер тяжело вздохнул. Посмотрел мне в глаза. Спросил:

— Антон, всем нужен смысл жизни. Высший смысл. И людям, и Иным. Даже если этот смысл — ложный.

— Но это тупик... — прошептал я. — Учитель, это тупик. Если мы победим Темных...

— То мы победим Зло. Эгоизм, себялюбие, равнодушие.

— Но само наше существование — тоже эгоизм и себялюбие!

— Твои предложения? — любезно поинтересовался Гесер.

Я молчал.

— У тебя есть возражения против оперативной работы Дозоров? Против контроля за Темными? Против помощи людям, попыток улучшить социальную систему?

Вот тут я почувствовал почву для реванша.

— Учитель, что именно вы передавали Арине в тридцать первом году? Когда встречались с ней у ипподрома?

— Отрез китайского шелка, — спокойно ответил Гесер. — Женщина все-таки, захотелось ей красивых тряпок... а годы были тяжелые. Мне приятель из Манчжурии прислал, а оно вроде как ни к чему было... Осуждаешь?

Я кивнул.

— Антон, я с самого начала был против глобального эксперимента на людях, — с явным отвращением сказал Гесер. — Дурацкая идея, ее с девятнадцатого века вынашивали. Не зря Темные согласились. Никаких позитивных перемен это не несло. Та же самая кровь, войны, голод, репрессии...

Он замолчал, с грохотом открыл ящик стола. Достал сигару.

— Но Россия сейчас была бы благополучной страной... — начал я.

— Бла-бла-бла... — пробормотал Гесер. — Не Россия, а Евразийский союз. Сытое социал-демократическое государство. Враждующее с Азиатским союзом во главе с Китаем и конфедерацией англоязычных стран во главе со Штатами. Пять-шесть локальных ядерных конфликтов в год... на территории стран третьего мира. Драка за ресурсы, гонка вооружений пострашнее нынешней...

Я был раздавлен и разбит. В пух и прах. Но еще пытался трепыхаться:

— Арина говорила... город на Луне...

— Да, верно, — кивнул Гесер. — Лунные города были бы. Вокруг баз с ядерными ракетами. Ты фантастику читаешь?

Пожав плечами, я покосился на книжку в мусорной корзине.

— То, что писали американские писатели в пятидесятых годах, — это и случилось бы, — пояснил Гесер. — Да, космические корабли на атомной тяге... военные. Понимаешь, Антон, у коммунизма в России было три пути. Первый — развиться в прекрасное, чудесное общество. Но это противно природе человека. Второй — выродиться и сгинуть. Так и случилось. Третий — превратиться в социал-демократию скандинавского типа и подмять под себя большую часть Европы и Северную Африку. Увы, среди последствий этого пути — разделение мира на три противостоящих блока, рано или поздно — глобальная война. Но еще до того люди узнали бы о нашем существовании, истребили или подчинили себе Иных. Прости, Антон, но я решил, что лунные города и сто сортов колбасы к восьмидесятому году того не стоят.

— Зато сейчас Америка...

— Сдалась тебе эта Америка, — поморщился Гесер. — Дождись две тысячи шестого года, тогда поговорим.

Я молчал. Даже не стал спрашивать, что там Гесер видел в грядущем, в уже недалеком две тысячи шестом...

— Твои душевные терзания мне понятны, — потянувшись за зажигалкой, сказал Гесер. — Не слишком цинично будет, если я сейчас закурю?

— Да хоть водку пейте, учитель, — огрызнулся я.

— Водку с утра не пью. — Гесер запыхтел, раскуривая сигару. — Твои терзания... твои... сомнения мне вполне понятны. Я тоже не считаю нынешнюю ситуацию правильной. Но что случится, если мы все впадем в меланхолию и устранимся от работы? Я тебе скажу что! Темные с удовольствием примут на себя роль пастухов человеческого стада! Они смущаться не будут. Они порадуются, что им повезло... Решай.

— Что решать?

— Ты же приехал с намерением подать в отставку! — повысил голос Гесер. — Ну так решай, в Дозоре ты или наши цели для тебя недостаточно светлы.

— При наличии черного цвета серый считается белым, — ответил я.

Гесер фыркнул. Чуть спокойнее спросил:

— Что там с Ариной, ушла?

— Ушла. Взяла Надюшку в заложники и требовала от нас со Светланой помощи.

На лице Гесера не дрогнул ни один мускул.

— У старой карги, Антон, свои принципы. Блефовать она может как угодно, но ребенка — не тронет. Поверь, я ее знаю.

— А если бы у нее нервы сдали? — вспоминая пережитый ужас, спросил я. — Плевать ей на Дозоры с Инквизицией в придачу! Она даже Завулона не боится.

— Завулона — может быть... — усмехнулся Гесер. — Я сообщил о ведьме в Инквизицию, но и с Ариной связался. Совершенно официально, кстати. Все запротоколировано. И насчет твоей семьи ведьма была предупреждена. Особо.

Вот это была новость.

Я смотрел в спокойное лицо Гесера и не знал, что еще сказать.

— У нас с Ариной долгие и уважительные отношения, — пояснил Гесер.

— Как так получается? — спросил я.

— Что именно? — удивился Гесер. — Уважительные отношения? Понимаешь ли...

— Каждый раз, когда я убеждаюсь, что вы гнусный интриган, вы за десять минут доказываете, что я неправ. Мы паразитируем на людях? Оказывается, это для их же блага. Страна в разрухе? Так могло быть и хуже. Моя дочь в опасности? Да нет, в безопасности, словно мальчик Саша Пушкин со старушкой-няней...

Взгляд Гесера смягчился.

— Антон, давным-давно я был тщедушным сопливым мальчишкой... — Он задумчиво смотрел сквозь меня. — Да. Тщедушным и сопливым. И ругаясь со своими наставниками, чьи имена тебе ничего не скажут, я был уверен — они гнусные интриганы. А потом они убеждали меня в обратном. Прошли столетия, и у меня появились свои ученики...

Выпустив клуб дыма, он замолчал. Впрочем, к чему было продолжать?

Столетия? Ха! Тысячи лет — достаточный срок, чтобы научиться парировать любые выпады подчиненных. Да так, что те придут, кипя от возмущения, а уйдут преисполненные любви и уважения к шефу. Опыт — огромная сила. Пострашнее магической.

— Хотел бы я увидеть вас без маски, шеф, — сказал я. Гесер благодушно улыбнулся.

— Скажите мне хотя бы, был ли ваш сын Иным? — спросил я. — Или вы его Иным сделали? Я все понимаю, нельзя раскрывать эту тайну, пусть все считают...

Кулак Гесера с грохотом обрушился на стол. А сам Гесер привстал, перегибаясь через стол.

— Ну сколько ты будешь мусолить эту тему? — рявкнул он. — Да, мы с Ольгой развели Инквизицию, получили право на реморализацию Тимура! Он должен был стать Темным, а меня это не устраивает! Понятно? Хочешь — иди докладывай Инквизиции! Только оставь этот бред!

На миг мне стало страшно. А Гесер вновь принялся вышагивать по кабинету, постоянно выскакивая из тапочек и энергично жестикулируя:

— Невозможно сделать человека Иным! Невозможно! Никак! Хочешь, скажу правду про твою жену и дочь? Ольга вмешалась в судьбу Светланы! Это к ней она применяла вторую половину Мела Судьбы! Но даже Мел Судьбы не был способен превратить твою нерожденную дочь в Иную, если бы она сама не родилась Иной! Мы лишь сделали ее еще сильнее, дали ей абсолютную Силу!

— Знаю, — кивнул я.

— Откуда? — поразился Гесер.

— Арина намекнула.

— Умна, — кивнул Гесер. И тут же вновь повысил голос: — Все! Теперь ты знаешь все, что относится к этой теме! Человек не может стать Иным. Используя самые могучие артефакты, можно, на начальных стадиях или совсем уж загодя, сделать его сильнее или слабее, склонить к Свету или Тьме... В очень небольших пределах, Антон! Если бы мальчик Егор не был изначально нейтрален — мы не стерли бы его инициацию Тьмой. Если бы твоя дочь не должна была родиться Великой Волшебницей, мы не сделали бы ее Величайшей! Чтобы наполнить сосуд Светом или Тьмой, он должен вначале быть, этот сосуд! От нас зависит, что будет налито, но сам сосуд мы сделать не способны! Мелочи, самые мелочи, которыми мы и вынуждены оперировать! А ты полагаешь, будто можно человека превращать в Иного!

— Борис Игнатьевич, — сам не зная почему, я назвал Гесера его русским именем, — извините, если я несу чушь. Но я не могу понять — как же вы раньше не нашли Тимура? Он ваш с Ольгой сын! И вы его не чувствовали? Пусть даже на расстоянии?

И вот тут Гесер неожиданно сник. На его лице появилась какая-то виноватость и растерянность одновременно.

— Антон, я хоть и старый интриган... — Он помолчал. — Неужели ты думаешь, что я позволил бы собственному сыну расти в казенном доме, в бедах и страданиях? Думаешь, мне не хочется немного тепла и ласки? Почувствовать себя человеком? Повозиться с малышом, сходить с мальчишкой на футбол, научить подростка бриться, принять юношу в Дозор? Нет, ну назови хоть одну причину, по которой я позволял сыну жить и стареть вдали от меня? Я плохой отец, бессердечный хрыч? Допустим. Но тогда зачем я решил сделать его Иным? Зачем мне эти проблемы?

— Но почему вы не нашли его раньше? — воскликнул я.

— Да потому что при рождении он был самым обычным ребенком! Ни малейшей потенции Иного!

— Бывает, — неуверенно сказал я.

Гесер кивнул:

— Сомневаешься? Вот и я сомневаюсь... должен был я почувствовать в Тимуре задатки Силы! Но их не было...

Он развел руками, сел. Пробормотал:

— Так что не приписывай мне лишних подвигов. Не умею я из людей творить Иных. — Гесер помолчал и вдруг, с чувством, добавил: — Но ты прав. Почувствовать я его должен был раньше! Ну, в чужом человеке распознать Иного на старости лет — бывает. А в родном сыне? Которого на руках тетешкал, в котором мечтал увидеть Иного? Не знаю. Значит, слишком слабые были задатки... или у меня ум за разум зашел.

— Есть один вариант, — неуверенно сказал я.

Гесер исподлобья посмотрел на меня, пожал плечами:

— Вариантов всегда больше одного. Ты о чем?

— Кто-то умеет превращать людей в Иных. Этот кто-то нашел Тимура и превратил в потенциального Иного. После этого вы его почувствовали...

— Ольга почувствовала, — буркнул Гесер.

— Хорошо, Ольга. И дальше уже вы начали действовать. Думали, что обманываете Инквизицию и Темных. А обманывали вас.

Гесер фыркнул.

— Ну допустите хоть на миг, что человека можно превратить в Иного! — взмолился я.

— И зачем это было сделано? — спросил Гесер. — Я готов поверить во все, вот только покажи мне причины. Подставить нас с Ольгой? Не похоже. Все прошло без сучка без задоринки.

— Не знаю, — признался я. И мстительно добавил, вставая: — Но я бы на вашем месте не расслаблялся, шеф. Вы привыкли, что ваша интрига — всегда самая тонкая. А ведь вариантов всегда больше одного.

— Умник... — поморщился Гесер. — Возвращайся-ка ты к Свете... погоди.

Он сунул руку в карман халата, достал мобильник. Телефон не звонил, а лишь нервно вибрировал.

— Сейчас, минутку... — кивнул мне Гесер. И уже в трубку, совсем другим голосом: — Да!

Я деликатно отошел к шкафам и принялся разглядывать магические финтифлюшки. Ладно, фигурки чудовищ могут служить для вызова монстров. К примеру. А для чего нужна камча? Что-нибудь вроде «плети Шааба»?

— Сейчас будем, — коротко сказал Гесер. Щелкнул сложенный мобильник. — Антон!

Когда я повернулся к Гесеру, он как раз заканчивал переодеваться: проводил руками вдоль тела, и халат с пижамой сминались, меняли цвет и фактуру, превращаясь в строгий серый костюм. Последним взмахом руки Гесер повесил себе на шею галстук. Уже завязанный строгим виндзорским узлом. И все это не было иллюзией — Гесер и впрямь создавал костюм из пижамы.

— Антон, нам придется совершить небольшое путешествие... в домик злой колдуньи.

— Ее поймали? — спросил я, пытаясь разобраться в собственных чувствах. Подошел к Гесеру.

— Нет, хуже. Вчера вечером в ходе обыска в жилище Арины обнаружили тайник. — Гесер взмахнул рукой — и в воздухе открылся портал. Туманно добавил: — Там уже... немало народа собралось. Пошли.

— Что в тайнике? — воскликнул я.

Но рука Гесера уже толкнула меня внутрь светящегося белым овала.

— Сгруппируйся, — донесся вслед последний совет.

Путь сквозь портал занимает какое-то время — секунды, минуты, иногда даже часы. Это зависит не от расстояния, а от точности наводки. Я не знал, кто провешивал портал в домике Арины, не знал и сколько мне висеть в молочно-белой пустоте.

Тайник в доме Арины. Ну и что? Любой Иной создает в квартире тайники для магических предметов.

Что же так напугало Гесера... а я был уверен, что шеф напуган и растерян, слишком уж каменным и спокойным стало его лицо!

Почему-то мне представились какие-то ужасы, к примеру: детские трупы в подполе. Вот и повод для паники Гесера, уверенного, что Арина не тронет Надюшку!

Нет, не может быть...

И с этой мыслью я вывалился из портала — прямо посреди комнатушки.

А здесь и впрямь было людно.

— В сторону! — крикнул Костя и схватил меня за руку. Я едва успел сделать шаг — из портала вышел Гесер.

— Приветствую, Великий, — как-то удивительно вежливо, без привычной язвительности, сказал Завулон.

Я озирался по сторонам. Шестеро незнакомых Инквизиторов — в плащах, в надвинутых на лица капюшонах, все как положено. Эдгар, Завулон и Костя — тоже все ясно. Светлана! Я в страхе посмотрел на нее — но Светлана тут же успокаивающе покачала головой. Значит, с Надей все в порядке...

— Кто ведет расследование? — спросил Гесер.

— Триумвират, — коротко ответил Эдгар. — Я от Инквизиции, Завулон от Темных и... — он посмотрел на Светлану, — и как решите.

— Я, — кивнул Гесер. — Светлана, спасибо. Я признателен.

Объяснений мне не потребовалось. Что бы ни случилось здесь, но Светлана появилась первой из Светлых — и стала действовать от имени Ночного Дозора.

Можно сказать — вернулась на службу.

— Ввести вас в курс дела? — спросил Эдгар.

Гесер кивнул.

— Городецкий? — уточнил Эдгар.

— Со мной.

— Ваше право. — Эдгар кивнул мне. — Итак, у нас тут чрезвычайное происшествие...

Почему он говорит словами?

Я попытался спросить это у Светланы, мысленно потянулся к ней...

И уперся в глухую стену.

Инквизиция заблокировала этот район. Вот почему Гесеру позвонили по телефону, а не связались с ним мысленно. Что бы здесь ни случилось, это требуется сохранить в тайне.

Следующие слова Эдгара подтвердили мою мысль.

— Поскольку случившееся должно быть сохранено в полнейшей тайне, — сказал Эдгар, — я прошу всех присутствующих снять защиту и приготовиться к получению знака Карающего Огня.

Я покосился на Гесера — тот уже расстегивал рубашку. Завулон, Светлана, Костя, даже сам Эдгар — все разоблачались!

Смирившись, я стянул водолазку. Карающий Огонь, значит...

— Мы, присутствующие, клянемся никогда, нигде и никому, за единственным исключением верховного Трибунала Инквизиции, не разглашать того, что откроется нам в ходе расследования этого происшествия, — сказал Эдгар. — Клянусь!

— Клянусь, — сказала Светлана и взяла меня за руку.

— Клянусь, — прошептал я.

— Клянусь, клянусь, клянусь... — раздалось со всех сторон.

— Если же я нарушу эту тайну — пусть меня уничтожит рука Карающего Огня! — закончил Эдгар.

Его пальцы вспыхнули ослепительным красным сиянием. В воздухе будто повис горящий отпечаток пятерни, расслоился и двенадцатью пылающими ладонями поплыл к нам. Очень медленно — и эта неторопливость пугала больше всего.

Первым знак Карающего Огня коснулся самого Эдгара. Лицо Инквизитора скривилось, на коже мимолетно проступило еще несколько таких же багровых отпечатков.

Кажется, это больно...

Гесер и Завулон перенесли прикосновение знака стоически. И если меня не подвели глаза, на их телах эти знаки уже сплелись в густую вязь.

Кто-то из Инквизиторов взвизгнул.

Кажется, это очень больно...

Заклинание коснулось меня, и я понял, что ошибаюсь. Это не очень больно, это невыносимо! Казалось, меня клеймят раскаленным тавром, и не просто клеймят — насквозь прожигают тело!

Когда в глазах развеялась кровавая муть, я с удивлением понял, что устоял на ногах — в отличие от двух Инквизиторов.

— А говорят, рожать больно... — тихо сказала Светлана, застегивая блузку. — Ха...

— Хочу напомнить... если знак сработает — будет гораздо больнее... — пробормотал Эдгар. В глазах у Темного стояли слезы. — Это для общего блага.

— Хватит лирики! — оборвал его Завулон. — Раз уж стал главным, то веди себя адекватно.

Действительно, где же Витезслав?

Все-таки улетел в Прагу?

— Прошу за мной, — все еще морщась, сказал Эдгар. И пошел к стене.

Тайники можно устраивать разными методами. От самого банального — магически замаскированного сейфа в стене — и до окруженного мощными заклинаниями схрона в Сумраке.

Этот тайник был довольно оригинальным. Когда Эдгар вошел в стену — перед ним возникла на миг узкая, вроде бы несоразмерная для человека щель, я сразу вспомнил этот хитрый и сложный метод, смесь магии иллюзий и магии перемещения. Из какого-то ограниченного пространства, к примеру, из комнаты, забирались кусочки пространства — узкие полоски вдоль стен — и магически соединялись в единый «чулан». Штука сложная и довольно опасная, но Эдгар вошел в тайник спокойно.

— Все не влезем, — пробормотал Гесер и покосился на Инквизиторов. — Вы там уже были, как я понимаю? Подождите здесь.

Опасаясь, как бы не остановили и меня, я шагнул вперед — и стена послушно раскрылась передо мной. Защитные заклинания уже были взломаны.

Чуланчик оказался не таким уж и маленьким: три на три метра, не меньше. В нем даже было окно — точно так же «нарезанное» из кусочков других окон. Пейзаж в окне выглядел фантасмагорией: полоска леса, половина дерева, клочок неба, все перемешано в полнейшем беспорядке.

Но в чулане было еще кое-что, заслуживающее куда большего внимания.

Хороший костюм из плотной серой ткани, щегольская рубашка — белая, шелковая, с кружевами у ворота и манжет, изысканный галстук — серебристо-серый с красной искрой, пара великолепных черных кожаных туфель, из которых выглядывали белые носки. Все это лежало на полу посреди чулана. Внутри костюма, уверен, нашлось бы шелковое нижнее белье с вышитыми вручную монограммами.

Впрочем, рыться в одежде Высшего вампира Витеслава не было никакого желания. Ровный серый прах, наполнявший одежду и рассыпанный вокруг, — вот и все, что осталось от инспектора из Европейского Бюро Инквизиции.

Светлана, прошедшая в чулан вслед за мной, только вздохнула и взяла меня за руку. Гесер мрачно крякнул. Завулон вздохнул — казалось даже, что искренне.

Вошедший последним Костя не проронил ни звука. Только стоял как завороженный, глядя на жалкие останки своего соплеменника.

— Как вы понимаете, господа, — негромко сказал Эдгар, — происшедшее чудовищно уже само по себе. Был убит Высший вампир. Убит быстро и без всяких следов борьбы. Полагаю, даже уважаемым Высшим, присутствующим здесь, такое не под силу.

— Присутствующие здесь Высшие не настолько тупы, чтобы нападать на сотрудника Инквизиции, — тяжело проронил Гесер. — Впрочем, если Инквизиция настаивает на проверке...

Эдгар покачал головой:

— Нет. Я позвал вас сюда именно потому, что ни в чем не подозреваю. Прежде чем оповещать Европейское Бюро, мне представляется разумным спросить вашего совета. Все-таки это территория Московских Дозоров.

Завулон присел у останков, зачерпнул немного пепла, растер в руке, понюхал, кажется даже — коснулся языком. Со вздохом поднялся и пробормотал:

— Витезслав... Я не представляю, кто мог его уничтожить. Я бы... — он на миг заколебался, — я бы трижды подумал, прежде чем вступить с ним в схватку. А вы, коллега?

Он посмотрел на Гесера. Гесер не торопился с ответом, разглядывая прах с энтузиазмом юного натуралиста.

— Гесер? — повторил Завулон.

— Да, да... — кивнул Гесер. — Я бы смог. Собственно говоря, нам доводилось... иметь некоторые разногласия. Но вот сделать это так быстро... и так чисто... — Гесер развел руками. — Нет, не смог бы. Увы. Даже в чем-то завидно.

— Печать, — осторожно напомнил я. — Вампирам при временной регистрации ставится печать...

Эдгар посмотрел на меня, будто я сморозил глупость:

— Только не сотрудникам Инквизиции.

— И не Высшим вампирам! — с вызовом добавил Костя. — Печать ставится мелкой шушере, которая не умеет себя контролировать, начинающим вампирам и оборотням.

— На самом деле я давно собираюсь поставить вопрос о снятии этих дискриминационных ограничений, — вставил Завулон. — Печать не должна ставиться вампирам и оборотням, начиная со второго, а лучше — с третьего уровня...

— Давай еще отменим взаимную регистрацию по месту жительства, — насмешливо произнес Гесер.

— Оставьте этот спор! — с неожиданной властностью произнес Эдгар. — Неосведомленность Городецкого — не повод устраивать диспут! К тому же... прекращение существования вампира Витезслава — не самое страшное.

— Что может быть страшнее Иного, который играючи убивает Высших? — спросил Завулон.

— «Фуаран», — просто ответил Эдгар. — Книга «Фуаран», из-за которой его и убили.

Глава 2

Завулон ухмылялся. Было видно, что словам Эдгара он не верит ни на йоту.

А Гесер, похоже, разозлился. Немудрено. Вначале я его доставал «Фуараном», теперь — Инквизитор.

— Уважаемый... европейский инспектор. — После короткой паузы шеф нашел все-таки в меру язвительное обращение. — Я не менее вашего увлекаюсь мифологией. В среде ведьм рассказы о «Фуаран» очень распространены, но мы прекрасно понимаем — это лишь попытка придать больше блеска своей... касте. Точно такие же фольклорные мотивы есть у оборотней, у вампиров, у прочих Иных, волей судьбы играющих подчиненную роль в обществе. Но перед нами реальная проблема, и углубляться в дебри древних суеверий...

Эдгар оборвал его:

— Я понимаю вашу точку зрения, Гесер. Но дело в том, что два часа назад Витезслав связался со мной, позвонив по мобильному телефону. Он проверял вещи Арины и наткнулся на тайник. В общем... Витезслав был очень возбужден. Он сказал, что в тайнике лежит книга «Фуаран». Что она настоящая. Я... должен признать, что я отнесся к этому скептически. Витезслав — натура увлекающаяся.

Гесер скептически покачал головой.

— Я не сразу прибыл сюда, — продолжал Эдгар. — Тем более Витезслав сказал, что вызывает сотрудников Инквизиции из оцепления.

— Он чего-то боялся? — резко спросил Завулон.

— Витезслав? Не думаю, что чего-то конкретного. Но это стандартная процедура при обнаружении артефактов такой силы. Я закончил обход постов и как раз разговаривал с Константином, когда наши сотрудники доложили, что заняли оцепление вокруг дома, но присутствия Витезслава не ощущают. Я велел им зайти в дом. Они сообщили, что в доме тоже никого нет. Тут я... — Эдгар замялся, — несколько растерялся. К чему бы Витезславу таиться от коллег? Я взял Костю, мы как можно быстрее прибыли сюда. Это заняло около сорока минут, мы не хотели идти через Сумрак, потому что от нас могли потребоваться все силы, а качественно провесить портал сотрудники не сумели, здесь слишком много магических артефактов...

— Понятно, — сказал Гесер. — Дальше.

— Оцепление стояло у дома, двое сотрудников дежурили внутри. Вместе с ними мы вошли в тайник и обнаружили останки Витезслава.

— Как долго Витезслав оставался без охраны? — спросил Гесер. Все так же недоверчиво, но уже с ноткой интереса.

— Около часа.

— И еще сорок минут Инквизиторы охраняли его труп. Их шестеро, четвертого и третьего уровня Силы. — Гесер поморщился. — Сильный маг способен был пройти мимо.

— Вряд ли. — Эдгар покачал головой. — Да, у них четвертый-третий уровень, лишь у Романа — второй с натяжкой, но они снабжены *нашими* сторожевыми амулетами. Не прошел бы даже Великий.

— Значит, убийца побывал здесь до их появления?

— Скорее всего, — подтвердил Эдгар.

— Маг, достаточно сильный, чтобы быстро убить Высшего вампира... — Гесер покачал головой. — У меня только одна кандидатура.

— Ведьма, — пробормотал Завулон. — Если у нее и впрямь был «Фуаран», то она могла вернуться за ним.

— Вначале бросила, а потом вернулась? — воскликнула Светлана. Я понял, что она пытается защитить Арину. — Это нелогично!

— Мы с Антоном преследовали ее, — простодушно ответил Эдгар. — Она убегала в панике. Видимо, не бросилась сразу в бега, как мы предполагали, а затаилась поблизости. Ну а когда Витезслав нашел книгу — почувствовала это и запаниковала.

Гесер мрачно посмотрел на нас со Светланой. Но ничего не сказал.

— А может быть, Витезслав погиб сам по себе? — не сдавалась Светлана. — Нашел книгу, попробовал сотворить какое-то заклинание из нее... и погиб. Ведь известны такие случаи!

— Ага, — съязвил Завулон. — Тем временем у книги отросли ножки, и она убежала.

— Не стал бы исключать и такую версию. — Теперь уже Гесер вступился за Светлану. — Могли и отрасти. Могла и убежать.

Наступила тишина, и в этой тишине особенно громко прозвучал смешок Завулона:

— Надо же! Мы верим в «Фуаран»?

— Я верю в то, что кто-то с легкостью убил Высшего вампира, — сказал Гесер. — И этот кто-то не страшится ни Дозоров, ни Инквизиции. Сам факт этого требует быстрого и эффективного расследования. Не находите, коллега?

Завулон неохотно кивнул.

— Если же допустить хоть на миг, что здесь и впрямь был «Фуаран»... — Гесер покачал головой. — Если все слухи об этой книге правдивы...

Завулон снова кивнул.

Оба Великих замерли, глядя друг на друга. То ли просто в гляделки играли, то ли, несмотря на все защиты, ухитрились вести какой-то магический разговор.

Я же подошел к останкам вампира, присел на корточки.

Неприятный тип. Даже для вампира — неприятный.

И все-таки свой.

Иной.

За моей спиной Эдгар бубнил что-то о необходимости подтянуть свежие силы, о том, что поимка Арины теперь стала жизненно необходимой. Не повезло ведьме. Одно дело — нарушение Договора, пусть и масштабное, но давнее. Другое — убийство Инквизитора.

И все факты против нее. Кто еще был настолько силен, чтобы завалить Высшего вампира?

Но я почему-то не верил в вину Арины...

Останки Витезслава почему-то не вызывали ни малейшего отвращения. Видимо, в нем уже совсем не оставалось ничего человеческого, даже от костей не было следа. Серый прах, похожий на пепел от сыроватой сигареты, хранящий форму, но совершенно однородный по структуре. Я коснулся того, в чем смутно угадывался сжатый кулак, — и совсем не удивился, когда пепел рассыпался, освобождая скомканный белый листок.

— Записка, — сказал я.

Наступила гробовая тишина. Поскольку возражений не было, я взял листок, развернул и прочитал. Лишь после этого посмотрел на магов.

Лица у всех были такие напряженные, будто они ожидали услышать: «Витезслав перед смертью написал имя убийцы... это вы!»

— Это не Витезслав писал, — сказал я. — Это почерк Арины, она мне объяснительную писала...

— Читай, — потребовал Эдгар.

— «Господа Инквизиторы! — громко прочел я. — Если вы это читаете, значит — припомнили старое, не успокоились. Предлагаю решить дело миром. Вы получаете книгу, которую искали. Я получаю прощение».

— Искали, значит? — очень спокойно спросил Гесер.

— Инквизиция ищет все артефакты, — спокойно ответил Эдгар. — В том числе и те, которые относятся к разряду мифических.

— Получила бы она прощение? — вдруг спросила Светлана.

Эдгар недовольно посмотрел на нее, но ответил:

— Если бы здесь лежал «Фуаран»? Не я решаю, но, вероятно, да. Если это настоящий «Фуаран».

— Теперь я склонен думать, что он настоящий... — тихо сказал Гесер. — Эдгар, я хотел бы посоветоваться со своими сотрудниками.

Эдгар лишь развел руками. Возможно, ему не слишком-то хотелось оставаться наедине с Завулоном и Костей, но лицо Инквизитора осталось невозмутимым.

Вслед за Гесером мы со Светланой вышли из тайника.

Инквизиторы встретили нас такими подозрительными взглядами, будто подозревали, что мы убили всех Темных. Гесера это не смутило.

— Мы удаляемся на совещание, — небрежно сказал он, направляясь к двери. Инквизиторы переглянулись, но спорить не стали — лишь один направился к тайнику. Но мы уже вышли из домика ведьмы.

Здесь, в гуще леса, казалось, что утро еще и не наступило. Стояла таинственная полутьма, будто в самый ранний рассветный час. Я с удивлением посмотрел вверх — и заметил, что небо действительно неестественно серое, словно сквозь темные очки. Видимо, так проявлялась в нашем мире магическая защита, наложенная Инквизиторами.

— Все рушится... — пробормотал Гесер. — Все неладно...

Его взгляд перебегал с меня на Светлану — и обратно. Будто он не мог решиться, кто из нас ему сейчас нужен.

— Там действительно была «Фуаран»? — спросила Светлана.

— Видимо, да. Видимо, книга существует. — Гесер скривился. — Как неладно... как плохо...

— Придется найти ведьму, — сказала Светлана. — Если хотите...

Гесер покачал головой.

— Нет, не хочу. Арина должна уйти.

— Понимаю. — Я взял Светлану за руку. — Если Арину схватят, то она может признаться, кто был тот Светлый...

— Арина не знает, кто был тот Светлый, — прервал меня Гесер. — Тот Светлый приходил к ней в маске. Она может подозревать, догадываться, может быть убеждена — но ни единого факта у нее нет. Дело в другом...

И тут я все понял.

— «Фуаран»?

Гесер кивнул:

— Да. Поэтому я прошу вас...

Он не закончил — я быстро сказал:

— Мы не знаем, где Арина. Верно, Света?

Светлана нахмурилась, но кивнула.

— Спасибо, — сказал Гесер. — Это первое. Теперь о втором. Книгу «Фуаран» надо найти. Любой ценой. Вероятно, будет сформирован поисковый отряд. Я хочу, чтобы от нас в него вошел Антон.

— Я сильнее, — тихо сказала Светлана.

— Это уже не играет никакой роли. — Гесер покачал головой. — Совершенно никакой. Светлана, ты будешь мне нужна здесь.

— Зачем? — насторожилась Светлана.

Секунду Гесер колебался. А потом сказал:

— Чтобы в случае необходимости инициировать Надю.

— Да ты спятил, — ледяным голосом сказала Светлана. — В ее возрасте и с ее Силой нельзя становиться Иной!

— Может случиться так, что у нас не будет выхода, — пробормотал Гесер. — Светлана, решать тебе. Я лишь прошу, чтобы ты оставалась рядом с ребенком.

— Не сомневайся, — отрезала Светлана. — Глаз с нее не сведу.

— Вот и здорово. — Гесер улыбнулся и шагнул обратно к двери. — Заходите, сейчас начнется наш совет в Филях.

Едва за ним закрылась дверь, как Светлана обернулась ко мне. Требовательно спросила:

— Ты что-либо понимаешь?

Я кивнул:

— Гесер не мог разыскать своего сына. Он действительно был всего лишь человеком! А Иным стал совсем недавно.

— Арина?

— Похоже. Вышла из спячки, осмотрелась. Выяснила, кто и где теперь главный...

— И пользуясь «Фуараном», тайком сделала Гесеру подарочек? Превратила его сына в Иного? — Светлана пожала плечами. — Да не может быть, зачем ей это? Неужели они настолько дружны?

— Как зачем? Теперь Гесер приложит все усилия, чтобы Арину не нашли. Она подстраховалась, понимаешь?

Светлана прищурилась. Кивнула:

— Слушай, а как же Дневной Дозор...

— Откуда мы знаем, что она предприняла в отношении Завулона? — Я пожал плечами. — Почему-то мне кажется, что и Дневной Дозор не проявит излишнего рвения в поисках ведьмы.

— Вот хитрая карга, — беззлобно сказала Светлана. — Зря я недооценивала ведьм. А про Надю ты понял?

Я покачал головой.

Сказанное Гесером и впрямь было полнейшей чушью. Иногда детей-Иных инициировали в возрасте пяти-шести лет, но никак не раньше. Ребенок, получивший способности Иного и не способный толком их контролировать, — это ходячая бомба. Тем более такой сильный Иной, как Надюшка. Даже сам Гесер будет не способен ее остановить, если девочка расшалится и начнет использовать свою Силу.

Нет, слова Гесера просто не укладывались в голове!

— Я ему ноги выдерну и вместо рук вставлю, — совершенно спокойно пообещала Светлана. — Пусть только заикнется еще раз, что Надю надо инициировать. Ну что, пошли?

Взявшись за руки — очень хотелось сейчас быть ближе друг к другу, — мы вернулись в дом.

Инквизиторы, волей случая оказавшиеся приобщенными к тайне, были опять поставлены в оцепление вокруг дома. А наша шестерка сидела за столом.

Гесер пил чай. Заварил он его сам, используя не только заварку, но и травки из обильных ведьмовских запасов. Взял чашку и я. Чай пах мятой и можжевельником, был горьким и пряным, но бодрил. Больше никто чаем не соблазнился — Светлана вежливо попробовала и отставила чашку.

Записка лежала на столе.

— Двадцать два — двадцать три часа назад, — глядя на бумажку, сказал Завулон. — Она написала записку перед вашим визитом, Инквизитор.

Эдгар кивнул. Неохотно добавил:

— Возможно... возможно даже, что во время нашего визита. Нам было трудно ее преследовать в глубине Сумрака, у нее вполне оставалось время собраться и написать записку.

— Тогда у нас нет оснований подозревать ведьму, — проборматал Завулон. — Она оставила книгу, чтобы откупиться. Возвращаться за ней и убивать Инквизитора у Арины не было никаких причин.

— Согласен, — кивнул Гесер, помедлив.

— Поразительное единомыслие Темных и Светлых... — сказал Эдгар. — Вы меня пугаете, господа.

— Не время для разногласий, — ответил Завулон. — Надо найти убийцу и книгу.

Определенно, у него были свои резоны защищать Арину!

— Хорошо. — Эдгар кивнул. — Возвращаемся к началу. Витезслав звонит мне, сообщает про «Фуаран». Разговор никто не слышал.

— Все разговоры по мобильным телефонам прослушиваются и записываются... — вставил я.

— Что ты предполагаешь, Антон? — Эдгар с иронией посмотрел на меня. — Людские спецслужбы ведут разработку против Иных? И услышав про книгу, немедленно отправили сюда агента? И этот агент убил Высшего вампира?

— Антон не так уж и не прав, — встал на мою защиту Гесер. — Вы же знаете, Эдгар, что каждый год нам приходится пресекать человеческие действия, направленные на наше обнаружение. И про спецотделы секретных служб знаете...

— Там есть наши, — возразил Эдгар. — Но даже если предположить, что опять ведутся поиски Иных, что произошла утечка информации, то смерть Витезслава остается загадкой. Никакой Джеймс Бонд к нему незамеченным бы не подкрался.

— Кто такой Джеймс Бонд? — заинтересовался Завулон.

— Это из области мифологии, — усмехнулся Гесер. — Современной мифологии. Господа, давайте не будем тратить время попусту. Ситуация вполне ясна — Витезслава убил Иной. Сильный Иной. И скорее всего тот, кому Инквизитор доверял.

— Никому он не доверял, даже мне, — пробормотал Эдгар. — Подозрительность у вампиров в крови... извините за каламбур.

Никто не улыбнулся. Костя хмуро покосился на Эдгара, но смолчал.

— Предлагаешь всем присутствующим проверить память? — любезно уточнил Гесер.

— А согласитесь? — заинтересовался Эдгар.

— Нет, — отрезал Гесер. — Я ценю работу Инквизиции, но есть же определенные рамки!

— Тогда мы в тупике. — Эдгар развел руками. — Господа, если вы не пойдете на сотрудничество...

Светлана деликатно кашлянула. Спросила:

— Можно мне?

— Да, да, разумеется. — Эдгар любезно кивнул.

— Мне кажется, мы идем не по тому пути, — сказала Светлана. — Вы решили, что надо найти убийцу — тогда найдем и книгу. Все верно, но убийца нам неизвестен. А давайте попробуем найти книгу? И через «Фуаран» выйдем на убийцу.

— И как ты будешь искать книгу, Светлая? — с иронией спросил Завулон. — Позовешь Джеймса Бонда?

Светлана протянула руку и осторожно коснулась записки Арины.

— Вот... как я понимаю, ведьма положила ее на книгу. Или даже заложила между страниц. Какое-то время эти две вещи были рядом, а книга сама по себе вещь магическая и могущественная. Если вызвать подобие... знаете, как начинающих магов учат...

Под взглядами Высших она засмущалась и начала сбиваться. Но и Завулон, и Гесер смотрели на Светлану с одобрением.

— Есть, есть такая магия, — пробормотал Гесер. — Как же, помню... украли однажды коня, осталась у меня только уздечка...

Он замолчал. Покосился на Завулона. И очень дружелюбно предложил:

— Прошу вас, Темный. Создайте подобие!

— Предпочитаю, чтобы это сделали вы, — не менее любезно сказал Завулон. — Не будет лишних подозрений в неискренности.

Что-то было не так! Но что...

— Ну, тогда, как говорится в народе, «доносчику — первый кнут»! — весело отозвался Гесер. — Светлана, твоя идея принята. Работай.

Светлана смущенно посмотрела на Гесера:

— Борис Игнатьевич... простите, это такие простые действия... я давно уже их не совершала. Может быть, попросить кого-то из младших магов?

Вот оно в чем дело... Азы магии, которым учат начинающих Иных, для Великих оказались не под силу. Они растерялись — растерялись, будто академики, которым предложили перемножить числа в столбик и заполнить прописи красивыми ровными палочками!

— Позвольте мне, — сказал я. И, не дожидаясь ответа, протянул руку к записке. Прищурился, чтобы тень от ресниц упала на глаза, посмотрел сквозь Сумрак на серый листок бумаги. Представил себе книгу — толстый томик в переплете из человеческой кожи, дневник проклятой людьми и Иными ведьмы...

Образ начал медленно проявляться. Книга оказалась почти такой, как я ее себе и представил, только уголки переплета были закованы в золотистые металлические треугольники. Видимо, уже более позднее добавление, кто-то из хозяев «Фуарана» позаботился о его сохранности.

— Вот она какая! — с живейшим интересом сказал Гесер. — И впрямь, и впрямь...

Маги привстали, наклонились над столом, разглядывая видимый лишь Иным образ книги. Бумажка слегка подергивалась на столе, будто от сквозняка.

— А открыть ее нельзя? — спросил Костя.

— Нет, это только образ, он не несет в себе внутренней сути вещи... — дружелюбно сказал Гесер. — Давай, Антон. Фиксируй... и придумай какой-нибудь поисковый механизм.

Зафиксировать образ книги мне удалось без труда. А вот придумывать поисковый механизм я был решительно не готов. В конце концов я остановился на гротескном подобии компаса — огромном, размером с тарелку, с крутящейся на оси стрелкой. Один конец стрелки светился ярче — он и должен был указывать на «Фуаран».

— Добавь энергии, — попросил Гесер. — Пусть поработает хотя бы неделю... мало ли.

Я добавил.

И совершенно вымотанный, но довольный, расслабился.

Мы смотрели на повисший в Сумраке «компас». Стрелка указывала прямо на Завулона.

— Это шутка, Городецкий? — поинтересовался Завулон. Поднялся, отошел в сторону.

Стрелка не шелохнулась.

— Хорошо, — довольно произнес Гесер. — Эдгар, пусть все твои сотрудники вернутся.

Эдгар быстро прошел к дверям, позвал — и вернулся к столу.

Один за другим Инквизиторы входили в комнату.

Стрелка не шевелилась. Смотрела в пустоту.

— Что и требовалось доказать, — произнес Эдгар успокоенно. — Никто из присутствующих в краже книги не замешан.

— Подрагивает, — вглядываясь в компас, сказал Завулон. — Стрелочка-то подрагивает. А поскольку ножек мы у книги не заметили...

Он рассмеялся нехорошим, злым смехом. Похлопал Эдгара по плечу, спросил:

— Ну что, старый товарищ? Помощь в задержании тебе нужна?

Эдгар тоже внимательно смотрел на компас. Потом спросил:

— Антон, какова точность прибора?

— Боюсь, невысокая, — признался я. — Все-таки след книги был очень слабый.

— Точность! — повторил Эдгар.

— Метров сто, предположил я. — Может быть, пятьдесят. Как я понимаю, ближе сигнал будет слишком силен, и стрелка начнет беспорядочно крутиться. Извините.

— Не переживай, Антон, ты все сделал правильно, — похвалил меня Гесер. — С такой слабой зацепкой никто не сработал бы лучше. Сто метров — так сто... Расстояние до цели можешь определить?

— Приблизительно, по яркости свечения... Километров сто десять — сто двадцать.

Гесер нахмурился:

— Книга уже в Москве. Теряем время, господа. Эдгар!

Инквизитор опустил руку в карман, достал желтовато-белый костяной шарик. На вид — как обычный шар от американского бильярда, только чуть меньше и по поверхности выгравированы в беспорядке непонятные пиктограммы. Сжав шарик в руках, Эдгар сосредоточился.

Через мгновение я почувствовал, как что-то меняется. Словно бы до того в воздухе висела неуловимая глазом, но ощутимая пелена — а вот сейчас она исчезает, сжимается, всасывается в костяной шарик...

— Не знал, что у Инквизиции еще остались минойские сферы, — сказал Гесер.

— Никаких комментариев. — Эдгар, довольный эфектом, улыбнулся. — Все, барьер снят. Провешивайте портал, Великие!

Разумеется. Прямой портал, без навешенных на «той стороне» ориентиров — это задачка для Высших. Эдгар либо не мог это сделать, либо берег силы...

Гесер покосился на Завулона. Спросил:

— Снова доверите мне?

Завулон молча провел рукой — и в воздухе открылся сочащийся тьмой провал. Завулон шагнул в него первым, за ним, сделав нам знак двигаться следом, Гесер. Я взял драгоценную записку Арины вместе с невидимым магическим компасом — и пошел за Светланой.

Несмотря на разницу внешнего вида, внутри портал выглядел точно так же. Молочный туман, ощущение быстрого движения, полная потеря чувства времени. Я попытался сосредоточиться — сейчас мы окажемся рядом с преступником, убийцей Высшего вампира. Конечно, нас возглавляют Гесер и Завулон; разве что опытом, но не силой уступает им Светлана; Костя пусть и молодой, но все-таки Высший; да еще и Эдгар со своей командой и полными карманами инквизиторских артефактов. И все-таки схватка могла оказаться смертельно опасной.

Но в следующий миг я понял, что схватки не будет.

Во всяком случае, немедленной схватки.

Мы стояли на железнодорожной платформе Казанского вокзала. Рядом с нами никого не было — люди чувствуют, когда поблизости открывается портал, и непроизвольно отходят в сторону. Но вот вокруг царило столпотворение, которое даже в Москве можно застать только летом и на вокзале. Люди шли к электричкам, люди сходили с поездов и волокли багаж, люди покуривали у табло в ожидании, пока объявят их поезд, люди пили пиво и лимонад, ели чудовищные вокзальные пирожки и не менее подозрительную шаурму. Наверное, не меньше двух-трех тысяч человек сейчас находилось в радиусе ста метров.

Я посмотрел на призрачный «компас» — стрелка лениво вращалась.

— Срочно требуется Золушка, — сказал Гесер, озираясь. — Надо найти маковое зернышко в мешке проса.

Один за другим рядом с нами появлялись Инквизиторы. Лицо Эдгара, уже собравшегося и приготовившегося к жестокой схватке, стало растерянным.

— Он пытается скрыться, — сказал Завулон. — Прекрасно, прекрасно...

Но и его лицо особой радости не выражало.

К нашей группе приблизилась какая-то заполошная женщина с полосатыми клеенчатыми сумками на тележке. На потном красном лице была написана решимость, доступная лишь русской женщине, работающей «челноком» и кормящей мужа-охламона и трех-четырех детей.

— Ульяновский не объявляли, нет? — поинтересовалась она.

Светлана на миг закрыла глаза и ответила:

— Подадут на первый путь через шесть минут, отправится с опозданием на три минуты.

— Спасибо. — Ничуть не удивившись точности ответа, женщина двинулась к первой платформе.

— Все это очень мило, Светлана, — пробормотал Гесер. — А какие предложения есть по поводу поиска книги?

Светлана только развела руками.

* * *

Кафе было уютным и чистым настолько, насколько может быть уютно и чисто в привокзальном кафе. Может быть, потому что располагалось оно странно — в подвальном этаже, рядом с камерами хранения. Многочисленные вокзальные бомжи сюда не совались, видимо — были отучены владельцами. Немолодая русская тетка стояла за прилавком, а еду таскали из кухни молчаливые вежливые кавказцы.

Странное место.

Я взял себе и Светлане сухого вина из трехлитрового пакета. На удивление дешевого и еще к большему удивлению — приличного. Вернулся к угловому столику, где мы сидели.

— По-прежнему здесь, — сказала Светлана, кивая на записку Арины. Стрелка в «компасе» лениво вращалась.

— Возможно, книгу спрятали в камере хранения? — предположил я.

Светлана отпила вина, кивнула, то ли соглашаясь с догадкой, то ли примиряясь с краснодарским «Мерло».

— Тебя что-то смущает? — осторожно спросил я.

— Почему вокзал? — вопросом ответила Светлана.

— Уехать. Скрыться. Похититель должен был догадываться о погоне.

— Аэропорт. Самолет. Любой, — отпивая маленькими глотками вино, лаконично ответила Светлана.

Я развел руками.

Это и впрямь было странным. Иной-предатель, кем бы он ни был, захватив «Фуаран», мог либо попытаться затаиться, либо броситься в бега. Он выбрал второй вариант. Но почему поезд? В двадцать первом веке — поезд как средство бегства?

— Вдруг он боится летать? — предположила Светлана.

Я только фыркнул. Конечно, при авиакатастрофе даже у Иного немного шансов выжить. Но просмотреть линии вероятности на три-четыре часа вперед, выяснить, не грозит ли самолету катастрофа, способен даже самый слабенький Иной.

А убийца Витезслава слабым не был.

— Ему нужно туда, куда не летают самолеты, — предположил я.

— По крайней мере можно улететь из Москвы, подальше от погони.

— Нет, — с удовольствием поправил я Светлану. — Это ничего не даст. Мы бы определили примерно его местонахождение, поняли, на каком самолете улетел похититель, допросили бы пассажиров, сняли данные с камер наблюдения в аэропорту — и выяснили его личность. Потом Гесер или Завулон открыли бы портал... да куда бы он ни делся, туда бы и открыли. И все вернулось бы к нынешней ситуации. Вот только мы бы знали врага в лицо.

Светлана кивнула. Посмотрела на часы, покачала головой. На миг прикрыла глаза, успокоенно улыбнулась.

Значит, с Надюшкой все в порядке.

— Зачем ему вообще убегать... — задумчиво сказала Светлана. — Вряд ли совершение ритуала, описанного в «Фуаране», требует много времени. Ведь колдунья превратила в Иных большое количество слуг, когда ее атаковали. Убийце куда проще было воспользоваться книгой, стать Великим... самым Великим. А дальше либо вступить с нами в схватку, либо уничтожить «Фуаран» и затаиться. Если он станет сильнее нас, мы его просто не сможем разоблачить.

— Может быть, он и стал сильнее, — заметил я. — Раз уж Гесер повел речь об инициации Нади...

Светлана кивнула:

— Невеселая перспектива. Вдруг «Фуараном» воспользовался сам Эдгар? А теперь ломает комедию, изображает поиски. С Витезславом у него были сложные отношения, он сам себе на уме... захотел стать сильнейшим в мире Иным...

— Но тогда зачем ему книга? — воскликнул я. — Оставил бы ее на месте, и все! Мы бы даже не поняли, что Витезслав был убит. Списали бы все на защитные заклинания, которые вампир не заметил.

— А это мысль, — согласилась Светлана. — Нет, убийце нужна была не Сила. Или — не только Сила. Ему еще нужна и книга.

Я вдруг вспомнил Семена. Кивнул:

— Есть кто-то, кого убийца хочет сделать Иным! Он понимал, что воспользоваться книгой ему не дадут. Поэтому убил Витезслава... сейчас не важно, как именно. Провел ритуал и стал очень сильным Иным. Спрятал книгу... где-то здесь, на вокзале. И теперь надеется ее вывезти.

Светлана протянула мне руку, и мы обменялись над столом торжественным рукопожатием.

— Вот только как вывезти? — уточнила Светлана. — Здесь и сейчас два самых сильных мага Москвы...

— Три, — поправил я.

Светлана поморщилась и сказала:

— Тогда уж четыре. Костя все-таки Высший...

— Сопляк он, хоть и высший... — пробормотал я. Как-то в голове у меня не укладывалось, что парень за несколько лет убил десяток человек.

А еще противнее было то, что это мы давали лицензии...

Светлана поняла, о чем я думаю. Погладила меня по ладони. Тихо сказала:

— Не переживай. Он не мог пойти против своей природы. Что ты мог сделать? Разве что убить его...

Я кивнул.

Естественно, не мог.

Но не хотел в этом признаться даже себе.

Мягко открылась дверь — и в кафе вошли Гесер, Завулон, Эдгар, Костя... и Ольга. Судя по тому, что они что-то оживленно обсуждали все вместе, Ольга уже была в курсе дела.

— Эдгар согласился привлечь резервы... — тихо сказала Светлана. — Плохо дело.

Маги подошли к нашему столику, я заметил, как их взгляды быстро скользнули по «компасу». Костя прошел к стойке и заказал бокал красного вина. Буфетчица заулыбалась — то ли он пустил в ход чуточку вампирского обаяния, то ли просто понравился. Эх, тетенька... не улыбайся этому юноше, вызывающему у тебя не то материнские, не то вполне женские чувства. Этот юноша умеет целовать так, что на твоем лице навсегда застынет улыбка...

— Костя с Инквизиторами обшарил все камеры хранения, — сказал Гесер. — Пусто.

— А мы прочесали весь вокзал, — добродушно усмехнулся Завулон. — Шестеро Иных, явно непричастных.

— И неинициированная девочка... — с ответной улыбкой добавила Ольга. — Да, да, я заметила. Ею займутся.

Завулон улыбнулся еще шире — это был целый сеанс обмена улыбочками.

— Извини, Великая. Ею *уже* занимаются.

В обычной ситуации разговор бы на этом только начался.

— Хватит, Великие! — рявкнул Эдгар. — Речь не об одной потенциальной Иной. Речь о нашем существовании!

— И то верно! — согласился Завулон. — Не поможете, Борис Игнатьевич?

Вместе с Гесером они придвинули к нашему столику еще один. Костя молча притащил стулья — и вот уже вся компания уселась рядом. Обычное дело — едут люди на отдых или в командировку, коротают время в вокзальном кафе...

— Либо его здесь нет, либо он способен маскироваться даже от вас, — сказала Светлана. — В любом случае я бы просила разрешения удалиться. Потребуюсь — позовете.

— С твоей дочкой все в порядке, — проскрипел Завулон. — Слово даю.

— Ты можешь нам понадобиться, — поддержал его Гесер.

Светлана вздохнула.

— Гесер, в самом деле, отпусти Светлану, — попросил я. — Ты же понимаешь — Сила нам сейчас не нужна.

— А что нужно? — полюбопытствовал Гесер.

— Хитрость и терпение. Первого вам с Завулоном не занимать. А второго вы никогда не дождетесь от взволнованной матери.

Гесер покачал головой. Покосился на Ольгу — та едва уловимо кивнула.

— Езжай к дочке, Света, — сказал Гесер. — Ты права. Понадобишься — я позову и провешу портал.

— Я ушла, — сказала Светлана. На миг наклонилась ко мне, коснулась щеки губами — и растаяла в воздухе. Портал был таким крошечным, что я его даже не заметил.

А люди в кафе не заметили даже исчезновения Светланы. Мы были для них незримы, они не хотели нас видеть.

— Сильна, — сказал Завулон. Протянул руку к Косте, забрал у него недопитый бокал, сделал глоток. — Ну, тебе виднее, Гесер... Что дальше, господин Инквизитор?

— Ждем, — коротко ответил Эдгар. — Он придет за книгой.

— Или она, — поправил его Завулон. — Или она...

Мы не стали организовывать оперативный штаб. Так и сидели в кафе, что-то ели, что-то пили. Костя заказал мясо по-татарски — буфетчица удивилась было, но тут же убежала на кухню. Через минуту оттуда выскочил молодой парень и бросился куда-то за мясом.

Гесер заказал котлету по-киевски. Остальные обошлись вином, пивом и всякой мелкой закуской вроде сушеных кальмаров и фисташек.

Я сидел, смотрел, как Костя лопает почти сырое мясо, и размышлял над поведением неведомого преступника. «Ищите мотив!» — как завещал нам Шерлок Холмс. Найдем мотив — найдем и преступника. Его цель не в том, чтобы стать самым сильным Иным, — он уже им стал или может стать в любую минуту. Но что тогда? Шантаж? Глупо. Диктовать свою волю всем Дозорам и Инквизиции он не сможет, повторит судьбу Фуаран... Возможно, преступник хочет создать свою, альтернативную организацию Иных? Была же разгромлена этой весной в Питере организация «диких Темных»... разгромлена с огромным трудом. Дурной пример заразителен, кто-то мог соблазниться. И самое ужасное, что соблазниться мог даже Светлый. Создать новый Ночной Дозор. Супердозор. Уничтожить Темных вчистую, сломив Инквизицию и переманив на свою сторону часть Светлых...

Плохо. Очень плохо, если оно так. Темные не сдадутся без боя. В современном мире, напичканном оружием массового уничтожения, химическими заводами, атомными электростанциями, их удар может уничтожить весь мир. Упущено время, когда силовой вариант мог привести к победе. А может быть, и не было его никогда, этого времени...

— Стрелка, — сказал Эдгар. — Смотрите!

Мой «компас» прекратил изображать из себя вентилятор. Стрелка замедляла вращение. Стрелка застыла, задрожала — и медленно повернулась, указывая направление.

— Йес! — воскликнул Костя, привставая. — Получилось!

И на какую-то долю секунды я увидел в нем мальчишку-вампира, еще не пробовавшего человеческой крови и уверенного — за Силу никогда и ничем не придется платить...

— Двигаемся, господа. — Эдгар вскочил. Посмотрел на стрелку, потом проследив направление, уставился на стену. И уверенно сказал: — К поездам!

Глава 3

О бычное вокзальное зрелище — мечется по перронам горстка людей, пытаясь разобраться, откуда же отходит — если уже не отошел — их поезд. Почему-то чаще всего в роли таких вот опаздывающих выступают либо женщины-челноки, груженные полосатыми клеенчатыми сумками-китайками, либо, напротив, люди интеллигентные, обремененные лишь «дипломатами» от «Самсонайт» и кожаными барсетками.

Мы относились к какому-то экзотическому подвиду второй категории — багажом не располагали вовсе, а вид имели большей частью странный, но внушающий уважение.

На перроне стрелка вновь начала вращаться — мы приблизились к книге.

— Пытается уехать, — торжественно провозгласил Завулон. — Так... сейчас выясним, какие поезда отходят...

Взгляд Темного затуманился — он предвидел будущее, прозревая, какой поезд первым отойдет от перрона.

Я посмотрел на информационное табло, висящее за нашей спиной. И сказал:

— Сейчас отойдет Москва — Алматы. Через пять минут, со второго пути.

Завулон вернулся из своих провидческих странствий и сообщил:

— Поезд в Казахстан со второго пути. Через пять минут.

Вид у него был очень довольный.

Костя едва слышно фыркнул.

Гесер демонстративно посмотрел на табло, кивнул:

— Да, ты прав, Завулон... А следующий только через полчаса.

— Останавливаем поезд, прочесываем вагоны, — быстро предложил Эдгар. — Так?

— Твои гаврики сумеют найти Иного? — спросил Гесер. — Если он маскируется? Если он — маг вне категорий?

Эдгар сдулся на глазах. Замотал головой.

— То-то и оно, — кивнул Гесер. — Книга была на вокзале. Он был на вокзале. Мы не смогли обнаружить ни «Фуаран», ни преступника. С чего ты решил, что в поезде будет легче это сделать?

— Если он в поезде, то проще всего уничтожить поезд, — сказал Завулон. — И все проблемы.

Наступила тишина.

Гесер покачал головой.

— Понимаю, неприятное решение, — согласился Завулон. — И мне оно не нравится. Зря переводить тысячу жизней... Но какой у нас выбор?

— Что ты предлагаешь, Великий? — спросил Эдгар.

— Если, — Завулон выделил это слово интонацией, — книга «Фуаран» и впрямь в поезде, то мы должны дождаться момента, когда состав окажется в безлюдной местности. Казахские степи вполне годятся. А далее... согласно тем планам, которые имеются у Инквизиции для подобных случаев.

Эдгар нервно повел головой — и у него, как всегда при волнении, прорезался легкий прибалтийский акцент.

— Это не хорошее решение, Великий. И я не могу принять его один, нужны санкции Трибунала.

Завулон пожал плечами, всем своим видом демонстрируя — его дело предложить.

— В любом случае надо убедиться, что книга в поезде, — сказал Гесер. — Я предлагаю... — Он посмотрел на меня, едва заметно кивнул. — Предлагаю Антону — от Ночного Дозора, Константину — от Дневного и кому-либо из Инквизиции сесть в поезд. Провести проверку. Большой группы здесь не требуется. А мы... мы прибудем утром. И решим, что делать дальше.

— Езжай, Костя, — ласково сказал Завулон и похлопал молодого вампира по плечу. — Гесер дело говорит. Хорошая компания, дальняя дорога, интересное дело — тебе понравится.

Насмешливый взгляд в мою сторону был почти незаметен.

— Это... дает нам время, — согласился Эдгар. — Я поеду сам. И своих возьму с собой. Всех.

— Осталась минута, — негромко сказала Ольга. — Если решили — то вперед.

Эдгар махнул рукой своей бригаде, и мы побежали к поезду. У первого же вагона Эдгар что-то сказал проводнику — молодому усатому казаху. Лицо у того обмякло, стало сонным и одновременно — радостным, он посторонился, уступая нам проход. Мы ввалились в тамбур. Я выглянул — Завулон, Гесер и Ольга стояли на перроне, глядя нам вслед. Ольга что-то негромко говорила.

— В сложившейся ситуации я буду осуществлять общее руководство, — заявил Эдгар. — Возражений нет?

Я покосился на шестерых Инквизиторов, стоявших за его спиной, и промолчал. А вот Костя не удержался:

— Смотря какие будут приказы. Я подчиняюсь только Дневному Дозору.

— Повторяю — операцией руковожу я, — холодно сказал Эдгар. — Если не согласны, то попрошу убраться вон.

Костя колебался лишь секунду — потом склонил голову:

— Простите, Инквизитор. Я неудачно пошутил. Разумеется, руководите вы. Но в случае необходимости я свяжусь со своим начальством.

— Вначале будешь прыгать, потом спрашивать разрешения. — Эдгар все-таки решил расставить точки над i.

— Хорошо, — кивнул Костя. — Простите, Инквизитор.

На этом намечавшийся было бунт полностью угас. Эдгар кивнул, высунулся из тамбура и подозвал проводника.

— Когда отправляемся?

— Сейчас! — глядя на Инквизитора с восторгом преданного пса, ответил проводник. — Сейчас, надо заходить!

— Так заходи. — Эдгар посторонился.

Проводник все с тем же выражением радостной покорности вошел в тамбур. Поезд немедленно тронулся. Проводник, пошатываясь, стоял у открытой двери.

— Как зовут? — спросил Эдгар.

— Асхат. Асхат Курмангалиев.

— Закрой дверь. Работай, как положено по инструкции. — Эдгар поморщился. — Мы — твои лучшие друзья. Мы — твои гости. Тебе надо устроить нам места в поезде. Понял?

Клацнула дверь, проводник запер ее на ключ, вновь вытянулся перед Эдгаром:

— Понял. Надо к начальнику поезда. У меня мало мест. Четыре места свободных.

— Пошли к начальнику, — согласился Эдгар. — Антон, что с компасом?

Я поднял записку, посмотрел на сумеречный «компас».

Стрелка лениво вращалась.

— Похоже, книга в поезде.

— Еще выждем для верности, — решил Эдгар.

Мы отъехали от вокзала на добрый километр, но стрелка продолжала вращаться. Похититель, кем бы он ни был, ехал вместе с нами.

— В поезде он, сволочь, — решил Эдгар. — Ждите меня здесь. Я схожу к начальнику поезда, нам надо где-то устроиться.

Вместе с довольно улыбающимся проводником они вышли в коридор. Второй проводник, увидев напарника, что-то быстро произнес по-казахски, возмущенно размахивая руками, — но поймал взгляд Эдгара и замолчал.

— Уж проще повесить на грудь табличку «Мы — Иные», — сказал Костя. — Что он делает? Если в поезде и впрямь Высший Иной — он почувствует магию...

Костя был прав. Куда лучше было обойтись деньгами — их магия для людей не менее действенна. Но Эдгар, наверное, слишком нервничал...

— А ты — чувствуешь магию? — внезапно спросил один из младших Инквизиторов.

Костя растерянно повернулся к нему. Покачал головой.

— И никто не почувствует. У Эдгара — амулет подчинения. Он работает только вблизи.

— Инквизиторские штучки... — пробормотал Костя, явно уязвленный. — Все равно лучше не высовываться. Верно, Антон?

Я неохотно кивнул.

Эдгар вернулся минут через двадцать. Как он разбирался с начальником поезда — дал денег или, скорее, вновь воспользовался таинственным «амулетом подчинения», — я спрашивать не стал. Лицо Эдгара было довольным, умиротворенным.

— Разделимся на две группы. — Он сразу же начал командовать. — Вы, — кивок в сторону Инквизиторов, — остаетесь в этом вагоне. Займете купе проводников и первое купе, это как раз шесть мест. Асхат вас разместит... и вообще обращайтесь к нему за услугами, не стесняйтесь. Активных действий не предпринимать, в детективов-любителей не играть. Ведите себя как... как люди. Докладывать ситуацию мне лично каждые три часа... или по необходимости. Мы будем в седьмом вагоне.

Инквизиторы молча потянулись из тамбура вслед за улыбающимся проводником. Эдгар повернулся к нам с Костей. Сообщил:

— Мы займем четвертое купе в седьмом вагоне. Будем считать, что это наша временная база. Пошли.

— Появился какой-то план, шеф? — не то с иронией, не то искренне поинтересовался Костя.

Эдгар секунду смотрел на него — видимо, тоже размышлял, чего больше в вопросе — интереса или подначки, на которую не стоит отвечать. И все-таки ответил:

— Если у меня есть план, вы его узнаете. В свое время. А пока я хочу выпить кофе и поспать два-три часа. Именно в такой последовательности.

Мы с Костей двинулись за Эдгаром. Вампир ухмыльнулся. Я невольно подмигнул в ответ. Подчиненное положение все-таки сплачивало нас... несмотря на все, что я думал о Косте.

Вагон, где едет начальник поезда, — самое козырное место во всем составе. Здесь всегда работают кондиционеры. В титане всегда есть кипяток, а у проводника — заварка. Наконец, здесь чисто — даже в азиатских поездах, а белье выдают в запечатанных пакетах — оно действительно выстирано после предыдущего рейса. Работают оба туалета, и в них можно смело входить без резиновых сапог.

Ну и в довершение нехитрого пассажирского счастья — с одной стороны от штабного вагона прицеплен вагон-ресторан. С другой — спальный вагон, если таковой вообще имеется в составе.

В поезде Москва — Алматы спальный вагон имелся. Мы прошли через него, с любопытством поглядывая на пассажиров. В основном это были важные, упитанные казахи, почти все — с портфелями, с которыми они не расставались даже в проходах. Некоторые уже пили чай из цветастых пиал, другие раскладывали на столах мясные нарезки, расставляли бутылки и ломали на части вареных кур. Но большинство все-таки пока стояли в коридорах, глядя на проплывающие мимо московские пригороды.

Интересно, что они испытывают, граждане независимой ныне страны, глядя на свою бывшую столицу? Неужели и впрямь — удовлетворение от независимости? Или все-таки ностальгию?

Не знаю. Не спросишь, а и спросишь — не факт, что ответят честно. А врываться в сознание, заставлять говорить искренне — это не наш метод.

Пусть уж лучше радуются и гордятся — своей независимостью, своей государственностью, своей коррупцией. Раз уж в Санкт-Петербурге недавно радовались трехсотлетнему юбилею и говорили: «Пусть хоть все разворуют, зато наши разворуют, а не московские» — так почему бы казахам и узбекам, украинцам и таджикам не испытывать те же чувства? Если внутри единой страны идет размежевание по республикам и городам, то какие могут быть претензии к соседям по бывшей коммунальной квартире? Отделились комнатенки с окнами на Балтийское море, отделились гордые грузины и кыргызы со своим единственным в мире высокогорным военно-морским флотом, все радостно отделились. Осталась только большая кухня — Россия, где когда-то варились в одном имперском котле народы. Ну и ладно. Ну и пускай. А у нас в квартире — газ! А у вас?

Пусть радуются. Пусть всем будет хорошо. И осчастливленным к юбилею питерцам — один юбилей, как известно, целый век кормит. И впервые создавшим свои государства казахам и кыргызам... впрочем, они, конечно, привели бы массу доказательств своей древней государственности. И братьям-славянам, которых так угнетало существование старшего брата. И нам, русским, так азартно презирающим — Москву из провинции, провинцию — из Москвы.

На какой-то миг, совершенно неожиданно для себя, я почувствовал отвращение. Нет, не к этим пассажирам-казахам и не к согражданам-россиянам. К людям. Ко всем людям в мире. Чем мы, Ночной Дозор, занимаемся? Разделять и защищать? Чушь! Ни один Темный, ни один Дневной Дозор не приносит людям столько зла, сколько они сами себе доставляют. Чего стоит голодный вампир по сравнению с абсолютно обычным маньяком, насилующим и убивающим девочек в лифтах? Чего стоит бесчувственная ведьма, насылающая за деньги порчу, по сравнению с гуманным президентом, посылающим ради нефти высокоточные ракеты?

Чума на оба ваши дома...

Я приостановился в тамбуре, пропуская вперед Костю. Замер, уставясь в заплеванный пол, где уже образовался первый десяток вонючих окурков.

Что со мной?

Мои ли это мысли?

Нет, не надо притворяться. Мои, не чужие. Никто мне в голову не забрался, даже Высший Иной не смог бы это сделать незамеченным.

Это я — такой, какой есть.

Бывший человек.

Очень усталый, во всем на свете разочаровавшийся Светлый Иной.

Так и уходят в Инквизицию. Когда перестаешь различать разницу между Светлыми и Темными. Когда люди становятся для тебя даже не стадом баранов, а горстью пауков в банке. Когда перестаешь верить в лучшее, а все, что хочешь, — это сохранить статус-кво. Для себя. Для тех немногих, кто тебе еще дорог.

— Не хочу, — сказал я, будто заговор произносил, будто выставлял незримый щит против врага — против самого себя. — Не хочу! В тебе... нет власти... надо мной... Антон Городецкий!

За две двери и четыре толстых стекла Костя обернулся и недоуменно посмотрел на меня. Услышал? Или просто недоумевает, чего я остановился?

Натужно улыбнувшись, я открыл дверь и вошел в грохочущую гармошку перехода между вагонами.

* * *

Штабной вагон и впрямь оказался блатным местом. Чистенькие коврики на полу; дорожка в коридоре; белые занавески на окнах; мягкие матрасы, не напоминающие тюфяк негра Джима, набитый кукурузными початками.

— Кто спит внизу, кто вверху? — деловито осведомился Эдгар.

— Мне все равно, — ответил Костя.

— Я бы предпочел сверху, — сказал я.

— Я тоже, — кивнул Эдгар. — Договорились.

В дверь вежливо постучали.

— Да! — Инквизитор даже не повернул головы.

Это был начальник поезда — с подносом, на котором был и никелированный чайник с кипятком, и чайник с заваркой, и чашки, и какие-то печеньки-вафельки, и даже коробочка сливок. Серьезный мужчина — здоровенный, с роскошными усами, форма сидит как с иголочки.

А лицо — дурное-дурное, будто у новорожденного щенка.

— Пейте на здоровье, гости дорогие!

Все понятно. Тоже под воздействием амулета. Все-таки то, что Эдгар — Темный, накладывало отпечаток на его методы.

— Спасибо. Уведомляй нас о всех, кто сел в Москве, но сходит по дороге, любезнейший, — принимая поднос, сказал Эдгар. — Особенно о тех, кто сходит не на своей станции, а раньше.

— Будет исполнено, ваше благородие! — кивнул начальник поезда.

Костя хихикнул.

Я дождался, пока бедолага вышел, и спросил:

— А почему «ваше благородие»?

— Откуда я знаю? — пожал плечами Эдгар. — Амулет настраивает людей на подчинение. А уж кого они при этом во мне видят: строго ревизора, любимого дедушку, уважаемого артиста или генералиссимуса Сталина, — это их проблема. Этот, видать, Акунина начитался. Или старых фильмов насмотрелся.

Костя снова фыркнул.

— Ничего веселого в этом нет, — разозлился Эдгар. — И ничего ужасного — тоже. Максимально щадящий для людской психики метод. Половина историй о том, как кто-то Якубовича в машине подвозил или Горбачева без очереди пропустил, — следствие таких вот внушений.

— Да я не о том смеюсь, — объяснил Костя. — Представил вас в форме белогвардейского офицера... шеф. Внушаете уважение.

— Смейся, смейся... — наливая себе кофе, сказал Эдгар. — Как там компас?

Я молча положил записку на стол. Сумеречный образ завис в воздухе — круглая чаша компаса, лениво крутящаяся стрелка.

Налив себе чая, я сделал глоток. Чай был вкусным. От души заварен, как и положено для «высокоблагородия».

— В поезде, паршивец... — вздохнул Эдгар. — Господа, я не скрываю от вас альтернативы. Либо мы берем преступника, либо поезд будет уничтожен. Вместе со всеми пассажирами.

— Каким образом? — деловито спросил Костя.

— Есть варианты. Взрыв газопровода рядом с составом, случайный пуск боевой ракеты с истребителя... в крайнем случае — ракета будет с ядерной боеголовкой.

— Эдгар! — Мне очень хотелось поверить, что он сгущает краски. — Здесь минимум полтысячи пассажиров!

— Чуть больше, — поправил Инквизитор.

— Этого нельзя делать!

— Нельзя упустить книгу. Нельзя допустить, чтобы беспринципный Иной сотворил себе гвардию и принялся перекраивать мир на свой вкус.

— Но мы же не знаем, чего он хочет!

— Мы знаем, что он не колеблясь убил Инквизитора. Мы знаем, что он очень силен и преследует какую-то неизвестную нам цель. Что он забыл в Средней Азии, Городецкий?

Я пожал плечами.

— Там есть ряд древних центров силы... — пробормотал Эдгар. — Какое-то количество бесследно пропавших артефактов, некоторое количество плохо контролируемых территорий... А что еще?

— Миллиард китайцев, — внезапно сказал Костя.

Темные уставились друг на друга.

— Да ты совсем с ума сошел... — неуверенно произнес Эдгар.

— Миллиард с лишком, — насмешливо уточнил Костя. — Что, если он собирается через Казахстан рвануть в Китай? Вот это будет армия! Миллиард Иных! А еще есть Индия...

— Иди ты в пень, — отмахнулся Эдгар. — Даже идиот на такое не решится. Откуда Силу будем брать, когда треть населения превратится в Иных?

— А вдруг он — идиот? — не унимался Костя.

— Вот потому мы и пойдем на крайние меры, — отрезал Эдгар.

Они говорили всерьез. Без малейших сомнений — можно ли убивать этих зачарованных проводников, толстощеких командировочных, ехавшую в плацкартах бедноту. Надо — значит надо. Фермеры, уничтожающие заболевший ящуром скот, тоже переживают.

Пить чай как-то расхотелось. Я встал, вышел из купе. Эдгар проводил меня понимающим, но ничуть не сочувственным взглядом.

Вагон уже затихал, готовился ко сну. Некоторые двери в купе еще были открыты, кто-то маялся в тамбуре, ожидая, пока освободится туалет, откуда-то доносилось звяканье стаканов, но большинство пассажиров были слишком утомлены Москвой.

Я вяло подумал, что по всем канонам мелодрамы по коридору сейчас должны носиться ангелоподобные детишки с невинными личиками. Чтобы я полностью проникся чудовищностью предложенного Эдгаром плана...

Детишек не было. Вместо них из одного купе высунулся толстый мужик в линялом трико и обвисшей майке. Красная, распаренная морда уже оплыла от принятого спиртного. Мужик вяло посмотрел сквозь меня, икнул — и спрятался обратно.

Руки сами полезли за плеером. Я воткнул пуговки динамиков в уши, вставил наугад диск и прижался к стеклу. Ничего не вижу, ничего не слышу. И уж ясное дело — ничего не скажу.

Раздалась негромкая лиричная мелодия, и тонкий голос запел:

> Ты не успеешь ринуться в кусты,
> Когда тебя уложат из обреза.
> На свете нет прекрасней красоты
> Чем абстиненция морфинного генеза...

Да это же Лас, мой знакомец из «Ассоли». Тот диск, что он дал в подарок. Усмехнувшись, я сделал звук погромче. Вот это то, что мне сейчас нужно...

В астрал вернутся детские черты,
Из нашей крови выплавят железо,
На свете нет прекрасней красоты
Чем абстиненция морфинного генеза...

Тьфу ты, пропасть... Вот ведь панк из панков. Это даже не Шнур с его развеселыми матюками...

Чья-то рука похлопала меня по плечу.

— Эдгар, каждый расслабляется по-своему, — пробормотал я.

Меня легонько пихнули под ребра.

Я обернулся.

И остолбенел.

Передо мной стоял Лас. И довольно лыбился, приплясывая в такт музыке — все-таки я сделал звук слишком громким.

— Приятно, ё-моё! — с энтузиазмом воскликнул он, едва я стянул наушники. — Вот так идешь по вагону, никого не трогаешь, а тут твои песни слушают! Ты что здесь делаешь-то, Антон?

— Еду... — только и смог я выдавить, выключая плеер.

— Правда? — восхитился Лас. — Никогда бы не подумал! А куда едешь?

— В Алма-Ату.

— Надо говорить «в Алматы»! — наставительно сказал Лас. — Хорошо, продолжаем разговор. Чего не на самолете?

— А ты чего? — Я наконец-то сообразил, что происходящее напоминает мой допрос.

— А я — аэрофоб, — с гордостью сказал Лас. — Нет, если очень надо, то литр виски помогает поверить в аэродинамику. Но это на крайний случай, в Японию там или в Штаты... туда поезда не ходят.

— По делам едешь?

— Отдыхать, — осклабился Лас. — Ну не в Турцию же ехать и не на Канары, верно? А ты по делам?

— Ага, — кивнул я. — Собираюсь начать торговать в Москве кумысом и шубатом.

— Что такое шубат? — заинтересовался Лас.

— Ну... кефир из верблюжьего молока.

— Клево, — согласился Лас. — Ты один?

— С друзьями.

— Пошли ко мне? Купе пустое. Шубата у меня нет, а кумыс найдется.

Ловушка?

Я посмотрел на Ласа сквозь Сумрак. Так пристально, как только мог.

Ни малейших признаков Иного.

Либо человек... либо Иной невообразимой силы. Способный маскироваться на всех уровнях Сумрака.

Неужели повезло? Неужели вот он, передо мной, таинственный похититель «Фуарана»?

— Сейчас, я чего-нибудь прихвачу, — улыбнулся я.

— Да у меня все есть! — запротестовал Лас. — Ты давай друзей своих прихватывай. Я в соседнем вагоне, второе купе.

— Они уже спать легли, — неуклюже соврал я. — Сейчас, минутку...

Хорошо, что Лас стоял сбоку и не мог видеть, кто находится в купе. Я чуть-чуть приоткрыл дверь и юркнул в купе — наверняка создав у Ласа ощущение, что за дверью скрывается полуодетая девица.

— Что случилось? — Эдгар пристально посмотрел на меня.

— Тут едет мужик из «Ассоли», — быстро сказал я. — Тот музыкант, помните, он еще у нас ходил под подозрением, но вроде как не Иной... Зовет к себе в купе, выпить.

На лице Эдгара появилось азартное выражение. А Костя — так даже вскочил и воскликнул:

— Берем? Сейчас он у нас...

— Стой. — Эдгар покачал головой. — Не будем спешить... всякое случается. Антон, держи.

Я взял маленькую фляжку из стекла, оплетенного то ли медной, то ли бронзовой проволокой. Выглядела она до ужаса старинной. Во фляжке плескался темно-коричневый напиток.

— Что это?

— Самый обычный двадцатилетний арманьяк. А вот фляжка похитрее. Ее может открыть только Иной. — Эдгар усмехнулся. — Безделушка в общем-то. Какой-то древний маг все свои бутылки так зачаровывал, чтобы слуги не воровали. Если твой приятель сумеет ее открыть — то он Иной.

— Не чувствую никакой магии... — крутя фляжку в руках, сказал я.

— О чем и речь, — довольно произнес Эдгар. — Простая и надежная проверка.

Я кивнул.

— А это просто закуска. — Эдгар достал из внутреннего кармана плаща треугольный батончик «Таблерона». — Все, действуй. Стой! Какое купе?

— Спальный вагон, второе купе.

— Мы присмотрим, — пообещал Эдгар. Привстал, выключил свет в купе. Скомандовал: — Костя, под одеяло, мы уже спим!

Так что через пару секунд, когда я вышел в коридор с фляжкой и шоколадкой, мои спутники и впрямь мирно лежали под одеялами.

Впрочем, Лас деликатно не заглядывал в приоткрытую дверь — видно, и впрямь заблуждался насчет пола моих друзей.

— Коньячок? — поглядывая на фляжку в моих руках, спросил Лас.

— Лучше. Двадцатилетний арманьяк.

— Уважаю, — согласился Лас. — А то иные и словато такого не знают.

— Иные? — уточнил я, двигаясь вслед за Ласом в соседний вагон.

— Угу. Серьезные вроде люди, миллионами ворочают, а кроме «Белой лошади» и «Наполеона», ничего в алкогольной культуре не знают. Меня всегда потрясала узость кругозора политико-экономической элиты. Ну почему символом преуспевания у нас стал шестисотый «мерседес»? Говоришь с серьезным, умным человеком, а тот вдруг гордо вставляет: «Мерс» у меня побили, пришлось неделю на пятисотом ездить»! И в глазах у него — и смирение аскета, снизошедшего до пятисотого, и гордость владельца шестисотого! Я раньше думал, что пока новые русские не пересядут на подобающие им «бентли» и «ягуары», ничего хорошего в стране не будет. Так ведь пересели — и никаких изменений! Красные пиджаки все равно просвечивают из-под рубашек от Версаче... Тоже, кстати... нашли, тьфу, культового модельера...

Я вошел вслед за Ласом в уютное купе спального вагона. Здесь было всего две полки, маленький угловой столик, скрывающий под столешницей треугольную раковину, маленький откидной стульчик.

— Простора, честно говоря, меньше, чем в обычном купе, — заметил я.

— Ага. Зато кондиционер работает. Ну и раковина... вещь полезная во многих жизненных обстоятельствах...

Вытянув из-под полки алюминиевый чемодан, Лас принялся в нем рыться. Через мгновение на столике появилась литровая пластиковая бутылка. Я взял ее, посмотрел на этикетку. И впрямь — кумыс.

— Думал, шучу? — ухмыльнулся мой «сосед». — Очень правильный напиток. Таким будешь торговать?

— Да, именно таким, — брякнул я.

— Таким не получится, это киргизский. Тебе вообще надо было в Уфу ехать. И ближе, и с таможней никаких проблем. Они там и кумыс делают, и «Бузу». Пробовал «Бузу»? Это смесь кумыса с овсяным киселем. Гадость — страшная! Но с похмелья реанимирует мгновенно.

На столике тем временем появилась колбаска, карбонад, нарезанный хлеб, литровая бутылка французского коньяка незнакомой мне марки «Polignac», бутылка французской же минералки «Эвиан».

Я сглотнул и добавил к снеди свое небольшое подношение. Сказал:

— Давай вначале арманьяк попробуем.

— Давай, — доставая пластиковые стаканчики для воды и две мельхиоровые рюмочки для коньяка, согласился Лас.

— Открывай.

— Твой арманьяк, тебе и открывать, — небрежно парировал Лас.

Определенно, что-то тут было нечисто!

— Давай лучше ты, — брякнул я. — У меня никогда не получается ровно налить.

Лас посмотрел на меня как на идиота. Сказал:

— А у тебя серьезный подход. Часто на троих соображаешь?

Но фляжку все-таки взял и начал откручивать колпачок.

Я ждал.

Лас пыхтел, морщился. Перестал откручивать и внимательно осмотрел крышечку. Пробормотал:

— Присохла, похоже...

Вот тебе и замаскированный Иной!

— Давай, — сказал я.

— Нет, подожди, — возмутился Лас. — Это что, такая высокая сахаристость? Сейчас...

Задрав подол футболки, он схватился за крышку и, напрягая все жилы, крутанул. Азартно произнес:

— Пошла-пошла!

Раздался хруст.

— Пошла... — неуверенно продолжил Лас. — Ой...

Он смущенно протянул ко мне руки. В одной была стеклянная фляжка. В другой — крышечка, плотно навернутая на обломанное горлышко.

— Извини... блин...

Но уже через мгновение во взгляде Ласа мелькнуло что-то вроде гордости:

— Ну и силища у меня! Никогда бы не подумал...

Я молчал, представляя себе лицо Эдгара, лишившегося полезного артефакта.

— Ценная вещь, да? — виновато спросил Лас. — Антикварная фляжка, да?

— Ерунда, — пробормотал я. — Арманьяк жалко. Туда же стекло попало.

— Это ничего, — бодро сказал Лас. Снова нырнул в чемодан, оставив изувеченную фляжку на столе. Достал носовой платок, демонстративно сорвал с него наклейку: — Чистый. Ни разу не стиранный. И не китайский, а чешский, так что пневмонии можно не бояться!

Сложив платок в два раза, он обмотал им горлышко и невозмутимо разлил арманьяк по рюмкам. Поднял свою:

— За проезд!

— За проезд, — согласился я.

Арманьяк был мягким, душистым и сладковатым, будто теплый виноградный сок. Он пился легко, не вызывая даже мысли о закуске, и уже где-то глубоко внутри взрывался — гуманно и высокоточно, на зависть любым американским ракетам.

— Замечательная вещь, — согласился Лас, выдыхая. — Но я же говорю — высокая сахаристость! Мне чем армянские коньяки нравятся — у них сахар выработан до минимума, зато все вкусовая гамма сохранена... Давай по второй.

Вторая порция разлилась по рюмкам. Лас выжидающе посмотрел на меня.

— За здоровье? — неуверенно предложил я.

— За здоровье, — согласился Лас. Выпил, занюхал платком. Посмотрел в окно, вздрогнул, пробормотал: — Ничего себе... как забирает.

— Что такое?

— Не поверишь — показалось, что мимо вагона пролетела летучая мышь! — воскликнул Лас. — Огромная, с овчарку размером. Бр-р-р...

Я подумал, что стоит высказать Косте пару ласковых слов. Вслух же пошутил:

— Это не мышь. Это, наверное, белочка.

— Летучая белочка, — пригорюнился Лас. — Все под нею ходим... Нет, честное слово, огромная летучая мышь!

— Просто она пролетела очень близко от стекла, — предположил я. — А ты при взгляде мельком не смог оценить расстояние до летучей мыши — и представил ее больше, чем она есть.

— Ну, возможно... — задумчиво произнес Лас. — А что она тут делала? Зачем ей лететь рядом с поездом?

— Это элементарно, — беря фляжку и разливая третью порцию, сказал я. — Тепловоз, двигаясь на огромной скорости, создает перед собой воздушный щит. Он оглушает комаров, бабочек, всякую прочую летучую живность и отбрасывает в вихревые потоки, обтекающие поезд со всех сторон. Поэтому летучие мыши ночами любят летать вдоль движущегося поезда и поедать оглушенных мух.

Лас задумался. Спросил:

— А почему тогда днем вокруг движущихся поездов не летают птицы?

— Это тоже элементарно! — Я протянул ему рюмку. — Птицы — куда более тупые создания, чем млекопитающие. Поэтому летучие мыши уже догадались, как использовать поезда для пропитания, а птицы — еще нет! Лет через сто—двести и до птиц дойдет, как пользоваться поездами.

— Как же я сам-то не понял? — удивился Лас. — И в самом деле все очень просто! Ну, давай... за здравый смысл!

Мы выпили.

— Животные — это удивительное дело, — глубокомысленно сказал Лас. — Умны не по Дарвину. Вот у меня жил...

Кто у него жил — пес, кот, хомячок или аквариумная рыбка, — я услышать не успел. Лас снова глянул в окно и позеленел.

— Там опять... летучая мышь!

— Комаров ловит, — напомнил я.

— Каких комаров! Она за столбом пролетела, как по заказу! Говорю тебе — с крупную овчарку размером!

Поднявшись, Лас решительно потянул вниз штору. Сказал решительно:

— Ну их... знал я, нельзя на ночь Кинга читать... Здоровенная такая мышь! Как птеродактиль! Ей сов и филинов ловить, а не комаров!

Вот ведь урод Костя! Я понимал, что в зверином облике вампир, как и оборотень, становится придурок придурком и контролирует себя слабо. Наверное, ему нравится носиться вот так вокруг ночного поезда, заглядывать в окна, отдыхать на фонарных столбах. Но надо же соблюдать элементарную осторожность!

— Это мутации, — тем временем размышлял Лас. — Ядерные испытания, утечки с реакторов, электромагнитные волны, сотовые телефоны... А мы все смеемся — фантастика, мол... Да еще бульварные газеты врут непрерывно. Ведь кому рассказать — решат, что спьяну почудилось или вру!

Он решительно откупорил свой коньяк. Спросил:

— Ты как вообще к мистике относишься?

— Отношусь, — с достоинством ответил я.

— Я тоже, — признался Лас. — Теперь — тоже отношусь. Раньше никак не относился... — Он опасливо посмотрел на закрытое окно. — Вот так живешь-живешь, потом встречаешь где-нибудь на псковских торфяниках живого йети — и съезжаешь с катушек! Или видишь метровую крысу. Или... — он махнул рукой и разлил коньяк по рюмкам. — Вдруг — и впрямь где-то рядом с нами живут ведьмы, вампиры, оборотни? Ведь нет надежнее маскировки, чем внедрить свой образ в средства массовой культуры. Описанное в художественной форме, показанное в кино перестает быть страшным и таинственным. Для настоящей жути нужна устная речь, нужен старый дедок на завалинке, пугающий вечером внучат: «А потом Хозяин ему показался и говорит: не отпущу тебя, замотаю-закручу, в буреломе сгинешь!» Вот так и появляется настоящая опасливость перед аномальными явлениями! Кстати, дети это чувствуют, не зря так любят рассказывать истории про Черную Руку и Гроб на Колесиках. А современная литература, особенно кино, размывают этот инстинктивный ужас. Ну как бояться Дракулу, если его уже сотню раз убили? Как бояться инопланетян, если наши их всегда в пыль размажут? Нет, Голливуд — это великий усыпитель человеческой бдительности! Давай — за погибель Голливуда, лишающего нас здорового страха перед неведомым!

— За это — всегда! — с чувством сказал я. — Лас, а чего ты в Казахстан-то собрался? Неужели там хороший отдых?

Лас пожал плечами. Сказал:

— Я и сам не знаю. Захотелось вдруг экзотики — кумыс в подойниках, скачки на верблюдах, драки боевых баранов, бешбармак в медном тазике, красавицы с непривычными чертами лица, древовидная анаша в городских скверах...

— Какая? — не понял я. — Какая анаша?

— Древовидная. Она же дерево, только ей никогда вырасти не дают, — с таким же серьезным лицом, какое было у меня при рассказе про летучих мышей и ласточек, объяснил Лас. — Да мне все равно, я табаком здоровье порчу, просто экзотики хочется...

Он достал пачку «Беломора» и закурил.

— Сейчас проводник прибежит, — заметил я.

— Никуда он не прибежит, я на датчик дыма презерватив натянул. — Лас кивнул вверх. На выступающем из стены датчике и впрямь был натянут слегка надутый презерватив. Нежно-розовый и с пластиковыми шипами.

— Все-таки мне кажется, что у тебя неправильные представления о казахстанской экзотике, — сказал я.

— Да поздно уже думать, поехал — так поехал, — буркнул Лас. — С утра вдруг как стукнуло в голову — а не поехать ли мне в Казахстан? Вещи покидал, заместителю указания дал — и в поезд.

Я насторожился.

— Так прямо и собрался? Слушай, а ты всегда такой легкий на подъем?

Лас задумался. Покачал головой:

— Не очень. Но тут словно перемкнуло... Ладно, пустое. Давай еще на посошок...

Он начал разливать — а я опять посмотрел на него сквозь Сумрак.

Даже зная, что искать, я с трудом почувствовал след, так изящно и легко было касание неведомого Иного. Уже затухающий, почти остывший след.

Простое внушение, на такое способен самый слабый Иной. Вот только как аккуратно все выполнено!

— Давай на посошок, — согласился я. — Тоже глаза слипаются... успеем еще наговориться.

Впрочем, мне ближайший час спать никак не светило. Предстоял разговор с Эдгаром, а возможно — и с Гесером.

Глава 4

Эдгар печально смотрел на обломки фляжки. Увы, вид у него сейчас был не тот, чтобы изображать скорбь, — широкие трусы веселенькой расцветки, вислая майка и просачивающееся между трусами и майкой пузико. За своей физической формой Инквизиторы не очень-то следили, видно, больше полагались на могучую магию.

— Ты же не в Праге, — попытался я его утешить. — Это Россия. У нас если бутылка не сдается — ее уничтожают.

— Теперь объяснительную писать, — мрачно сказал Эдгар. — Бюрократы в Чехии не хуже российских.

— Зато выяснили, что Лас — не Иной.

— Ничего мы не выяснили, — раздраженно буркнул Инквизитор. — Положительный результат был бы бесспорен. Отрицательный... ну, допустим, он настолько сильный Иной, что почувствовал ловушку. Вот и пошутил... в своем духе.

Я промолчал. Такой вариант и в самом деле нельзя было исключить.

— Не похож на Иного, — тихо сказал Костя. Он сидел на кровати в одних трусах, мокрый от пота, тяжело дышащий. Похоже, слишком долго резвился в теле летучей мыши. — Я и в «Ассоли» его проверял. Всеми силами. И сейчас тоже... не похож.

— К тебе отдельный разговор, — обрезал Эдгар. — Зачем носился у самого окна?

— Наблюдал.

— Не мог сесть на крышу и голову свесить?

— На скорости в сто километров? Я хоть и Иной, но законов физики отменить не могу. Сносит!

— Значит, лететь со скоростью сто километров тебе физика не мешает? А усидеть на крыше вагона — не можешь?

Костя насупился и замолчал. Полез в пиджак, не таясь достал оттуда маленькую фляжку. Глотнул — чего-то густого, темно-багрового, почти черного.

Эдгар поморщился:

— Как скоро тебе потребуется... пища?

— Если больше трансформироваться не придется — завтра к вечеру. — Костя поболтал фляжку в воздухе. Что-то тяжело плеснуло. — На завтрак еще хватит.

— Я могу... в связи с особыми обстоятельствами... — Эдгар покосился на меня, — выдать тебе лицензию.

— Нет, — быстро сказал я. — Это нарушает установленный порядок.

— Константин сейчас находится на службе Инквизиции, — напомнил Эдгар. — Светлые получат компенсацию.

— Нет, — повторил я.

— Ему необходимо питаться. А люди в поезде скорее всего обречены. Все до единого.

Костя молчал, смотрел на меня. Без улыбки, серьезно так смотрел...

— Тогда я покину поезд, — сказал я. — И делайте, что вам угодно.

— Узнаю Ночной Дозор, — негромко произнес Костя. — Умываешь руки? Вы всегда так поступаете. Сами же отдаете нам людей — и сами же презрительно морщитесь.

— Молчать! — рявкнул Эдгар, вставая и оказываясь между нами. — Оба — молчать! Не время для перебранок! Костя, тебе необходима лицензия? Или ты можешь продержаться?

Костя покачал головой:

— Не надо мне лицензии. Где-нибудь в Тамбове будем стоять, вылезу, поймаю пару котов.

— Почему именно котов? — заинтересовался Эдгар. — Почему... э... не собак, к примеру?

— Мне собак жалко убивать, — объяснил Костя. — Котов тоже... но где я в Тамбове возьму корову или овцу? А на маленьких станциях поезд недолго стоит.

— Будет тебе в Тамбове баран, — пообещал Эдгар. — Нечего... мистику плодить. С этого все и начинается — находят обескровленные трупы животных, пишут статьи в желтой прессе...

Он достал мобильник, выбрал в адресной книжке какой-то номер. Подождал — долго, пока мирно спящий человек не снял трубку.

— Дмитрий? Не верещи, спать некогда, родина зовет... — Покосившись на нас, Эдгар четко произнес: — Привет тебе от Соломона, с подписями и печатями.

Какое-то время Эдгар молчал, то ли давая человеку опомниться, то ли слушая его реплики.

— Да. Эдгар. Вспоминаешь? Вот именно так, — сказал Эдгар. — Мы о тебе не забыли. И ты нам нужен. Через четыре часа в Тамбове остановится поезд Москва — Алматы. Нам нужен баран. Что?

На секунду убрав трубку от лица и прикрыв микрофон, Эдгар с чувством произнес:

— Какие они ослы, эти вольнонаемные сотрудники!

— Осел меня тоже устроит, — усмехнулся Костя.

Эдгар вновь произнес в трубку:

— Нет, не ты. Нужен именно баран. Животное такое. Или овца. Или корова. Это меня не волнует. Через четыре часа ты стоишь поблизости от вокзала с животным. Нет, собака не годится! Потому что не годится! Нет, есть его никто не будет. Мясо и шкуру сможешь забрать. Все, я позвоню, когда приедем.

Спрятав трубку Эдгар пояснил:

— В Тамбове у нас очень ограниченный... контингент. Никого из Иных там сейчас нет, только наемный сотрудник из людей.

— Ого, — только и сказал я. В Дозорах людей никогда не было.

— Бывает необходимо, — туманно пояснил Эдгар. — Ничего, справится. Не зря же свой хлеб ест. Будет тебе баран, Костя.

— Спасибо, — мирно ответил Костя. — Лучше, конечно бы, овцу. Но и баран сгодится.

— Вы уже закончили гастрономическую тему? — не выдержал я.

Эдгар наставительно произнес:

— Наша боеспособность — тоже важный вопрос... Итак, ты утверждаешь, что на этого... Ласа... было произведено магическое воздействие?

— Именно. Этим утром. Ему внушили желание поехать в Алма-Ату на поезде.

— Смысл есть, — согласился Эдгар. — Если бы ты не обнаружил след, мы всерьез взялись бы за мужика. Потратили бы уйму сил и времени. Но это значит...

— Что преступник прекрасно знаком с делами Дозоров, — кивнул я. — Он в курсе расследования в «Ассоли», знает, кто был у нас под подозрением. То есть...

— Кто-то из самого руководства, — согласился Эдгар. — Пять-шесть Иных в Ночном, столько же в Дневном Дозорах. Ну, допустим, два десятка... Все равно — очень, очень мало.

— Или кто-то из Инквизиции, — сказал Костя.

— Ну-ну. Имя, брат, имя. — Эдгар усмехнулся. — Кто?

— Витезслав. — Костя помолчал секунду и уточнил: — Например.

Несколько секунд мне казалось, что невозмутимый обычно Темный маг примется ругаться матом. И непременно с прибалтийским акцентом. Но Эдгар сдержался:

— Ты не слишком устал от трансформации, Константин? Может быть, тебе пора баиньки?

— Эдгар, я помоложе тебя, но оба мы — младенцы перед Витезславом, — спокойно ответил Костя. — Что мы видели? Одежду, набитую прахом. Мы лично проверяли этот прах?

Эдгар молчал.

— Я не уверен, что по останкам вампира можно что-то определить... — вставил я.

— Зачем бы Витезслав... — начал Эдгар.

— Власть, — коротко ответил Костя.

— Да при чем тут власть? Если он решил украсть книгу — зачем было сообщать о ее находке? Взял потихоньку — и скрылся. Он был один, когда ее нашел! Понимаешь? Один!

— Мог не сразу понять, с чем имеет дело, — парировал Костя. — Или не сразу решиться на преступление. Но инсценировать собственную смерть и удрать с книгой, пока мы ловим его убийцу, — великолепный ход!

Эдгар задышал чаще. Кивнул:

— Хорошо. Я попрошу проверить. Я сейчас же свяжусь с... с Высшими в Москве и попрошу проверить прах.

— Для подстраховки попроси проверить останки и Гесера, и Завулона, — посоветовал Костя. — Мы не можем быть уверены, что они оба непричастны.

— Не учи батьку детей делать... — буркнул Эдгар. Уселся поудобнее — и отключился.

Да, Гесеру с Завулоном этой ночью выспаться тоже не придется...

Я зевнул и сказал:

— Господа, вы как хотите... я — спать.

Эдгар не ответил — мысленно беседовал с кем-то из Великих. Костя кивнул и тоже полез под одеяло.

Я забрался на верхнюю полку, разделся, впихнул джинсы и рубашку на полочку. Снял часы, положил рядом — не люблю спать в часах. Костя внизу щелкнул выключателем ночника, стало темно.

Эдгар сидел не шевелясь. Уютно стучали колеса. Говорят, в Америке, где используют длиннющие цельнолитые рельсы, в них специально делают пропилы — чтобы имитировать стыки и создавать этот самый уютный перестук колес...

Мне не спалось.

Кто-то убил Высшего вампира. Или же сам вампир инсценировал свое убийство. Не важно. В любом случае этот кто-то обладал немыслимой Силой.

Зачем ему бежать? Прятаться в поезде — с риском, что весь поезд будет уничтожен или, к примеру, его окружит сотня Высших и устроит тотальную проверку? Глупо, ненужно, рискованно. Стал самым сильным Иным — рано или поздно власть к тебе придет. Через сто лет, через двести — когда все позабудут и про ведьму Арину, и про мифическую книгу. Уж кто-кто, а Витезслав должен был это понимать.

Это... это как-то слишком по-человечески. Сумбурно и нелогично. Никак не похоже на действия мудрого сильного Иного.

Но только такой Иной был способен убить Витезслава.

Опять все не складывается...

Внизу шевельнулся Эдгар. Вздохнул, зашуршал одеялом, забираясь на полку.

Закрыв глаза, я постарался максимально расслабиться.

Представил, как тянутся за поездом рельсы... через станции и полустанки, мимо городов и городишек, до самой Москвы, и как разбегаются от вокзала дороги, чтобы за кольцевой сморщиться от выбоин, чтобы за сотым километром превратиться в разбитые шоссейки, подползти к захудалой деревеньке, к старому бревенчатому дому...

«Светлана?»

«Я ждала, Антон. Как вы там?»

«Едем. Что-то странное творится...»

Я постарался максимально открыться перед ней... ну или почти максимально. Размотать свою память, будто рулон ткани на столе закройщика. Поезд, Инквизиторы, разговор с Ласом, разговор с Эдгаром и Костей...

«Странно, — после короткой паузы произнесла Светлана. — Очень странно. Такое ощущение, что кто-то с вами играет. Мне это не нравится, Антон».

«Мне тоже. Как Надя?»

«Спит давно».

В таком разговоре, доступном лишь Иным, нет интонаций. Но что-то все-таки их заменяет — я почувствовал легкую неуверенность Светланы.

«Ты не дома?»

«Нет. Я... в гостях у одной старушки».

«Светлана!»

«Именно в гостях, не беспокойся! Решила обсудить с ней ситуацию... и узнать кое-что о книге».

Да, мне надо было сразу понять, что не только беспокойство за дочку заставило Светлану нас покинуть.

«И что ты выяснила?»

«Это была книга «Фуаран». Та самая. Настоящая. И... насчет сына Гесера мы были правы. Бабушка веселилась от души... и восстанавливала полезные контакты».

«А потом пожертвовала книгой?»

«Да. Оставила ее в полной уверенности, что тайник быстро найдут — и прекратят поиски».

«И что она думает о случившемся?» — Я старательно избегал называть имена, будто такой разговор можно подслушать.

«Мне кажется, она в панике. Хотя и хорохорится».

«Светлана, как быстро «Фуаран» может превратить человека в Иного?»

«Почти мгновенно. Требуется минут десять, чтобы произнести все заклинания, потом нужно несколько ингредиентов... или, можно сказать, один... кровь двенадцати человек. Хотя бы по капле крови, но от двенадцати разных людей».

«Зачем?»

«Это надо саму Фуаран спрашивать. Уверена, вместо крови сгодилась бы любая жидкость, но ведьма привязала заклинание к крови... В общем — десять минут подготовки, двенадцать капель крови — и можешь превращать человека в Иного. Или целую группу людей, главное — чтобы все они были в поле твоего зрения».

«И какова будет их Сила?»

«Разная. Но слабых можно подтянуть до более высокого уровня следующим заклинанием. Теоретически из любого человека можно создать Высшего мага».

Что-то тут было, в ее словах. Что-то важное. Вот только пока я не мог поймать эту нить...

«Света, а чего боится... старушка?»

«Массового превращения людей в Иных».

«Не собирается явиться с повинной?»

«Нет. Собирается немедленно делать ноги. И я ее понимаю».

Я вздохнул. Все-таки стоило бы привлечь Арину к ответственности... стоило бы, не выдвигай против нее Инквизиция обвинения в саботаже. И опять же — Гесер...

«Света, спроси ее... спроси, для чего похититель мог отправиться на восток? Может быть, в том месте, где «Фуаран» был написан, книга обретет большую силу?»

Пауза. Как жалко, что это не сотовая трубка, что нельзя поговорить с ведьмой напрямую. Увы, прямой разговор возможен лишь между близкими людьми. Хотя бы единомышленниками.

«Нет... Она очень удивилась. Говорит, что никакой привязки к местности у «Фуарана» нет. Книга будет работать хоть в Гималаях, хоть в Антарктиде, хоть на Берегу Слоновой Кости».

«Тогда... тогда узнай, мог ли ею воспользоваться Витезслав? Все-таки вампир, низший Иной...»

Снова пауза.

«Мог. Хоть вампир, хоть оборотень. Хоть Темный, хоть Светлый. Никаких ограничений. Единственное, что книгой не смог бы воспользоваться человек».

«Это понятно... Больше ничего?»

«Ничего, Антон. Я надеялась, что она сможет дать нам зацепку... но ошиблась».

«Ладно. Спасибо. Я люблю тебя».

«И я тебя. Отдыхай. Вот уверена, утром все станет яснее...»

Тонкая ниточка, протянувшаяся между нами, порвалась. Я заерзал, устраиваясь поудобнее. Потом не удержался, посмотрел на стол.

Стрелка «компаса» по-прежнему вращалась. «Фуаран» была в поезде.

Ночью я просыпался два раза. Один раз — когда к Эдгару явился кто-то из Инквизиторов, доложить об отсутствии каких-либо докладов. Второй раз — когда поезд остановился в Тамбове и Костя тихо вышел из купе.

Встал я после десяти.

Эдгар пил чай. Костя, порозовевший и свежий, жевал бутерброд с колбасой. Стрелка вращалась. Все по-прежнему.

Я оделся прямо на полке, спрыгнул вниз. В комплекте с бельем нашел крошечный кусочек мыла, к которому и сводилась вся доступная мне гигиена.

— Бери, — буркнул Костя, пододвигая мне полиэтиленовый пакет. — Я там взял кое-чего... в Тамбове...

В пакете нашлась упаковка одноразовых бритв, флакончик геля для бритья «Жилетт», зубная щетка и паста «Новый жемчуг».

— Одеколон забыл, — добавил Костя. — Не подумал.

Неудивительно, что забыл — вампиры, как и оборотни, не слишком-то жалуют сильные запахи. Может быть, и эффект от чеснока, по большому счету для вампиров совершенно безвредного, связан с тем, что он мешает им искать жертву?

— Спасибо, — сказал я. — Сколько я тебе должен?

Костя махнул рукой.

— Я ему уже выдал, — сообщил Эдгар. — Тебе, кстати, тоже командировочные положены. Пятьдесят долларов в день плюс на питание — по кассовым чекам.

— Хорошо живет Инквизиция, — съязвил я. — Новостей нет?

— Гесер и Завулон пытаются разобраться с останками Витеслава. — Он так и сказал, «с останками», торжественно и официально. — Трудно что-либо понять. Ты же знаешь: чем старше вампир, тем меньше от него остается после смерти...

Костя сосредоточенно жевал бутерброд.

— Ну да, — согласился я. — Пойду умоюсь.

В вагоне уже почти все проснулись, только пара купе, где гуляли слишком уж активно, оставались закрытыми. Я выстоял короткую очередь и втиснулся в казарменный уют вагонного сортира. Теплая водичка лениво сочилась из железной пипки крана. Отполированный стальной лист, заменяющий зеркало, был давно и безнадежно запачкан мыльными брызгами. Чистя зубы жесткой китайской щеткой, я вспоминал ночной разговор со Светой.

Что-то важное было в ее словах. Было — но так и осталось непонятым, ни Светланой, ни мной.

И я должен это понять.

В купе я вернулся пусть и не приблизившись к истине, но с идеей, показавшейся мне плодотворной. Попутчики уже закончили завтракать, и я, закрыв дверь, сразу перешел к делу:

— Эдгар, есть идея. На длинном перегоне твои ребята начинают отцеплять вагоны. Один за другим. Чтобы поезд не остановился, кто-то из них контролирует машиниста. Мы следим за компасом. Как только будет отцеплен вагон с книгой — стрелка на это укажет.

— Ну и?.. — кисло спросил Эдгар.

— Мы локализуем книгу. С точностью до вагона. А потом можно окружить вагон и поодиночке отводить в сторону каждого пассажира с его багажом. Как только найдем убийцу — стрелка на него укажет. Все! Нет никакой необходимости уничтожать поезд!

— Я над этим думал, — неохотно сказал Эдгар. — Тут есть только один, но решающий довод против. Преступник поймет, что происходит. И сможет нанести удар первым.

— Пусть прибудут Гесер, Завулон, Светлана, Ольга... есть у Темных еще сильные маги? — Я посмотрел на Костю.

— Найдутся, — уклончиво ответил Костя. — А сил хватит?

— Против одного Иного?

— Не просто Иного, — напомнил Эдгар. — Согласно легенде, чтобы уничтожить Фуаран, собрались несколько сотен магов.

— Соберем и мы. В Ночном Дозоре почти две сотни сотрудников, в Дневном — не меньше. Да еще сотни резервистов. Каждая сторона сможет выставить по тысяче Иных, не меньше.

— В основном — слабых, шестого-седьмого уровня. Настоящих магов, от третьего уровня и выше, наберется не больше сотни. — Эдгар говорил так уверенно, что сомнений не оставалось — он и впрямь обдумывал вариант силового противостояния. — Этого может хватить — если усилить Темных и Светлых Инквизиторами, использовать амулеты и соединить обе Силы вместе. Но может и не хватить. Тогда самые сильные бойцы погибнут, и у преступника окажутся развязаны руки. Ты не предполагаешь, что он рассчитывает именно на такой вариант?

Я покачал головой.

— А я думал и над этим, — с мрачным удовлетворением произнес Эдгар. — Преступник может рассматривать поезд как ловушку, к которой соберутся все сильные маги России. Он мог обвесить весь поезд заклинаниями, которые мы не почувствуем.

— Тогда к чему все наши усилия? — спросил я. — Зачем мы тут? Ядерная бомба — и нет проблем!

Эдгар кивнул:

— Да. Именно ядерная, она поражает все слои Сумрака. Но вначале надо убедиться, что цель не ускользнула в последний момент.

— Ты встал на позицию Завулона? — уточнил я.

Эдгар вздохнул:

— Я стою на позициях здравого смысла. Тотальная проверка поезда с привлечением больших сил чревата магическим побоищем. Люди, кстати, все равно погибнут. Уничтожение поезда... да, жалко людей. Зато глобальных потрясений избежим.

— Но если есть еще шанс... — начал я.

— Есть. Поэтому предлагаю продолжить поиски, — согласился Эдгар. — Мы с Костей берем в помощь моих ребяток и прочесываем поезд — от хвоста и головы одновременно. Будем использовать амулеты, в подозрительных случаях — попытаемся проверить подозреваемого сквозь Сумрак. А ты еще раз поговори с Ласом. Все-таки он у нас под подозрением.

Я пожал плечами. Все это ужасно напоминало имитацию поисков. В глубине души Эдгар сдался.

— Когда час «Х»? — спросил я.

— Завтра к вечеру, — ответил Эдгар. — Когда будем проходить безлюдные районы вблизи Семипалатинска. Все равно там бомбы взрывали... одним тактическим зарядом больше — невелика беда.

— Удачной охоты, — сказал я и вышел из купе.

Все это профанация. Все это — лишь строчки в отчете, который уже готовится писать Эдгар. «Несмотря на предпринятые усилия локализовать преступника и обнаружить «Фуаран»...»

Мне иногда приходила в голову мысль, что Инквизиция — это реальная альтернатива Дозоров. Ведь чем мы занимаемся? Разделяем людей и Иных. Следим за тем, чтобы действия Иных максимально не затрагивали людей. Да, это практически невозможно, часть Иных — паразиты по своей природе. Да, противоречия между Светлыми и Темными таковы, что столкновения неизбежны.

Но есть еще Инквизиция, она стоит над Дозорами, она тоже хранит равновесие, она — третья сила и разделяющая структура более высокого порядка, она исправляет ошибки Дозоров...

Все оказалось не так.

Нет никакой третьей силы. Нет и не было никогда.

Инквизиция — это инструмент разделения Темных и Светлых. Только и всего. Она следит за соблюдением Договора, но вовсе не в интересах людей, лишь в интересах Иных. Инквизиция — те Иные, кто знает: мы все паразиты, ничем Светлый маг не лучше вампира.

И пойти работать в Инквизицию — это значит смириться. Это значит — окончательно повзрослеть, сменить наивный юношеский максимализм на здоровый взрослый цинизм. Признать — есть люди, есть Иные и ничего общего между ними нет.

Я готов это признать?

Да, наверное.

Но вот перейти в Инквизицию почему-то не хочу.

Лучше уж тянуть лямку в Ночном Дозоре. Заниматься никому не нужной работой по защите никому не нужных людей.

Кстати, почему бы мне не проверить единственного подозреваемого? Пока еще есть время.

Лас уже не спал. Сидел в своем купе, мрачно разглядывая унылые виды за окном. Столик был приподнят, в раковине, под тонкой струйкой воды, охлаждалась бутылка кумыса.

— Нет холодильника, — грустно сказал он. — Даже в самом хорошем вагоне — холодильник в купе не предусмотрен. Хочешь кумыса?

— Я уже.

— Тогда?

— Ну, чуть-чуть... — согласился я.

Коньяка Лас и впрямь налил по капле, только губы смочить. Мы выпили, и Лас задумчиво произнес:

— И что на меня вчера нашло, а? Ну скажи, с какой это стати разумный человек поедет отдыхать в Казахстан? Ну — в Испанию. Ну — в Турцию. Ну — в Пекин, на фестиваль поцелуев, если уж хочется экстремального туризма. А в Казахстане что делать?

Я пожал плечами.

— Это была странная флюктуация сознания, — сказал Лас. — Я тут подумал...

— И решил слезть, — предположил я.

— Верно. И снова залезть. На встречный поезд.

— Здравое решение, — сказал я искренне. Во-первых — мы избавлялись от одного подозреваемого. Во-вторых — спасется хороший человек.

— Через пару часов — Саратов, — вслух рассуждал Лас. — Там и выйду. Сейчас деловому партнеру позвоню, попрошу встретить. Хороший город — Саратов.

— И чем же он так хорош? — заинтересовался я.

— Ну... — Лас вновь наполнил рюмочки, теперь чуть щедрее. — На территории Саратова испокон веков жили люди. Этим он выгодно отличается от районов Крайнего Севера и приравненных к ним. В царские времена там была губерния, но отсталая, недаром Чацкий говорил «в глушь, в Саратов!». Ныне же это — промышленный и культурный центр региона, крупный железнодорожный узел.

— Ну-ну, — осторожно сказал я. Непонятно было, всерьез он говорит или просто несет пургу, в которой слово «Саратов» легко заменить на «Кострома», «Ростов» или любой другой город.

— Самое ценное — крупный железнодорожный узел, — пояснил Лас. — Перекушу в каком-нибудь «Макдоналдсе» — и в обратный путь. Еще там есть старинный собор, непременно его осмотрю. Не зря же я ехал?

Да, все-таки наш неведомый противник переосторожничал. Внушение было слишком слабым и развеялось за сутки.

— Слушай, а с чего ты все-таки сорвался в Казахстан? — осторожно спросил я.

— Говорю же — просто так, — вздохнул Лас.

— Совсем-совсем просто так?

— Ну... сижу, никого не трогаю, струны на гитаре меняю. Вдруг звонок. Номером ошиблись, искали какого-то казаха... даже имени не запомнил. Я трубку положил, стал размышлять, сколько в Москве живет казахов. А у меня как раз на гитаре две струны было, как на домбре, я их подтянул и стал тренькать. Смешно так вышло. Мелодия какая-то получилась... навязчивая такая, притягательная. И думаю — дай съезжу в Казахстан!

— Мелодия? — уточнил я.

— Ага. Притягательная такая, зовущая. Степи, кумыс, все такое...

Неужели все-таки Витезслав? Магия обычно незаметна для простого человека. Но магия вампиров — это что-то среднее между полноценной магией и очень сильным гипнозом. Она нуждается во взгляде, звуке, прикосновении — каком-то пусть самом крошечном контакте вампира и человека. И она оставляет след — ощущение взгляда, звука, прикосновения...

Старый вампир надул всех нас?

— Антон, — задумчиво сказал Лас. — А ведь ты не молоком торгуешь.

Я смолчал.

— Будь на мне что-нибудь, интересное ФСБ, я б уссался от страха, — продолжил Лас. — Только мне кажется, тут и ФСБ в пору испугаться.

— Давай не станем углубляться в этот вопрос? — предложил я. — Так будет лучше.

— Угу, — быстро согласился Лас. — Верно. Так что мне, выходить в Саратове?

— Выходи и вали домой, — кивнул я, вставая. — Спасибо за коньяк.

— Слушаюсь, — сказал Лас. — Всегда рад помочь.

Ерничает ли он — было непонятно. Видимо, у некоторых людей такая манера говорить получается автоматически.

Обменявшись с Ласом в меру торжественным рукопожатием, я вышел в коридор и двинулся в наш вагон.

Итак — Витезслав? Ай да умник... ай да проверенный сотрудник Инквизиции!

Меня распирал азарт. Ясное дело, усилившись до невообразимости, Витезслав способен маскироваться под кого угодно. Хоть под этого сопливого ребенка двух лет от роду, осторожно выглядывающего из своего купе. Хоть под толстую девицу с безвкусными огромными золотыми серьгами. Хоть под проводника, лебезящего перед Эдгаром, — да почему бы и нет?

Даже под самого Эдгара или Костю...

Я остановился, глядя на Инквизитора и вампира, стоящих в коридоре напротив нашего купе. А если и впрямь...

Нет, стоп. Это уже безумие. Все возможно, но не все случается. Я — это я, Эдгар — это Эдгар, Витезслав — это Витезслав. Иначе работать невозможно.

— Есть информация, — сказал я, вставая между Костей и Эдгаром.

— Ну? — Эдгар кивнул.

— На Ласа воздействовал вампир. Он вспоминает... что-то вроде музыки, позвавшей его в дорогу.

— Как поэтично, — фыркнул Эдгар. Но улыбаться не стал, а одобрительно кивнул: — Музыка? Очень похоже на кровосо... извини, Костя. На вампиров.

— Можешь сказать политкорректно: «На гемоглобинозависимых», — одними губами улыбнулся Костя.

— Гемоглобин тут ни при чем, сам знаешь, — отрезал Эдгар. — Что ж. Это ниточка. — Он вдруг заулыбался и похлопал меня по плечу: — А ты упрямый. Что ж, у поезда есть шанс. Подождите меня здесь.

Эдгар быстро двинулся по коридору. Я решил было, что к своим бойцам, но Эдгар вошел в купе начальника поезда и закрыл дверь.

— Что он задумал? — спросил Костя.

— А я знаю? — Я покосился на парня. — Возможно, есть какие-то особые заклинания для выявления вампиров?

— Нет, — отрезал Костя. — Все как у прочих Иных. Если Витезслав скрывается среди людей — никакими заклинаниями его не прошибить. Глупость какая...

Он занервничал — и я его понимал. Все-таки тяжело принадлежать к самому отверженному меньшинству мира Иных — и охотиться на своего собрата. Как он мне однажды сказал... молодому, глупому, отважному охотнику на вампиров: «Нас очень мало. Когда кто-то уходит, мы сразу это чувствуем».

— Костя, а ты почувствовал смерть Витезслава?

— Ты о чем, Антон?

— Ты когда-то говорил, что вы чувствуете смерть... своих.

— Чувствуем, если вампир лицензированный. Когда убивает регистрационная печать — отдачей всех в округе скручивает. У Витезслава печати не было.

— Но Эдгар явно что-то придумал, — пробормотал я. — Какие-нибудь инквизиторские штучки?

— Наверное. — Костя сморщился. — Почему так, Антон? Почему нас единственных постоянно травят... даже свои? Темные маги тоже убивают!

Он вдруг заговорил со мной как раньше. Как будучи еще невинным мальчишкой-вампиром... хотя какая уж невинность у вампира?

И это было ужасно, это выворачивало меня наизнанку — проклятые вопросы и проклятая предопределенность, но уже от того, кто перешел границу. Кто стал охотиться и убивать...

— Вы убиваете... ради пищи, — сказал я.

— А ради власти, ради денег, ради забавы — более благородно? — горько спросил Костя. Повернулся ко мне, заглянул в глаза: — Почему ты со мной так разговариваешь... брезгливо? Когда-то мы были друзьями. Что изменилось?

— Ты стал Высшим вампиром.

— И что с того?

— Я знаю, как вампиры становятся Высшими, Костя.

Несколько секунд он смотрел мне в глаза. А потом начал улыбаться. Той самой вампирской улыбочкой — вроде бы и нет еще никаких клыков во рту, а уже чувствуешь их на горле.

— Ах да... Надо пить кровь невинных девушек и детей, убивать их... Старый, классический рецепт. Так стал Высшим старина Витезслав... Ты хочешь сказать, что ни разу не заглянул в мое досье?

— Нет, — ответил я.

Он даже обмяк. И улыбка стала жалкой, растерянной.

— Совсем ни разу?

— Нет, — уже понимая, что когда-то и в чем-то ошибся, ответил я.

Костя неловко развел руками — и заговорил, обходясь исключительно союзами, междометиями и местоимениями:

— Ну и... это... вот... ну ты... я-то... да... ну ты и...

— Не хочу я заглядывать в досье на друга, — сказал я и неловко добавил: — Пусть даже бывшего.

— А я-то думал, ты смотрел, — сказал Костя. — Ясно. На дворе двадцать первый век, Антон. Вот... — Он полез в карман пиджака и достал свою фляжку. — Концентрат... донорской крови. Двенадцать человек сдают кровь — и никого не надо убивать. Гемоглобин, конечно, ни при чем! Куда важнее эмоции, которые испытывает человек, сдавая кровь. Но ты и представить себе не можешь, сколько людей до смерти боятся, но все-таки идут к врачу, сдают кровь для родных. Мой личный рецепт... «пропись Саушкина». Только ее обычно называют «коктейль Саушкина». Наверняка в досье записано.

Он торжествующе смотрел на меня... и, наверное, никак не мог понять, почему же я не улыбаюсь. Почему не бормочу виновато: «Костя, прости, я-то тебя считал сволочью и убийцей... а ты честный вампир, добрый вампир, современный вампир...»

Да, он таким и был. Честным, добрым и современным. Не зря работал в НИИ гематологии.

Вот только почему он сказал про состав? Про кровь двенадцати человек?

Хотя понятно почему. Откуда мне знать содержание «Фуарана»? Откуда мне знать, что для заклинания требуется именно кровь двенадцати человек?

У Витезслава не было под рукой этих двенадцати. Он не мог сотворить заклинание из «Фуарана» и повысить свою силу.

А у Кости была фляжка.

— Антон, ты что? — спросил Костя. — Ты что молчишь?

Эдгар вышел из купе проводника, что-то говоря, пожал начальнику поезда руку, направился к нам — все еще с довольной улыбкой на лице.

Я посмотрел на Костю. И все прочел в его глазах.

Он понял, что я понял.

— Где ты прячешь книгу? — спросил я. — Быстро. Это твой последний шанс. Единственный шанс. Не губи себя...

В этот миг он ударил. Без всякой магии — если не относить к магии нечеловеческую силу вампира. Мир взорвался белой вспышкой, во рту хрустнули зубы, и челюсть будто отнялась. Я отлетел в конец коридора и затормозил о какого-то пассажира, не вовремя выползшего подышать. Наверное, ему надо было бы сказать спасибо за то, что я не потерял сознания, — впрочем, вместо меня отрубился сам пассажир.

Костя стоял, потирая кулак, — и его тело мерцало, мгновенно входя в Сумрак и выходя оттуда, скользя между мирами. Так поразившая меня когда-то особенность вампиров... Геннадий, отец Кости, идущий ко мне через двор, мать Кости, Полина, обнимающая за плечи совсем еще юного вампира... мы законопослушные... мы никого не убиваем... вот ведь угораздило — жить по соседству со Светлым магом...

— Костя?! — воскликнул Эдгар, останавливаясь.

Костя медленно повернул к нему голову. Я не увидел — почувствовал, что он оскалился.

Эдгар выбросил перед собой руки — и коридор перегородила мутная стена, похожая на пласт горного хрусталя. Возможно, он еще не понял что к чему, но инстинкты у Инквизитора работали.

Костя издал низкий воющий звук и уперся в стену ладонями. Стена держала. Вагон потряхивало на стыках, за моей спиной медленно, неторопливо начинала визжать женщина. Костя пошатывался, пытаясь продавить защиту Эдгара.

Я поднял руку и послал в Костю «серый молебен» — древнее заклинание против нежити. Всякую поднятую из могил органику, никакого сознания не имеющую, а живущую лишь за счет воли колдуна, «серый молебен» разваливает на кусочки. Вампиров — замедляет и ослабляет.

Костя повернулся, когда тонкие серые нити окутали его в Сумраке. Шагнул ко мне, встряхнулся — заклинание рвалось на глазах. Никогда еще не видел такой грубой, но эффектной работы.

— Не мешай мне! — рявкнул он. Лицо Кости заострилось, клыки прорезались по-настоящему. — Не хочу... не хочу тебя убивать...

Я сумел приподняться и поверх поверженного пассажира вполз в купе. На верхних полках начали визжать какие-то мужики внушительных габаритов — ничуть не хуже той женщины, что орала, стоя у дверей в туалет. Подо мной раскатились по полу какие-то стаканы и бутылки.

Костя одним прыжком появился в проеме двери. Только окинул мужиков взглядом — и те замолчали.

— Сдавайся... — прошептал я, садясь на полу у столика. Челюсть двигалась как-то странно — вроде и не вывихнута, но каждое движение отдает болью.

Костя засмеялся:

— Я вас всех тут сделаю... если захочу. Идем со мной, Антон. Идем! Я не хочу зла! Что тебе эта Инквизиция? Что тебе Дозоры? Мы все изменим!

Он говорил совершенно искренне. Даже просительно.

Почему требуется стать самым сильным, чтобы позволить себе слабость?

— Опомнись... — прошептал я.

— Ты дурак! Дурак! — делая шаг ко мне, прорычал Костя. Протянул руку — пальцы уже оканчивались когтями. — Ты...

Початая бутылка «Посольской», из которой лениво текла водка, сама попалась мне под руку.

— Пора нам выпить на брудершафт, — сказал я.

Он успел отклониться, но брызги все-таки попали на лицо. Костя взвыл, запрокинул голову. Будь ты хоть Самый Высший Вампир, но алкоголь для тебя — отрава.

Я встал, подхватил со столика недопитый стакан, занес руку. Крикнул:

— Ночной Дозор! Ты арестован! Руки за голову, клыки втянуть!

В дверь буквально одновременно втиснулись трое Инквизиторов. Вызвал их Эдгар, или сами почувствовали неладное? Они повисли на Косте, все еще растирающем окровавленное лицо. Один пытался прижать к шее Кости серый металлический диск — нечто, под завязку напичканное магией...

И в следующий миг Костя показал, на что он способен.

Удар ноги выбил у меня стакан, я впечатался спиной в окно. Рама затрещала. А на месте Кости крутился серый вихрь — удары рук и ног следовали с неимоверной, лишь киногероям доступной скоростью. Во все стороны летели брызги крови и ошметки плоти, будто кто-то решил смолоть в блендере кусок парного мяса.

Потом Костя прыгнул в коридор, оглянулся — и нырнул в окно, будто не замечая толстого двойного стекла.

Стекло его тоже не заметило.

Костя еще раз мелькнул за окном, кувыркающийся по склону, — и поезд унесся прочь.

Слышал я о таком трюке из вампирского арсенала, вот только всегда считал досужей выдумкой. Даже в справочниках напротив «хождение сквозь стены и стекла в реальном мире» стояло стыдливое «н.п.» — «не подтверждено».

В купе бесформенной грудой лежали два Инквизитора — изорванные так, что можно было и не интересоваться наличием пульса.

Третьему повезло — он сидел на койке, зажимая рану в животе.

Под ногами хлюпала кровь.

Пассажиры на верхних полках больше не орали — один закрыл голову подушкой, другой смотрел вниз стеклянными глазами и тихонько хихикал.

Я сполз со стола и на негнущихся ногах вышел в коридор.

Глава 5

Как сказал герой одного старого злого анекдота — «а жизнь-то налаживается!».

Пассажиры штабного вагона сидели в своих купе и пустыми глазами таращились в окна. Проходившие по вагону люди почему-то ускоряли шаг и не смотрели по сторонам. В закрытом купе, вместе с двумя упакованными в черные пластиковые мешки телами, отлеживался раненный Инквизитор, которого уже с четверть часа пользовал лечебными заклинаниями его коллега. Еще два Инквизитора стояли на страже у входа в наше купе.

— Как ты догадался? — спросил Эдгар.

Челюсть мне он исцелил минуты за три, после того как помог раненому товарищу. Я не стал спрашивать, что там было — простой ушиб, трещина или перелом. Починил — и ладно. Вот только два передних зуба остались выбитыми, и касаться их языком было неприятно.

— Я кое-что вспомнил про «Фуаран»... — сказал я. В суматохе первых минут после бегства Кости у меня было время кое-что придумать. — Ведьма... ну, Арина... она говорила, что по легендам заклинания из «Фуарана» действуют, если есть кровь двенадцати человек. Хотя бы чуть-чуть крови...

— Почему не сказал раньше? — резко спросил Эдгар.

— Значения не придал. Тогда вся история с «Фуараном» казалась чистой выдумкой... А тут Костя упомянул,

что его коктейль состоит из крови двенадцати доноров...
и до меня дошло.

— Понятно. У Витезслава не было под рукой дюжины человек, — кивнул Эдгар. — Если бы ты сказал сразу... если бы ты сказал...

— Ты знал про состав коктейля?

— Да, конечно. В Инквизиции обсуждали «коктейль
Саушкина». Никаких чудес эта штука не делает, силу
выше, чем от природы дано, — не подымет. Но действительно позволяет вампиру подняться до своего максимума, не убивая людей...

— Подняться или опуститься? — спросил я.

— Если не убивая — то подняться, — сухо ответил Эдгар. — А ты и не знал... ну, дела...

Я смолчал.

Да, не знал. Не хотел ничего знать. Молодец я. И
теперь двое Инквизиторов лежат в черном полиэтилене,
и никто уже им не поможет...

— Оставим это, — решил Эдгар. — Что толку теперь...
Он летит, видишь?

Я покосился на «компас». Да... пожалуй. Расстояние до Кости, точнее — до книги, не менялось, хотя
поезд мчался со скоростью не меньше семидесяти—
восьмидесяти километров в час. Значит — летит следом. Не убегает!

— Ему действительно что-то нужно в Средней Азии... —
растерянно сказал Эдгар. — Вот только что...

— Надо вызвать Великих, — сказал я.

— Сами придут, — отмахнулся Эдгар. — Я им все сообщил, портал провесил... они решают, что делать.

— Понимаю, что они там решают, — пробормотал
я. — Завулон требует отдать ему проштрафившегося Костю. А главное — «Фуаран».

— Никто книги не получит, успокойся.

— Кроме Инквизиции?

Эдгар промолчал.

Я уселся поудобнее. Потрогал челюсть.

Не болит.

Но зубы жалко. Придется либо идти к стоматологу, либо к целителю. Но беда в том, что даже самые лучшие Светлые целительницы не умеют лечить зубы безболезненно! Не умеют — и все тут...

Стрелочка «компаса» подрагивала, держа направление. Расстояние не менялось — километров десять—двадцать. Значит, Костя разделся, превратился в летучую мышь... или в какую-то другую тварь? В гигантскую крысу, в волка... Не важно. Превратился в мышь и летит за поездом, сжимая в лапах узел с одеждой и книгой. Где же он ее прятал, паршивец? На теле? В потайном кармане одежды?

Паршивец... но какая выдержка! Какая наглость и смелость — охотиться на самого себя, придумывать какие-то версии, советовать...

Всех обвел.

Но зачем? Захотелось абсолютной власти? Шанс победить все-таки невелик, а Костя никогда не отличался чрезмерным честолюбием. Нет, честолюбив, конечно, но без маниакальных идей о власти над миром.

А почему не убегает сейчас? На его руках — кровь троих Инквизиторов. Такое уже не простят, хоть с повинной иди, хоть книгу возвращай. Ему бы бежать... для гарантии — уничтожив книгу, к которой привязано следящее заклятие. Нет, тащит книгу с собой и следует рядом с поездом. Безумие какое-то... Или он еще рассчитывает на диалог?

— Как ты хотел выявить Витезслава среди пассажиров? — спросил я Эдгара.

— Что? — погруженный в свои мысли Инквизитор ответил не сразу. — Да ерунда, то же самое, что ты использовал: непереносимость спирта. Обрядились бы в белые халаты и прошли с медобследованием по всем вагонам. На предмет поиска больных атипичной пневмонией. И каждому давали бы градусник, обильно смоченный спиртом. Кто не сможет его взять руками или получит ожог — тот наш подозреваемый.

Я кивнул. Могло и прокатить. Конечно, мы при этом рисковали, но рисковать — наша работа. А Великие были бы где-нибудь поблизости, «на подхвате», чтобы в случае нужды ударить всей силой.

— Портал открывается... — Эдгар схватил меня за руку, потянул на полку. Мы уселись рядом, поджав ноги. В купе возникло дрожащее белое сияние. Послышался негромкий возглас — Гесер, выходя из портала, приложился головой о полку.

Следом появился Завулон — в отличие от шефа благостный и улыбающийся.

Гесер, потирая макушку, мрачно посмотрел на нас, пробурчал:

— Еще бы в «запорожец» портал провесили... Как ситуация?

— Пассажиры умиротворены, кровь смыли, пострадавшего лечат, — отрапортовал Эдгар. — Подозреваемый Константин Саушкин движется параллельно поезду со скоростью семьдесят километров в час.

— Чего уж теперь... «подозреваемый»... — едко произнес Завулон. — Ах какой был способный мальчик... какой перспективный.

— Не везет тебе на перспективных, Завулон, — тихо сказал Эдгар. — Как-то они у тебя не задерживаются.

Два Темных мага смерили друг друга неприязненными взглядами. У Эдгара с Завулоном давние счеты — еще с той истории* с Фафниром и финской сектой. Никто не любит быть пешкой.

— Воздержитесь от колкостей, господа, — попросил Гесер. — Я тоже мог бы кое-что сказать... и в твой адрес, Завулон, и в твой, Эдгар... Насколько он силен?

— Очень силен, — все еще глядя на Завулона, сказал Эдгар. — Парень и без того был Высшим...

— Вампиром. — Завулон презрительно усмехнулся.

— Высшим вампиром. Конечно, опыта мало... вам он уступал. Но использовав книгу, он стал сильнее Витезслава. А это уже серьезно. Я склонен считать, что Витезслав стоял на одном уровне с вами, Великие.

— Как он упокоил Витезслава? — спросил Завулон. — Версии есть?

— Теперь — есть, — кивнул Эдгар. — У вампиров существует своя иерархия. Мальчик вызвал его на поединок за лидерство. Это... не очень зрелищно. Схватка разумов, поединок воли. Что-то вроде игры в гляделки. Несколько секунд — и один уступает, полностью покоряется чужой воле. Когда Инквизиции приходилось сталкиваться с вампирами, Витезслав легко подчинял их себе. Но в этот раз он проиграл.

— И погиб, — кивнул Завулон.

— Это не обязательный финал, — заметил Эдгар. — Костя мог сделать его своим рабом. Но... либо побоялся потерять контроль, либо решил идти до конца. В общем — он приказал Витезславу развоплотиться. И тот был вынужден подчиниться.

* Смотри: «Дневной Дозор», история третья.

— Способный мальчик, — с иронией сказал Гесер. — Не стану врать, окончательная гибель Витезслава меня не огорчает... Ладно, Константин стал сильнее Витезслава. Оцени его силу.

Эдгар пожал плечами:

— Как? Он сильнее меня. Предполагаю — сильнее каждого из вас. Возможно, сильнее всех нас вместе взятых.

— Не гони панику, — пробормотал Завулон. — Он неопытен. Магия — не соревнование силачей, магия — это искусство. Если в твоих руках шпага, то важно нанести точный укол, а не ударить со всей дури...

— Я не паникую, — мягко сказал Эдгар. — Я лишь оцениваю его силу. Очень высока. Я применил «хрустальный щит» — Костя его едва не продавил.

Великие переглянулись.

— «Хрустальный щит» не продавливается, — заметил Гесер. — Да и откуда у тебя... впрочем, понимаю. Снова артефакты из спецхрана.

— Он едва не пробил «щит», — повторил Эдгар.

— Ты-то как выжил? — спросил меня Гесер. То ли мне почудилось, то ли в его голосе и впрямь появилась нотка сочувствия.

— Костя не хотел меня убивать, — просто сказал я. — Он пер на Эдгара... я вначале ударил «серым молебном»... — Гесер одобрительно кивнул, — ...а потом под руку подвернулась водка — плеснул в лицо. Костя завелся. Но все равно не хотел меня убивать. А тут отвлекся на Инквизиторов, разметал их — и ушел.

— Чисто русский способ — решать проблемы при помощи стакана водки, — мрачно сказал Гесер. — Зачем? Зачем ты его дразнил? Он же не новичок. Неужели непонятно было — не справишься? А мне потом везти Светлане твои останки?

— Я и сам завелся, — признался я. — Слишком все неожиданно было. А уж когда Костя стал звать — «пошли со мной, я зла не хочу...».

— Зла он не хочет, — горько сказал Гесер. — Вампир-реформатор. Прогрессивный властелин мира...

— Гесер, надо что-то решать, — тихо сказал Завулон. — Я могу поднять истребители с военного аэродрома.

Маги замолчали.

Я представил себе, как реактивные истребители гоняются в небе за летучей мышью, палят по ней из пушек и пускают ракеты...

Фантасмагория.

— Тогда уж вертолеты... — задумчиво сказал Гесер. — Нет. Это ерунда, Завулон. Людей он сметет с пути.

— Все-таки бомба? — с любопытством произнес Завулон.

— Нет! — Гесер замотал головой. — Нет. Не здесь. Да и не выйдет уже... он настороже. Бить надо магией.

Завулон кивнул. И вдруг тонко захихикал.

— Что такое? — спросил Гесер.

— Всю жизнь мечтал, — сказал Завулон. — Веришь, старый враг? Мечтал поработать с тобой в паре! Видно, и впрямь... от ненависти до любви...

— Все-таки ты полный отморозок, — тихо сказал Гесер.

— Мы все на голову ушибленные, — хихикнул Завулон. — Ну, что? Ты и я? Или подтянем *наших?* Пусть покачают Силу, мы встанем на остриё удара.

Гесер покачал головой.

— Нет, Завулон. Нам к Константину соваться не стоит. У меня есть другое предложение...

Он посмотрел на меня.

Я пощупал языком осколок зуба. Как неудачно вышло...

— Я готов, Гесер.

— Шансы есть, — одобрительно кивнул Завулон. — Раз уж у Кости остались какие-то сентиментальные соображения... вот только сможешь ли ты ударить, Антон?

Я ответил не сразу. Я действительно задумался.

Речь не об аресте. Бить придется наверняка и насмерть. Стать остриём, центром Силы, которую будут качать в меня Гесер, Завулон, Эдгар... может быть — и другие маги. Да, я менее опытен, чем Великие. Но у меня есть шанс приблизиться к Косте без боя.

Исходя из тех самых «сентиментальных соображений».

Альтернатива простая — Великие соберут все силы в кулак. И даже Сила Надюшки им потребуется — и Гесер будет требовать от Светланы инициировать нашу дочь...

Альтернативы нет.

— Я убью Костю, — сказал я.

— Не так, — тихо произнес Гесер. — Не то говоришь, дозорный!

— Я упокою вампира, — прошептал я.

Гесер кивнул.

— И не рефлексируй, Городецкий, — добавил Завулон. — Не жуй свои интеллигентские сопли. Нет на свете хорошего мальчика Кости. Да и не было никогда. Пусть он не убивал людей ради крови, но он — вампир. Нежить.

Гесер одобрительно кивнул.

Я на миг закрыл глаза.

Нежить.

У него нет чего-то, что мы для простоты называем душой.

Какой-то составляющей, неуловимой даже для нас, Иных. С самого раннего детства — спасибо родителям-вампирам. Он рос, участковый врач слушала его сердце и восхищалась здоровьем мальчика. Он превратился из мальчика в мужчину, и ни одна девушка не сказала, что его губы холодны при поцелуе. Он мог бы иметь детей — самых обычных детей от самой обычной человеческой женщины.

Но все это — не-жизнь. Все это взаймы, все это украдено — и когда Костя умрет, его тело мгновенно рассыплется в прах... потому что оно давным-давно мертво.

Мы все приговорены к смерти с самого рождения.

Но мы хотя бы можем дожить до смерти.

— Оставьте нас с Антоном, — произнес Гесер. — Я попробую его подготовить.

Я слышал, как встали Завулон и Эдгар. Вышли в коридор, закрылась дверь. Что-то зашелестело — видимо, Гесер прикрыл нас от наблюдения. А потом спросил:

— Переживаешь?

— Нет. — Я покачал головой, так и не открывая глаз. — Размышляю. Костя ведь все-таки пытался вести себя не как вампир...

— И до чего додумался?

— Он не выдержит. — Я открыл глаза и посмотрел в лицо Гесера. — Он не выдержит, сорвется. Физиологическую потребность в живой крови он сумел погасить, а вот все остальное... он не-живой среди живых и тяготится этим. Рано или поздно Костя сорвется.

Гесер ждал.

— Он уже сорвался, — сказал я. — Когда убил Витезслава и Инквизиторов... один из Инквизиторов был Светлым, верно?

Гесер кивнул.

— Я все сделаю как надо, — пообещал я. — Мне жалко Костю, но тут уж ничего не поделать.

— Я в тебя верю, Антон, — сказал Гесер. — А теперь спрашивай то, что ты действительно хотел спросить.

— Что вас держит в Ночном Дозоре, шеф? — спросил я.

Гесер улыбнулся.

— Мы все, по большому-то счету, одной грязью мазаны, — сказал я. — Мы боремся не с Темными, мы боремся с теми, кого и Темные-то отвергают... с психопатами, маньяками, беспредельщиками. По понятным причинам таких больше среди вампиров и оборотней. Так ведь и Темные... Дневной Дозор ловит тех Светлых, кто хочет разом всех облагодетельствовать... по сути — тех, кто может раскрыть людям факт нашего существования. Инквизиция... она вроде бы над схваткой, а на деле — следит, чтобы Дозоры не восприняли свою функцию всерьез. Чтобы Темные не стали стремиться к формальной власти над миром людей, чтобы Светлые не стали искоренять Темных начисто... Гесер, Ночной и Дневной Дозоры — это две половинки одного целого!

Гесер молчал. Смотрел на меня и молчал.

— Это... специально так было задумано? — спросил я. И сам же себе ответил: — Да, наверное. Молодежь, только что инициированные Иные — могли бы не принять общий для Светлых и Темных Дозор. Как же так — идти в патруль с вампиром! Я бы сам возмутился... И вот — созданы два Дозора, низшие чины с азартом ловят друг друга, руководство интригует — от скуки и ради поддержания формы. А начальство-то общее!

Гесер вздохнул и достал сигару. Срезал кончик, закурил.

— Я, дурак, все время думал, — пробормотал я, не отрывая взгляда от Гесера. — Как вообще мы существуем? Вот Дозор Самары, вот Дозор Великого Новгорода, вот Дозор поселка Киреевский Томской области. Все вроде бы самостоятельны. По сути — при всех проблемах бегут к нам, в Москву... Хорошо, это не оформлено де-юре, но де-факто — Московский Дозор руководит Дозорами всей России.

— А также трех государств СНГ... — пробормотал Гесер. Выпустил клуб дыма. Дым стал собираться в воздухе плотным густым облаком, не расползаясь по купе.

— Хорошо, а что дальше? — спросил я. — Но как взаимодействуют независимые Дозоры России и, к примеру, Литвы? А России, Литвы, США и Уганды? В человеческом мире все понятно, у кого дубинка больше и кошелек толще — тот и заказывает музыку. Но ведь российские Дозоры покруче американских! Я даже думаю...

— Самый сильный Дозор — французский, — скучным голосом сказал Гесер. — Сильный, хоть и крайне ленивый. Удивительный феномен. Не можем понять, с чем это связано — ну не с потреблением же сухого вина и устриц в немыслимых масштабах...

— Дозорами правит Инквизиция, — сказал я. — Не споры разрешает, не отступников наказывает, а именно правит. Дает разрешение на те или иные социальные эксперименты, назначает и снимает руководство... переводит из Узбекистана в Москву... Есть Инквизиция — и у нее есть два рабочих органа. Ночной и Дневной Дозоры. И единственная цель Инквизиции — сохранение существующего статус-кво. Потому что победа Темных или Светлых — это все равно поражение Иных в целом.

— Что дальше, Антон? — спросил Гесер.

Я пожал плечами.

— Дальше? А дальше ничего. Люди живут своей маленькой людской жизнью. Радуются маленьким людским радостям. Кормят нас своим теплом... и поставляют новых Иных. Те Иные, у кого амбиций поменьше, — живут почти обычной жизнью. Только сытнее, здоровее и дольше, чем обычные люди. Те, кому неймется, кому хочется схваток и приключений, идеалов и борьбы, — идут в Дозоры. Те, кто разуверился в Дозорах, — идут в Инквизицию.

— Ну и?.. — подбодрил меня Гесер.

— Вы-то что делаете в Ночном Дозоре, шеф? — спросил я. — Не надоело... за тысячи лет?

— Допустим, мне до сих пор нравятся схватки и приключения, — произнес Гесер. — А?

Я покачал головой:

— Нет, Борис Игнатьевич. Не верю. Я вас видел... другим. Слишком усталым. Слишком разочарованным.

— Тогда предположим, что я все-таки хочу покончить с Завулоном, — спокойно сказал Гесер.

Я подумал секунду:

— Тоже не выходит. Сотни лет... кто-то из вас уже прикончил бы другого. Завулон тут говорил, что магия — как удар шпаги. Так вот, вы не на шпагах деретесь, а на спортивных рапирах. Обозначаете укол, а не протыкаете врага.

Гесер помедлил и кивнул. Еще одна плотная струйка дыма вонзилась в сизое табачное облачко.

— Как ты думаешь, Антон, а можно прожить тысячи лет и по-прежнему жалеть людей?

— Жалеть? — уточнил я.

Гесер кивнул:

— Именно жалеть. Не любить — не в наших силах любить весь мир. Не восхищаться — мы слишком хорошо знаем, что это такое — человек.

— Жалеть, наверное, можно, — кивнул я. — Но к чему ваша жалость, шеф? Она пуста и бесплодна. Иные не делают человеческий мир лучше.

— Делаем, Антон. Как бы там ни было, но делаем. Поверь старику, который многое повидал.

— Но все-таки...

— Я жду чуда, Антон.

Я вопросительно посмотрел на Гесера.

— Не знаю, какого именно. Что все люди обретут способности Иных. Что все Иные вновь станут людьми. Что однажды все-таки деление пройдет не по признаку «человек или Иной», а по признаку «хороший или плохой». — Гесер мягко улыбнулся. — Совершенно не представляю, как такое может произойти и произойдет ли когда-либо. Но если это все-таки случится... я предпочту быть на стороне Ночного Дозора. А не в Инквизиции — могучей, умной, правильной, всемогущей Инквизиции.

— Может быть, того же ждет и Завулон? — спросил я.

Гесер кивнул:

— Может быть. Не знаю. Но лучше знакомый старый враг, чем молодой непредсказуемый отморозок. Считай меня консерватором, но я предпочитаю рапиры и Завулона, чем бейсбольную биту и прогрессивного Темного мага.

— А что вы посоветуете мне?

Гесер развел руками:

— Посоветую? Самому принять решение. Ты можешь уйти и жить обычной жизнью. Ты можешь пойти в Инквизицию... я не стану возражать. И ты можешь остаться в Ночном Дозоре.

— И ждать?

— И ждать. Хранить в себе то человеческое, что еще осталось. Не упасть в экстаз и умиление, навязывая людям ненужный им Свет. Не свалиться в цинизм и презрение, возомнив себя чистым и совершенным. А самое трудное — не разочароваться, не разувериться, не стать равнодушным.

— Невелик выбор... — сказал я.

— Ха! — Гесер улыбнулся. — Радуйся, что он вообще существует.

За окнами мелькали окраины Саратова. Поезд сбавлял ход.

Я сидел в пустом купе и смотрел на крутящуюся стрелку.

Костя продолжал следовать за нами.

Чего он ждет?

В наушниках звучал голос Арбенина:

> От обмана до обмана
> С неба льётся только манна.
> От сиесты до сиесты
> Кормят только манифесты.
> Кто-то убыл, кто-то выбыл,
> Я всего лишь сделал выбор.
> И я чувствую спиною:
> Мы — другие, мы — иное.

Я покачал головой. Мы — Иные. Но даже если не станет нас — люди все равно разделятся на людей и Иных. Чем бы эти Иные ни отличались.

Люди не могут без Иных. Помести на необитаемый остров двоих — будет тебе человек и Иной. А отличие в том, что Иной всегда тяготится своей инаковостью. Людям проще. Они не комплексуют. Они знают, что они люди — и такими должны быть. И все обязаны быть такими. Все и всегда.

Мы стоим посередине,
Мы горим костром на льдине
И пытаемся согреться,
Маскируя целью средства.
Догораем до души
В созерцающей глуши.

Дверь открылась, в купе вошел Гесер. Я стянул наушники.

— Смотри. — Гесер положил на стол «палм». На экране ползла по карте точка — наш поезд. Гесер мимолетно глянул на компас, кивнул — и уверенно прочертил стилом на экране жирную линию.

— Что это? — спросил я, глядя на прямоугольник, в который упиралась траектория движения Кости. И сам же ответил: — Аэропорт?

— Именно. Не ждет он никаких переговоров. — Гесер ухмыльнулся. — Рвет по кратчайшей к аэродрому.

— Это военный?

— Нет, гражданский. Какая разница? Шаблоны знаний по пилотажу у него есть.

Я кивнул. Все оперативники имеют «про запас» наборы полезных навыков — управление автомобилем, самолетом, вертолетом, первая медицинская помощь, рукопашный бой... Конечно, шаблоны не дают полноценных навыков, опытный водитель обгонит Иного с шаблоном водителя, хороший врач оперирует несравнимо лучше. Но поднять в воздух любое транспортное средство Костя сможет.

— Это даже хорошо, — сказал я. — Поднимем истребители и...

— А если пассажиры? — резко спросил Завулон.

— Все лучше, чем поезд, — тихо сказал я. — Меньше жертв.

И что-то во мне болезненно сжалось в этот миг. Я впервые взвесил на невидимых весах целесообразности человеческие жертвы — и счел одну чашу легче другой.

— Не поможет... — сказал Гесер. И добавил: — К счастью. Что ему разрушенный самолет? Обернется летучей мышью и спустится.

За окном показался перрон. Тепловоз загудел, приближаясь к вокзалу.

— Ядерные зенитные ракеты, — упрямо сказал я.

Гесер посмотрел на меня с удивлением. Сказал:

— Да ты что? Какие ядерные заряды... давно сняты с вооружения. Разве что вокруг Москвы пояс ПРО... Но он не на Москву пойдет.

— А куда? — насторожился я.

— Откуда мне знать? Твоя задача, чтобы он никуда не ушел, — отрезал Гесер. — Так! Он остановился!

Я посмотрел на компас. Расстояние между нами и Костей начало увеличиваться. Летел он, подобно летучей мыши, или бежал, словно Серый Волк из сказки, — но теперь Костя остановился.

Вот только интересно, что Гесер даже не смотрел на «компас».

— Аэропорт, — с удовлетворением сказал Гесер. — Все, разговоры кончились. Иди. Реквизируй кого-нибудь с хорошей машиной — и дуй в аэропорт.

— А... — начал я.

— Никаких артефактов, почует, — спокойно возразил Гесер. — И никаких спутников. Он всех нас сейчас чувствует, понимаешь? Всех! Двигай!

Зашипели тормозные колодки, поезд остановился. Я еще на миг остановился в дверях — и услышал:

— Да, именно «серый молебен». Не надо усложнять. Мы тебя так накачаем, что его по летному полю киселем размажет.

Все. Похоже, шеф на таком взводе, что разговаривать с ним уже не нужно — он слышит мои мысли, прежде чем они оформятся в слова.

В коридоре я прошел мимо Завулона — и невольно дернулся, когда тот одобрительно похлопал меня по спине.

Завулон не обиделся. Сказал:

— Удачи, Антон! Мы надеемся на тебя!

Пассажиры смирно сидели по купе. Только начальник поезда, что-то говорящий в микрофон, проводил меня стеклянным взглядом.

Я сам открыл дверь в тамбуре, спустил подножку и спрыгнул на перрон. Как-то все быстро. Слишком быстро...

А на вокзале была обычная толкотня. Шумная компания, вывалившаяся из соседнего вагона, громогласно вопрошала: «Где тут бабушки с *ней*, родимой?»

«Бабушки» — в возрасте от двадцати до семидесяти, — уже спешили на зов. Будет сейчас и водочка, и пивко, и окорочка жареные, и пирожки с подозрительной начинкой.

— Антон!

Я повернулся. Рядом стоял Лас с перекинутой через плечо сумкой. Изо рта у него торчала незажженная папироса, вид был благостный и умиротворенный.

— Тоже выходишь? — спросил Лас. — Может, тебя куда подкинуть? Меня машина ждет.

— Хорошая машина? — уточнил я.

— Вроде «фольксваген». — Лас поморщился. — Годится? Или ты только на «кадиллак» согласен?

Я обернулся, посмотрел на окна штабного вагона. Гесер, Завулон и Эдгар смотрели на меня.

— Годится, — мрачно сказал я. — Ну... извини. И впрямь очень спешу, машина нужна. Обращаю тебя...

— Так пошли, чего стоять, если спешишь? — спросил Лас, оборвав стандартную формулу вербовки волонтера.

И так ловко ввинтился в толпу, что мне ничего не оставалось, кроме как последовать за ним.

Мы пробились через бестолковое вокзальное телодвижение, вышли на привокзальную площадь. Я догнал Ласа, тронул за плечо:

— Обращаю...

— Да вижу, вижу! — отмахнулся Лас. — Привет, Рома!

Подошедший к нам мужчина, хотя почему-то хотелось сказать — гражданин, был довольно высок и как-то по-детски упитан — весь округлый, плавный, чуть ли не в перетяжечках. Ротик маленький, губки куриной гузкой, глазки тоже маленькие, даже под очками невыразительные и скучные.

— Здравствуй, Александр, — как-то очень церемонно поздоровался гражданин, плавно протягивая Ласу руку. И уставился на меня.

— Это Антон, мой товарищ, подбросим? — предложил Лас.

— Отчего бы не подбросить, — печально согласился Рома. — Колеса катятся, дорога ровная.

И, развернувшись, направился к новенькому «фольк-свагену-бора».

Вслед за ним мы загрузились в машину. Я нагло уселся на переднее сиденье, Лас хмыкнул, но покорно полез на заднее. Роман включил зажигание, спросил:

— Куда вам двигаться, Антон?

Речь у него тоже была плавная, округлая, будто не говорил, а писал слова в воздухе.

— В аэропорт, и срочно, — мрачно сказал я.

— Куда? — с искренним изумлением сказал Роман. Посмотрел на Ласа: — Может быть, твоему товарищу найти такси?

Лас смущенно посмотрел на меня. Потом, столь же смущенно, на Романа.

— Хорошо, — сказал я. — Обращаю тебя к Свету. Отринь Тьму, защити Свет. Даю тебе взор отличать Добро от Зла. Даю тебе веру идти за Светом. Даю тебе отвагу сражаться с Тьмой.

Лас хихикнул. И тут же замолчал.

Дело не в словах, конечно. Слова ничего не могут изменить, хоть каждое выделяй Интонацией, будто оно с заглавной буквы. Это как заклинания у ведьм — мнемоническая формула, включающая в моей памяти «шаблон». Я могу подчинить человека и сам, но так... так оно правильнее. Срабатывает давным-давно проверенный механизм.

Роман приосанился, даже будто припухлость щек у него исчезла. Только что сидел рядом крупный и немного капризный младенец, а теперь — мужчина! Боец!

— Свет с тобой! — закончил я.

— В аэропорт! — с удовлетворением произнес Роман.

Мотор взвыл, мы рванули с места, выжимая из рабочей немецкой машинки все заложенные в нее силы. Ручаюсь, еще никогда этот спортивный седан не показывал все, на что способен!

Я закрыл глаза и посмотрел сквозь Сумрак — в ветвящуюся цветными линиями тьму. Будто скомканный пучок световодов — часть зеленая, часть желтая, часть красная. Не слишком-то умею смотреть линии вероятности, но сейчас это далось неожиданно легко. Я чувствовал себя в форме как никогда.

Это значит — ко мне уже течет чужая Сила. Сила Гесера и Завулона, Эдгара и Инквизиторов. А возможно, по всей Москве сейчас замирают Иные, Светлые и Темные, те, у кого Гесер и Завулон вправе *брать*.

Я только один раз чувствовал что-то подобное. Когда брал Силу у людей.

— Третий поворот — уходим налево, впереди пробка, — сказал я. — Поворачиваем направо, во двор, выезжаем в арку... там переулок...

Никогда не был в Саратове. Но сейчас это не имело никакого значения.

— Есть! — бодро отрапортовал Роман.

— Быстрее!

— Будет исполнено!

Я посмотрел на Ласа. Тот достал пачку папирос, закурил. Машина неслась по забитым улицам, Роман рулил с лихостью водителя трамвая, которому выпал шанс обставить Шумахера на «Формуле-1».

Лас вздохнул и спросил:

— Что теперь будет со мной? Достанешь из кармана фонарик и скажешь «это был взрыв болотного газа»?

— Ты же видишь — фонарик для этого не нужен, — сказал я.

— Но жить-то буду? — не унимался Лас.

— Будешь, — успокоил я. — А помнить — нет. Извини, но это обычная процедура.

— Понятно, — печально сказал Лас. — Блин... Ну что за дела... Скажи, раз уж все равно...

Машина лихо пронеслась по переулку, приплясывая на выбоинах. Лас затушил папиросу и продолжил:

— Скажи, ты кто?

— Иной.

— Какой такой иной?

— Маг. Не волнуйся — Светлый маг.

— Ты возмужал, Гарри Поттер... — сказал Лас. — Ну и дела. А может, я сошел с ума?

— И не надейся... — сказал я, упирая руки в потолок. Роман оттягивался от души — и гнал по каким-то клумбам, спрямляя дорогу. — Осторожнее, Роман! Нам надо быстро, но безопасно!

— Тогда еще скажи, — не унимался Лас. — Эта гонка... ой... она не связана с ненормально крупной летучей мышью, которую мы видели прошлой ночью?

— Будешь смеяться — связана! — подтвердил я. Сила бурлила во мне, опьяняя, будто шампанское. Хотелось чудить и веселиться. — Не боишься вампиров?

Лас достал из сумки фляжку виски, резким движением содрал колпачок, приложился. И бодро сказал:

— Ничуть!

Глава 6

На полпути за нами увязалась машина ГАИ. Я навесил на «бору» заклинание, рассеивающее внимание людей, и гаишники немедленно отстали. Обычно таким заклинанием Иные предохраняют свои машины от угона, и я даже порадовался новому применению, которое для него нашел. Впрочем, через минуту нас едва не протаранил грузовик — и я поспешил заклинание снять.

— Будем в аэропорту через пятнадцать—двадцать минут, — отрапортовал Рома, крутя руль. — Какие будут распоряжения, шеф?

Краем глаза я заметил, что Лас покачал головой и сделал еще глоток. Мы уже выехали за город и мчались по дороге в аэропорт. Довольно приличной дороге, по среднероссийским меркам.

— Включи радио, — попросил я. — А то грустно как-то едем.

Рома включил. Заканчивался выпуск новостей:

— ...к восторгу миллионов читателей, чье трехлетнее ожидание завершилось, — вещала ведущая. — И в заключение — сообщение с космодрома Байконур, где готовится к старту совместный российско-американский экипаж. Старт планируется на восемнадцать часов тридцать две минуты по московскому времени. А теперь мы продолжаем наш музыкальный эфир...

— Хочешь виски? — спросил Лас.

— Нет, мне еще работать.

— Александр, соберись, сейчас не время пить! — бодро рявкнул Роман. — Нам предстоит работа!

Похоже, этот добродушнейший человек, в жизни вряд ли способный зарезать курицу, сейчас воображал себя Джеймсом Бондом. Ну или его помощником.

Все мы во что-то недоиграли в детстве.

— Ты будешь охранять машину, — сказал я ему. — Это очень ответственное задание. Мы на тебя рассчитываем.

— Служу Свету! — гаркнул Роман.

— Никогда бы не поверил... — простонал Лас на заднем сиденье. — Мне тоже охранять машину?

— Да, — кивнул я. — Только... большая просьба — не пытаться убежать.

Сзади снова послышалось бульканье. Может быть, и Ласа обратить к Свету? Так будет гуманнее... а то терзается человек попусту.

Но времени на размышления мне не осталось — машина влетела на площадь перед аэропортом, с визгом тормозов остановилась перед входом. Никто не обратил на это особого внимания — опаздывает человек на рейс, дело обычное...

Я достал записку Арины. Посмотрел на «компас».

Стрелка покачивалась, но пока еще указывала направление.

Почувствовал Костя мое приближение? Гесер в этом уверен.

И что меня ждет?

Как ни странно, но до этого момента я не испытывал страха. Внутренне не готов был видеть в Косте врага — да еще такого врага, что способен убить. Я маг второго уровня, а это совсем немало. За мной вся мощь Ночного

Дозора, а сейчас, вот неслыханное дело, еще и Дневного. Ну что может мне сделать один-единственный вампир, пусть даже и Высший?

Но сейчас я вспоминал оскаленное лицо Витезслава. Костя его убил. Пересилил.

— Лас, — коротко сказал я. — Просьбочка такая... Иди за мной. На расстоянии. Если что-то случится... потом к тебе придут, расскажешь.

Лас хлебнул, бросил пустую флягу на сиденье и рассудительно сказал:

— А почему бы и не пойти? Вперед, бледнолицый Блэйд!

Похоже, теперь ему море было по колено. Напиться — это отчасти хороший метод защиты от вампира. Кровь пьяного человека для него неприятна, а сильно пьяного — даже ядовита. Может быть, поэтому вампиры всегда предпочитали Европу, а не Россию?

Но вампиру вовсе не обязательно пить кровь убитого человека. Питание — питанием, а дело — делом.

— Не приближайся, — повторил я. — На расстоянии!

— Берегите себя, шеф! — попросил Роман. — Удачи! Надеемся на вас!

Я посмотрел на него и вспомнил прощальное напутствие Завулона.

Как мы похожи.

Как все мы похожи — Иные и люди, Темные и Светлые.

— Тихо, неторопливо, без агрессии, — сказал я самому себе, глядя на покуривающих у входа в аэровокзал мужчин. Люди большей частью были интеллигентные, при галстуках. Уборщица в оранжевом жакете, смолившая «Приму», рядом с ними смотрелась диковато. — Тихо и мирно...

Я пошел к зданию. Курильщики расступились — во мне сейчас было слишком много Силы, ее способны были почувствовать даже обычные люди.

Почувствовать — и благоразумно убраться в сторону.

Входя, я оглянулся — Лас, благодушно улыбаясь, тащился следом.

Где ты, Костя?

Где ты, Высший вампир, никогда не убивавший людей ради Силы?

Где ты, мечтающий стать Властелином Мира, будто в дешевом голливудском боевике?

Там же, где и мальчик-вампир, пытавшийся обмануть свою судьбу...

Я убью тебя.

Не «должен убить», не «могу убить», не «хочу убить». Хватит уточнений. Я прошел через «должен» — прошел в слезах и соплях, интеллигентских самокопаниях и самооправданиях. Я прошел через «могу» — в комплексах и потугах мага третьего уровня, Иного, достигшего своего потолка. Я прошел через «хочу» — через эмоции и страсти, гнев и жалость.

Теперь я просто делаю то, что должен делать.

Мне безразличны фальшивые идеалы и поддельные цели, лицемерные лозунги и двуличные постулаты. Я больше не верю ни в Свет, ни в Тьму. Свет — это просто поток фотонов. Тьма — это просто отсутствие света. Люди — братья наши меньшие. Иные — соль земли.

Где ты, Костя Саушкин?

К чему бы ты ни рвался — к древним восточным артефактам, к миллиардной армии из китайцев-магов, — я не дам тебе победить.

Где ты?

Я остановился посреди зала — не слишком-то большого зала провинциального аэропорта. Кажется, я его чувствую...

На меня налетел потный мужик с чемоданами, извинился, пошел дальше. Я мимолетно отметил его ауру — неинициированный Иной, Светлый, побаивается летать самолетами, благополучно долетел, расслабился, благодушен — и потому стал заметен.

Сейчас мне это было неинтересно.

Костя?

Я повернулся, будто меня окликнули. Уставился на дверь с табличкой «Служебный вход» и кодовым замком.

Никому не слышная мелодия звенела в шуме аэропорта.

Кажется, он меня зовет.

Кнопки кодового замка послушно засветились, когда я протянул к ним руку. Четыре, три, два, один. Очень хитрый код...

Я открыл дверь, оглянулся, кивнул Ласу и осторожно, чтобы не сработала защелка, притворил дверь.

Пустые, выкрашенные тоскливой зеленой краской коридоры. Я двинулся по коридору.

Мелодия крепла, петляла в воздухе, взмывала и падала. Будто затейливый перебор классической гитары — и тонкие ноты скрипки.

Вот это как — настоящий зов вампира, нацеленный на тебя...

— Спешу, спешу, — пробормотал я, сворачивая к другой кодовой двери. Позади хлопнуло — это следом вошел Лас.

Новый замок, новый код. Шесть, три, восемь, один.

Я распахнул дверь — и оказался на летном поле.

Медленно полз по бетону пузатый аэробус. Подальше, ревя турбинами, выруливала на старт «тушка».

Метрах в пяти от двери стоял Костя. В руке он держал маленький аккуратный пластиковый «дипломат» — я понял, что там и лежит «Фуаран». Рубашка на Косте была порвана — будто в какой-то миг внезапно стала слишком мала.

Похоже, выпрыгнув из поезда, он вошел в трансформацию, не до конца раздевшись.

— Привет, — сказал Костя.

Музыка исчезла, оборвалась на половине ноты.

Я кивнул:

— Привет. Быстро ты долетел.

— Долетел? — Костя покачал головой. — Нет... летучей мышью на такие расстояния тяжело.

— И кем же ты обернулся? Волком?

Абсурдный в своей светскости разговор завершился совершенно нелепым ответом Кости:

— Зайцем. Огромным серым зайцем. Допрыгал помаленьку...

Я не удержался — хихикнул, представив себе исполинского зайца, бегущего по огородам, огромными прыжками форсирующего ручьи и перескакивающего через заборы. Костя развел руками:

— Ну... и впрямь смешно получилось. Ты как? Не слишком... я тебя? Зубы целы?

Я постарался улыбнуться как можно шире.

— Извини. — Костя казался на самом деле огорченным. — Это все от неожиданности. Как ты понял, что книга у меня? Коктейль?

— Да. Для заклятия нужна кровь двенадцати человек.

— Откуда ты узнал? — задумчиво спросил Костя. — Никаких данных по «Фуарану» нет... а, не важно. Я хочу с тобой поговорить, Антон.

— Я тоже, — согласился я. — Сдавайся. Ты еще можешь спасти свою жизнь.

— Я давно не-живой, — улыбнулся Костя. — Что, забыл?

— Ты понимаешь, о чем я.

— Антон, не лги. Ты же сам себе не веришь. Я убил четырех Инквизиторов!

— Трех, — поправил я. — Витезслава и двоих в поезде. Третий выжил.

— Велика разница. — Костя поморщился. — И одного никогда не прощали.

— Это особый случай, — сказал я. — Скажу честно, Высшие напуганы. Тебя уничтожат, но цена победы будет слишком высока. Высшие пойдут на переговоры.

Костя молчал, пристально смотрел на меня.

— Если ты вернешь «Фуаран», если добровольно сдашься, то тебя не тронут, — продолжал я. — Ты же законопослушный. Это все книга, ты был в состоянии аффекта...

Костя покачал головой:

— Да не был я в состоянии аффекта. Эдгар не воспринял слова Витезслава всерьез. А я — поверил. Обернулся, долетел до избушки. Витезслав подвоха не ожидал... стал показывать книгу, объяснять. Я услышал про кровь двенадцати... и понял, что это мой шанс. Он даже не возражал против эксперимента. Наверное, хотел побыстрее убедиться, что книга настоящая. Только когда понял, что я стал сильнее... вот тогда напрягся. Но было уже поздно.

— Зачем? — спросил я. — Костя, это же безумие! Зачем тебе власть над миром?

Костя приподнял брови. Некоторое время смотрел на меня — потом засмеялся.

— Что ты, Антон! Какая власть? Ты не понимаешь!

— Я все понимаю, — упрямо сказал я. — Ты рвешься в Китай, верно? Миллиард магов под твоей властью?

— Идиоты, — тихо сказал Костя. — Вы все идиоты. Вы только об одном можете думать... Власть и Сила... Не нужна мне эта власть! Я — вампир! Понимаешь? Я изгой! Хуже любого Иного! Я не хочу быть самым сильным изгоем! Я хочу быть обычным! Я хочу стать как все!

— Но «Фуаран» не позволяет превратить Иного в человека... — пробормотал я.

Костя захихикал. Покачал головой:

— Ау! Антон, включи голову! Тебя накачали Силой и отправили меня убивать, я знаю. Но ты вначале подумай, Антон! Пойми, чего я хочу!

Скрипнула дверь за спиной. Вышел Лас. Смущенно уставился на меня, потом покосился на Костю.

Костя покачал головой.

— Не вовремя? — оценив ситуацию, сказал Лас. — Извините, уже ухожу...

— Стой, — сухо произнес Костя. — Ты очень даже вовремя.

Лас застыл. Я не уловил приказа в голосе Кости, но он, похоже, был.

— Натурный эксперимент, — сказал Костя. — Гляди, как это делается...

Он сильно встряхнул «дипломат», замки послушно открылись, чемоданчик раскрылся, и из него тяжело, солидно вылетела книга.

«Фуаран».

Переплет и впрямь был кожаный — серовато-желтый. И уголки заделаны медными треугольниками. А еще — затейливый замочек, не дающий книге раскрыться.

Костя поймал книгу одной рукой, с удивительной ловкостью раскрыл — будто не фолиантом в пару килограммов весом орудовал, а газету разворачивал. Выпустил «дипломат», звонко грохнувшийся о бетон.

— Здесь в основном всякая лирика, — ухмыльнулся Костя. — Хроника неудачных экспериментов. Рецепт в конце... он совсем простой.

Свободной рукой Костя достал из заднего кармана джинсов металлическую фляжку. Отвернул колпачок — и капнул прямо на раскрытую страницу.

Чего я жду?

Что он собирается сделать?

Все во мне сейчас кричало — атакуй! Пока он отвлекся — бей в полную силу!

Но я ждал, завороженный зрелищем.

Капля крови исчезала со страницы. Таяла, исходила бурым дымком. А книга... книга начала петь. Давящий звук, похожий на горловое пение — вроде и человеческий голос, и нет в нем ничего осмысленного.

— Тьмой и Светом... — сказал Костя, глядя в открытые страницы. Он видел там что-то, недоступное мне. — Ом... Мриганкандата гаури... Аучитья дхвани... Моей волей... Мокша гаури...

Голос книги — у меня не было сомнений, что звучит именно книга, — стал сильнее. Заглушил голос Кости, слова заклинания — и русские, и те, древние, на которых был написан «Фуаран».

Костя повысил голос — будто пытался перекричать книгу.

До меня донеслось лишь последнее слово — опять «ом». Пение прервалось на резкой, диссонансной ноте.

За спиной выматерился Лас. И спросил:

— Что это было?

— Море, — ухмыльнулся Костя. Нагнулся, поднял «дипломат», спрятал туда и книгу, и фляжку. — Целое море новых возможностей.

Я повернулся, уже зная, что увижу. Прищурился, ловя зрачками тень собственных ресниц.

Посмотрел на Ласа сквозь Сумрак.

Аура неинициированного Иного была совершенно явственной. Добро пожаловать в нашу дружную компанию...

— Вот так это работает на людях, — сказал Костя. На лбу у него выступили капельки пота, но он выглядел очень довольным. — Вот так.

— Так чего же ты хочешь? — спросил я.

— Я хочу быть Иным среди Иных, — сказал Костя. — Я хочу, чтобы все это прекратилось... Светлые и Темные, Иные и люди, маги и вампиры. Все станут Иными, понимаешь? Все люди на свете.

Я засмеялся:

— Костя... ты потратил две или три минуты на одного человека. Ты в ладах с арифметикой?

— Здесь могло стоять двести человек, — сказал Костя. — Они все стали бы Иными. Здесь могло стоять десять тысяч. Заклинание действует на всех, кто находится в моем поле зрения.

— Но все равно...

— Через полтора часа с космодрома Байконур стартует к МКС очередной экипаж посещения, — сказал Костя. — Я думаю, что космическому туристу из Германии придется уступить мне место.

Секунду я молчал, осмысливая его слова.

— Я буду тихо сидеть у иллюминатора и пялиться на Землю, — произнес Костя. — Как и положено космическому туристу. Я буду смотреть на Землю, размазывать по бумаге кровь из фляжки и шептать заклинания. А далеко внизу люди будут становиться Иными. Все люди — понимаешь? От младенцев в колыбелях и до стариков в креслах-качалках.

Сейчас он казался совсем живым. Совсем настоящим. Глаза горели — не вампирской силой, а обычным человеческим азартом.

— Антон, ты ведь и сам об этом мечтал, верно? Чтобы не стало больше людей! Чтобы все были равны!

— Я мечтал, чтобы все стали Иными, — сказал я. — А вовсе не о том, чтобы не стало людей.

Костя поморщился.

— Брось! Это все словесная эквилибристика... Антон, у нас есть шанс изменить мир к лучшему. Этого не могла Фуаран — в ее время не было космических кораблей. Этого не могут Гесер и Завулон — у них нет книги. А мы — мы можем! Я не хочу никакой власти, пойми! Я хочу равенства! Свободы!

— Счастья для всех, даром? — спросил я. — И чтобы никто обиженный не ушел?

Он не понял. Кивнул:

— Да, счастья для всех! Земля для Иных! И никаких обид! Антон, я хочу, чтобы ты был со мной. Встань на мою сторону!

— Это замечательная идея, — воскликнул я, глядя ему в глаза. — Костя, да ты молодец!

Никогда не умел врать. А уж обмануть вампира — это почти невозможно. Но, видимо, Косте очень хотелось, чтобы я согласился.

Он улыбнулся. Расслабился.

И в этот миг я поднял руки и ударил «серым молебном».

Это было совсем не похоже на тот удар, что я нанес в поезде. Сила бурлила во мне, истекала из кончиков пальцев — и не кончалась! Кто мог знать, что он провод, пока не включили ток?

Заклинание было видно даже в человеческом мире. Змеящиеся серые нити вырывались из моих рук, опутывали Костю, сжимали и выворачивали, закутывали в серый шевелящийся кокон. В Сумраке творилось что-то невообразимое — мир заполнила бурлящая серая метель, по сравнению с которой обычный серый туман казался цветным. Я подумал о том, что если в радиусе нескольких километров есть обычные регистрированные вампиры — им тоже не поздоровится. Снесет и развоплотит рикошетными заклинаниями...

Костя упал на одно колено. Он дергался, пытаясь вырваться, но «серый молебен» сосал из него Силу быстрее, чем он успевал рвать заклинания.

— Ёшкин свет! — восхищенно воскликнул за спиной Лас.

Через меня еще никогда не шло столько Силы.

С миром вокруг творилось что-то странное. Самолет на взлетной полосе выцвел, превращаясь в серую каменную глыбу. Небо выцвело, стало белесым и низким. Уши будто ватой заложило.

Кажется, Сумрак рвется в наш мир...

Но остановиться я не мог. Я чувствовал — стоит хоть на секунду ослабить напор, и Костя вырвется, ударит в ответ. Ударит так, что собирать будет нечего... это меня, а не Костю размажет по бетонному полю...

Он поднял голову. Посмотрел на меня — не со злостью, скорее с обидой и недоумением. Медленно-медленно развел руки...

Неужели у него еще есть резерв Силы?

Вокруг Кости очертилась в воздухе прозрачная голубоватая призма. Отсекла серые нити заклинания, крутанулась — и сжалась в точку. Исчезла.

Вместе с вампиром.

Костя ушел через портал.

Сила все еще бушевала во мне. Сила тысяч Иных, переброшенная Гесером и Завулоном, щедрая бесконтрольная Сила, ищущая применения. Человеческая Сила — через третьи руки дошедшая до меня...

Хватит...

Я свел ладони, сминая серые нити в тяжелый ком.

Хватит...

Здесь больше нет врага.

Хватит...

Поединок магов — это фехтование, а не удары дубиной.

Хватит.

Костя оказался искуснее.

Меня колотила мелкая дрожь — но я остановился. Небо вновь окрасилось синью, на взлетной полосе разгонялся самолет.

Костя ушел.

Убежал?

Нет, именно ушел. Никогда не слышал о вампирах, способных на прямой портал. И Высшие, похоже, не ожидали от Кости подобного финта.

Он шел к аэропорту, зная, что все подумают о самолетах и вертолетах. Расслабятся — запас времени еще есть, можно перехватить вампира в воздухе, можно поднять истребители, можно шарахнуть ракетой...

А Костя заранее готовился к прыжку прямым порталом. Полтора часа до старта ракеты — он бы не успел долететь! Да и не подпустят самолет к Байконуру — какая ни есть, а все-таки ПВО там существует. Он потому и сумел прыгнуть под прессом «серого молебна» — заклинание портала уже было готово, «подвешено», как боевые заклинания у мага-оперативника.

· Значит, он не верил, что я встану на его сторону. Или по меньшей мере серьезно в этом сомневался. Но для него все-таки было важно, очень важно победить меня — не чистой Силой, что уж тут говорить о Силе, когда он стал Высшим, а я остаюсь магом второго уровня, пусть и накачанным заемной Силой. Самая чистая, самая показательная победа — когда соперник признает твою правоту. Сдается без боя. Переходит под твои знамена.

Все-таки я глупец. Считал его то другом, то врагом. А он не был ни тем, ни другим. Он всего лишь хотел доказать свою правду. И так уж случилось, что объектом для этого доказательства был выбран я. Уже не друг, еще не враг. Всего лишь носитель другой правды.

— Он телепортировался? — спросил Лас.

— Что? — Я обернулся, посмотрел на него. — Ну... вроде того. Открыл портал и ушел. Как ты понял?

— В игрушке какой-то компьютерной видел, похоже было... — с легким сомнением сказал Лас. И с возмущением уточнил: — Очень похоже!

— Игрушки не только люди делают... — объяснил я. — Да, он ушел. На Байконур. Хочет подменить космического туриста...

— Я слышал, — сказал Лас. — Вот придурок.

— Понимаешь, почему он придурок? — спросил я.

Лас фыркнул.

— Если все люди станут магами... Сегодня тебе в трамвае нахамят, а завтра — испепелят на месте. Сегодня неприятному соседу дверь гвоздиком поцарапают или анонимку в налоговую напишут, а завтра порчу напустят или кровь высосут. Обезьяна на мотоцикле только в цирке хороша, а не на городских улицах... А уж тем более — обезьяна с автоматом.

— Думаешь, обезьян — большинство? — уточнил я.

— Все мы обезьяны.

— Тебе дорога в Дозор, — пробормотал я. — Подожди... я спрошу совета.

— Какой Дозор? — насторожился Лас. — Спасибо! Я-то не маг, слава Богу!

Закрыв глаза, я вслушался. Тишина.

«Гесер!»

Тишина.

«Гесер! Учитель!»

«Мы совещались, Антон».

В мысленном разговоре нет интонаций. И все-таки... и все-таки мне почудилась тень усталости в словах Гесера.

«Он ушел на Байконур. «Фуаран» действительно работает. Он хочет превратить в Иных всех людей на Земле!»

Я замолк, потому что понял — Гесер в курсе. Он видел и слышал все происходящее — моими ли глазами и ушами, какими-то другими магическими методами — не важно.

«Ты должен его остановить, Антон. Следуй за ним и останови его».

«А вы?»

«Мы держим канал, Антон. Снабжаем тебя Силой. Знаешь, сколько Иных давали Силу для «серого молебна»?»

«Догадываюсь».

«Антон, я с ним не справлюсь. И Завулон не справится. И Светлана. Мы сейчас можем только одно — обеспечивать тебе энергетическую подпитку. Мы тянем Силу у всех Иных Москвы. Если потребуется — начнем брать ее непосредственно у людей. Перестраиваться, использовать в качестве проводников других магов нет времени. Остановить Костю должен ты... с нашей помощью. Альтернатива — ядерный удар по Байконуру».

«Я не смогу открыть прямой портал, Гесер».

«Сможешь. Портал еще не закрылся до конца, ты должен найти горловину и снова его активировать».

«Гесер, не переоценивай меня! Даже с вашей Силой я — маг второго уровня!»

«Антон, опомнись. Ты стоял перед Саушкиным, когда он произнес заклинание. У тебя уже не второй уровень».

«А... какой?»

«Выше первого — только одна категория. Высшая. Хватит разговоров, иди за ним!»

«Но как я смогу его победить?»

«Как хочешь».

Я открыл глаза.

Лас стоял передо мной и помахивал перед лицом ладонью.

— О! Живой! — обрадовался он. — Так что за Дозор? И что, я теперь тоже маг?

— Почти. — Я шагнул вперед.

Вот здесь стоял Костя... упал... развел руки... возник портал...

Человеческий мир — пусто.

Дует ветер, шелестит по бетону скомканный целлофан сигаретной пачки...

Сумрак — пусто.

Серая мгла, каменные глыбы на месте строений, шевелящиеся плети синего мха...

Второй слой Сумрака.

Тяжелый, свинцовый туман... призрачный мертвый свет из-под тяжелых туч... синяя искорка на месте портала...

Я протянул руку —

   в человеческом мире,

     в первом слое сумрака,

       во втором слое Сумрака...

И подцепил пальцами гаснущую синюю искорку.

Постой. Не гасни. Вот тебе Сила — ревущая энергия, разрывающая грань между мирами. Стекает с пальцев огненными каплями — на гаснущие уголья...

Расти, открывайся, выползай под яркое солнце — тебе еще придется поработать! Я чувствую след того, кто открывал портал. Я вижу, как он это делал. Я сумею повторить его путь.

И мне даже не нужны заклинания — все эти смешные формулы на невразумительных древних языках, как не нужны они были ведьме Арине, варящей свои зелья, как не нужны они Гесеру и Светлане.

Так вот что это такое — быть Высшим магом?

Не заучивать схемы, а чувствовать движение Сил?

Как удивительно... и как просто.

Дело даже не в возможностях, не в поражающей силе файербола или мощности «фриза». Накачанный чужой Силой или накопивший изрядно собственной, даже обычный маг способен «жахнуть» так, что Высшему мало не покажется. Дело в свободе. Как между пловцом, пусть самым талантливым, — и самым ленивым дельфином.

Как же это было трудно Светлане — жить со мной, забыв о своей Силе, забыв о своей свободе? Это не разница между сильным и слабым — это разница между здоровым и инвалидом...

Но ведь живут — обычные люди? Живут и со слепыми, и с парализованными. Потому что главное все-таки не в свободе. Свобода — оправдание подлецов и дураков. Говоря «свобода», такие думают не о чужой свободе, а о собственном рабстве.

И даже Костя — ни дураком, ни подлецом не будучи — попался на тот же самый крючок, что уже порвал губы революционерам всех мастей — от Спартака до Троцкого, от гражданина Робеспьера до команданте Че Гевары, от Емельки Пугачева до безымянного шахида.

А не попался бы я сам? Еще десять, еще пять лет назад?

Если бы мне сказали: «Можно все изменить разом — и к лучшему»?

Может быть, мне повезло.

Хотя бы с теми, кто был рядом со мной. Кто всегда с сомнением качал головой при словах «свобода и равенство».

Портал раскрылся передо мной — голубая призма, сияющие шнуры — ребра, мерцающая пленка — грани...

Я раздвинул шнуры руками и вошел в портал.

Глава 7

Что плохо в порталах — так это невозможность приготовиться к новому месту. Поезд в этом плане идеален. Ты входишь в купе, меняешь брюки на трико, а штиблеты на резиновые тапочки, извлекаешь пищу и напитки, знакомишься с попутчиками — если уж угораздило путешествовать без компании. Стучат колеса, уплывает перрон. Все, ты в пути. Ты другой человек. Ты делишься самыми сокровенными переживаниями с незнакомцами, споришь о политике, о которой зарекся спорить, пьешь сомнительную водку, купленную на полустанке. Ты — не там и не здесь. Ты в пути. Совершаешь свой маленький квест, в тебе что-то от Фродо и что-то от Паганеля, самая капелька — от Робинзона и чуточку от Радищева. Может быть, твой путь займет всего несколько часов, а может быть — несколько дней. Страна большая, и она плывет за окнами купе. Ты — не там. Ты — не здесь. Ты путешественник.

Самолет — немножко иное. Но все-таки ты тоже готовишься к путешествию. Покупаешь билет, просыпаешься ни свет ни заря, садишься в такси и едешь в аэропорт. Колеса наматывают километры, а ты уже смотришь в небо, мысленно — ты уже там, в полете. Нервная суета зала ожидания, растворимый кофе в буфете, контроль, досмотр, если покидаешь страну — таможня и «Дьюти Фри», маленькие радости путешествия перед узкими самолетными креслами, ревом турбин и оптимистической скороговоркой стюардессы: «Аварийные выходы расположены...» И вот уже земля ушла вниз, погасли табло, курильщики стыдливо потянулись в туалеты, стюардессы деликатно их не заметили, в пластиковых лотках разносят обед — почему-то в самолетах все жрут в три горла. Это не совсем путешествие. Это перемещение. Но... но все-таки ты видишь проплывающие мимо города и реки, листаешь путеводитель или проверяешь командировочное удостоверение, обдумываешь, как провести деловые переговоры — или повеселее использовать десятидневный тур в гостеприимную Турцию-Испанию-Хорватию. Все-таки — ты в пути.

Портал — это шок. Портал — это смена декораций, это крутящаяся сцена в театре. Ты здесь — и ты там. Пути нет.

И времени задуматься — тоже.

...Я вывалился из портала. Одной ногой ударился о кафельный пол, другой — угодил в унитаз.

Хорошо хоть, вполне чистый унитаз. Как в порядочном американском фильме, где герои мочат друг друга в сортире. Но ногу все-таки потянул — и, вытаскивая ее из унитаза, скривился от боли.

Крошечная кабинка, под потолком — лампочка и решетка вентилятора, на держателе — рулончик туалетной бумаги. Ну ничего себе портал! Я почему-то ожидал, что Костя провесил портал прямо к старту, где-нибудь к подножию ракеты.

Открыв дверь, все еще болезненно морщась, я осторожно посмотрел в щелку. Вроде бы туалет был пуст. Ни звука, только подтекает кран в одном из умывальников...

В этот миг меня тяжело толкнули в спину — и я вылетел из кабинки, открыв дверь головой. Перевернулся на спину, вскинул руку, готовясь ударить.

В кабинке стоял Лас — раскинув руки, держался за стенки, очумело озирался вокруг.

— Ты чего? — рявкнул я. — Ты зачем за мной?

— Ты же сам велел идти следом! — оскорбился Лас. — Волшебник хренов!

Я поднялся. Спорить и впрямь было глупо.

— Мне надо остановить ополоумевшего вампира, — сказал я. — Самого сильного мага в мире на сегодняшний день. Тут... тут сейчас будет очень жарко...

— Мы что, на Байконуре? — ничуть не испугавшись, спросил Лас. — Вот это я понимаю, вот это замечательно! А обязательно было телепортироваться через канализацию?

Я только махнул рукой. Вслушался в себя. Да, Гесер был где-то рядом. И Гесер, и Завулон... и Светлана... и еще сотни, тысячи Иных. Они ждали.

Они надеялись на меня.

— Чем я могу помочь? — спросил Лас. — Может, колья осиновые поискать? Кстати, спички делают из настоящей осины, в курсе? Я всегда думал — почему именно из осины, неужели она лучше всего горит? А теперь понимаю, это как раз в целях борьбы с вампирами. Затачиваешь десяток спичек...

Я посмотрел на Ласа.

Тот развел руками:

— Ну ладно, ладно... Мое дело — предложить.

Подойдя к двери из туалета, я выглянул наружу. Длинный коридор, лампы дневного света, никаких окон. В конце коридора — человек в форме, с пистолетом на ремне. Охрана? Да, наверное, здесь должна быть охрана. Даже в наше время.

Вот только почему охранник застыл в такой неподвижной и такой неудобной позе?

Выйдя в коридор, я двинулся к военному. Негромко позвал:

— Простите, можно вас побеспокоить?

Охранник не возражал. Смотрел в пространство — и улыбался. Молодой мужик — и тридцати нет. Совершенно оцепеневший. И очень бледный.

Я приложил пальцы к сонной артерии — пульс едва угадывался. Следы укусов были почти не видны, только на воротнике несколько капель крови. Да, Костя очень устал после бегства. Ему нужно было подкрепиться, а кошек в поле зрения не оказалось...

Впрочем, если военный еще жив, то у него есть шансы выкарабкаться.

Вытащив из кобуры пистолет — кажется, именно к нему он и тянулся, когда приказ вампира заставил его замереть, — я аккуратно повалил охранника на пол. Пусть отлежится. Потом обернулся.

Разумеется, Лас шел следом. И теперь молча смотрел на неподвижного вояку.

— Стрелять умеешь? — спросил я.

— Попробую.

— Если что — стреляй в голову и сердце. Попадешь — будут шансы его затормозить.

Разумеется, я не строил никаких иллюзий. Даже если Лас всадит в Костю всю обойму, что уже само по себе проблематично, то пули Высшего вампира не остановят. Но пусть будет при деле.

Лишь бы мне в спину не попал с перепугу...

Найти Костю было нетрудно, даже не используя магию. Нам попались еще трое мужчин — охранник и двое гражданских, оцепенелые и укушенные. Наверное, Костя двигался в том вампирском стиле, когда движения становятся неуловимо-быстрыми, а процесс «питания» занимает от силы десяток секунд.

— Они теперь станут вампирами? — поинтересовался Лас.

— Только если он этого хотел. И только если они сами согласились.

— Не думал, что тут бывает выбор.

— Выбор есть всегда, — открывая очередную дверь, ответил я.

И понял, что мы пришли.

Это был просторный светлый зал. Полный народа — человек двадцать, не меньше. Были тут и космонавты — и наш командир корабля, и американец, и космический турист, немецкий фабрикант шоколада.

Разумеется, все пребывали в той же самой блаженной прострации. Кроме двух техников в белых халатах — глаза их оставались бессмысленными, но руки с привычной ловкостью помогали Косте натянуть скафандр. Задачка была не из легких — полетные скафандры делаются под фигуру, а Костя был чуть выше немца.

Незадачливый турист, раздетый догола — Костя не побрезговал натянуть даже его белье, — сидел в сторонке и сосал указательный палец.

— У меня всего две-три минуты, — весело сказал Костя. — Так что не надо меня задерживать, Антон. Попытаешься встать на пути — убью.

Разумеется, мое появление для него неожиданностью не стало.

— Ракете не дадут взлететь, — сказал я. — На что ты рассчитываешь? Высшие знают, что ты задумал.

— Дадут, никуда не денутся, — спокойно ответил Костя. — Здесь неплохое ПВО, можешь мне поверить. И начальник охраны космодрома только что отдал все нужные приказания. Что, хочешь сказать, нанесут массированный удар баллистическими ракетами?

— Нанесут.

— Блеф, — сухо ответил Костя. — Удар со стороны китайцев или американцев исключен, начнется мировая война. Наши ракеты на Байконур не нацелены. Самолеты с тактическими зарядами не подпустят. У вас нет выхода. Расслабьтесь и получайте удовольствие.

Может, он и прав.

А может быть, у Великих имелся план — как и Байконур сжечь атомным ударом, и мировую войну не спровоцировать.

Не важно.

Главное то, что для себя Костя уже все решил. Его не остановят. Сейчас его выведут и посадят в ракету... а что потом?

Что он сумеет сделать, сидя в железной бочке, когда на космодром переместятся порталами десяток Высших? И мигом прочистят мозги и начальнику охраны, и тем, кто должен нажать на кнопку «пуск», и дадут команду на подрыв ракеты, и шарахнут «с плеча» портативным ядерным зарядом или активируют какой-нибудь секретный спутник с рентгеновским лазером?

Да ничего он не сделает!

Космический корабль — не автомобиль, который можно угнать! Запуск корабля — слаженный труд тысяч человек, и на каждом этапе достаточно «нажать кнопочку», чтобы ни на какую орбиту корабль не вышел!

И даже будь Костя дураком — но он ведь сейчас Высший, он должен читать линии реальности, предвидеть будущее — и понимать, что его остановят.

А значит...

Значит, космодром, ракета, взятые под контроль или усыпленные люди — это все фикция. Такая же, как и саратовский аэропорт.

Не нужна ему никакая ракета! Как и самолет не был нужен!

Он откроет портал прямо в космос.

Тогда зачем же он рвался на Байконур? За скафандром? Ерунда. Звездный куда ближе, что-что, а уж рабочий скафандр подходящего размера там найдется.

Значит, не только за скафандром...

— Мне нужно читать заклинания, — сказал Костя. — Размазывать кровь по странице. В вакууме это не сделаешь.

Он поднялся, отстранил техников — те послушно вытянулись по стойке «смирно».

— Придется открывать портал на станцию. А для этого надо знать ее точное расположение. И все равно возможны ошибки... даже неизбежны.

Я не чувствовал, как он читает мои мысли. Но он их читал.

— Ты все правильно понял, Антон. Я готов отправиться на станцию в любую секунду. Раньше, чем вы успеете что-либо сделать. И даже если Гесер с Завулоном вывернутся наизнанку, вашей Силы не хватит. Я максимально силен, понимаешь? Я достиг абсолютной Силы! Выше просто ничего нет! Гесер мечтал, что твоя дочь станет первой такой волшебницей... — Костя усмехнулся. — Так вот я — уже стал!

— Волшебницей? — Я позволил себе улыбнуться.

— Абсолютным магом, — отрезал Костя. — И поэтому вам меня не победить. Вам не набрать большей Силы, понимаете? Я — абсолют!

— Ты — абсолютный нуль, — сказал я. — Ты — абсолютный вампир.

— Вампир, маг... какая разница? Я — абсолютный Иной.

— Ты прав, никакой. Мы все живем за счет человеческой Силы. И ты вовсе не самый сильный — ты самый слабый. Ты абсолютная пустота, в которую льется чужая Сила.

— Пусть даже и так. — Костя не стал спорить. — Это ничего не меняет, Антон! Вам меня не остановить, и я выполню то, что задумал.

Он помедлил секунду, а потом сказал:

— А ведь ты все равно не станешь на мою сторону... О чем ты думаешь?

Я не ответил. Я тянул Силу.

От Гесера и Завулона, от Темных и Светлых, от добрых и злых. Где-то там, далеко, мне отдавали свои силы те, кого я люблю, — и те, кого ненавижу. И сейчас для меня не было никакой разницы, Светлая это Сила, или Темная. Все мы были сейчас в одной лодке... в одной космической лодке, плывущей в абсолютной пустоте...

— Ну, ударь, — насмешливо сказал Костя. — Врасплох ты меня больше не застанешь.

«Бей, — шепнул Гесер. — Бей «белым маревом».

Знание о том, что такое «белое марево», вползло в меня вместе со Светлой Силой. Знание страшное, пугающее — потому что даже сам Гесер применял это заклинание один-единственный раз и после этого поклялся не применять его никогда...

«Бей, — посоветовал Завулон. — Лучше — «тенью владык».

Знание о том, что такое «тень владык», скользнуло в меня вместе с Темной Силой. Знание отвратительное, ужасающее — потому что даже Завулон никогда не рисковал поднять эти тени с пятого слоя Сумрака...

«Бей, — сказал Эдгар. — «Саркофаг времен». Только «саркофаг времен»!

Знание о том, что такое «саркофаг времен», хлынуло в меня вместе с Силой Инквизиторов. Знание холодное, мертвящее — потому что применивший заклинание оставался в саркофаге вместе с жертвой — навсегда, до конца Вселенной...

— А если ему скафандр продырявить? — спросил Лас, стоя в дверях с пистолетом.

Абсолютный Иной.

Абсолютный нуль.

Самый сильный, самый слабый...

Я собрал отданную мне Силу — и вложил ее в заклинание седьмого уровня, одно из самых простых, которым владеет каждый Иной.

«Щит мага».

Наверное, еще никогда Силу не тратили так бессмысленно.

И, наверное, еще ни один маг в мире не был так надежно защищен.

От всего.

Белый сетчатый кокон возник вокруг меня. Нити кокона похрустывали от струящейся в них энергии — он уходил куда-то туда, в самые глубины мироздания, где теряется счет слоям Сумрака, где нет ни материи, ни пространства, ни времени — ничего, понятного человеку или Иному.

— Ты... чего? — спросил Костя — и лицо его стало по-детски обиженным. — Ты что, Антон?

Я молчал. Стоял и смотрел на него. Пусть даже тени мысли не мелькнет на лице. Пусть он подумает то, что ему хочется подумать.

Пусть.

— Ты испугался? — спросил Костя. — Ты... да ты... ты трус, Антон!

Я молчал.

И Высшие молчали. Нет, не молчали, наверное. Орали, ругались, проклинали меня — потому что я ухнул всю собранную ими Силу в абсолютную защиту для себя самого.

Если сейчас по Байконуру ударит термоядерный заряд — я останусь целым и невредимым. Плавающим в облаке плазмы, вплавленным в кипящий камень, — но абсолютно целым.

— Я даже и не знаю, что сказать... — развел руками Костя. — Да я и не собирался тебя убивать! Я все равно помню, что ты был моим другом!

Я молчал.

Прости, но я не могу сейчас назвать тебя другом. И потому ты не должен понять то, что понял я. Не должен прочитать мои мысли.

— Прощай, Антон, — сказал Костя.

Техники подошли к нему и опустили стекло гермошлема. Он еще раз посмотрел на меня сквозь стекло — непонимающе, обиженно. И отвернулся.

Я думал, что он откроет портал в космос прямо сейчас. Но Костя и впрямь готовился к прыжку основательно. Что и говорить, я никогда не слышал даже о попытках перенестись на борт летящего самолета, не то что космической станции.

Оставив космонавтов и персонал пребывать в оцепенении, Костя вышел из зала. Лас посторонился, покосился на меня, взглядом указывая на пистолет.

Я покачал головой, и он не стал стрелять.

Мы просто пошли следом.

В зал управления полетами — где как сомнамбулы сидели за компьютерами техники и программисты.

Когда он успел подчинить всех своей воле?

Неужели сразу, как только оказался на Байконуре?

Обычный вампир легко держит под контролем одного-двух человек. Высший может управиться и с парой десятков.

Но Костя и впрямь стал абсолютным Иным — весь отлаженный механизм огромного космодрома крутился сейчас вокруг него.

Косте приносили какие-то распечатки. Что-то показывали на экранах. Он слушал, кивал — и даже не смотрел в нашу сторону.

Умный парень. Хорошо образованный. Учился на физфаке, потом ушел на биологический, но физику с математикой, похоже, не разлюбил. Мне бы эти схемы и графики ничего не объяснили, а он готовился провесить магический портал на орбиту. Выйти в космос волшебными средствами — маленький шаг для Иного, огромный прыжок для всего человечества...

Только бы он не затянул.

Только бы не запаниковал Гесер.

Только бы не нанесли ядерный удар — это не поможет, и это ненужно, ненужно, ненужно!

Костя посмотрел на меня, лишь когда открыл призму портала. Посмотрел презрительно и обиженно. Губы за стеклом гермошлема шевельнулись, и я понял: «Прощай».

— Прощай, — согласился я.

С чемоданчиком системы жизнеобеспечения в одной руке и с чемоданчиком, хранящим «Фуаран», — в другой, Костя шагнул в портал.

Тогда я позволил себе снять щит — и чужая Сила ухнула в пространство, растекаясь вокруг.

«Как ты все это объяснишь?» — спросил Гесер.

— Что именно? — Я сел на подвернувшийся стул. Меня колотило. На сколько там хватает кислорода в легком полетном скафандре, вовсе не предназначенном для выхода в космос? На пару часов? Вряд ли больше.

Косте Саушкину оставалось жить совсем немного.

«Почему ты уверен...» — начал Гесер. Замолк. И мне даже показалось, что я слышу какой-то обмен репликами между ним и Завулоном. Что-то о приказах, которые надо отменить, о бомбардировщиках, которые должны вернуться на аэродромы. О команде магов, которая станет заметать следы творившихся на Байконуре безобразий. Об официальной версии сорванного старта.

— Что случилось-то? — спросил Лас, садясь рядом. Техник, которого он бесцеремонно согнал со стула, недоуменно озирался. Люди вокруг приходили в себя.

— Все, — сказал я. — Все кончилось. Все почти кончилось.

Но я знал, что это еще не конец. Потому что где-то высоко в небе, выше облаков, в холодном звездном свете, кувыркается в украденном скафандре абсолютный Иной Костя Саушкин. Пытается — и не может открыть портал. Пытается — и не может достичь проплывающей мимо станции. Пытается — и не может вернуться на Землю.

Потому что он — Абсолютный Нуль.

Потому что все мы — вампиры.

И там, за пределами теплой, живой Земли, вдали от людей и животных, растений и микробов, от всего того, что дышит, шевелится, спешит жить, — мы все становимся абсолютными нулями. Лишенными дармовой Силы, что позволяет нам так красиво и ярко бросать друг в друга шаровые молнии, исцелять болезни и наводить порчу, превращать кленовый лист в банкноту, а прокисшее молоко — в выдержанное виски.

Вся наша Сила — чужая.

Вся наша Сила — слабость.

И это то, чего не мог понять и не хотел принять хороший парень Костя Саушкин.

Я услышал смех Завулона — далеко-далеко, в городе Саратове, стоя с бокалом пива под зонтиком летнего кафе, Завулон всматривался в вечереющее небо — искал в нем новую быструю звезду, чей полет будет ярок, но недолог.

— Вроде как ты плачешь, — сказал Лас. — Только слез нет.

— Верно, — ответил я. — Слез нет, сил нет. Обратный портал не открою. Придется лететь самолетом. Или подождать группу зачистки, может, помогут.

— Кто вы такие? — спросил техник. — А? Что происходит?

— Мы — инспекция Министерства здравоохранения, — сказал Лас. — И лучше бы вы объяснили, кто додумался сжигать скошенную коноплю у воздухозаборников системы вентиляции!

— К-какую коноплю? — начал заикаться техник.

— Древовидную! — отрезал я. — Пошли, Лас. Мне еще положено дать тебе необходимые объяснения.

Мы вышли из зала — навстречу бежали какие-то сотрудники, какие-то солдаты с автоматами. Бардак был такой, что на нас внимания не обращали — а может быть, нас прикрывали остатки магического щита. В конце коридора мелькнула розовая задница немецкого туриста — он бежал вприпрыжку, так и не вынув палец изо рта. За ним спешили двое в белых халатах.

— Слушай сюда, — сказал я Ласу. — Кроме обычного, человеческого мира, который доступен глазу, существует еще и сумеречный мир. Попасть в Сумрак могут только те...

Я сглотнул и запнулся — мне снова представился Костя. Совсем давнишний Костя, еще ничего не умеющий пацан-вампир...

«Смотри, я трансформируюсь! Я — ужасная летучая мышь! Я лечу! Я лечу!»

Прощай. У тебя и впрямь получилось.

Ты летишь.

— Попасть в Сумрак могут только те, кто обладает... — продолжил я.

Эпилог

С емен вошел в кабинет вместе с Ласом — подталкивая того перед собой, будто пойманного с поличным мелкого Темного колдуна. Лас вертел в руках туго свернутую бумажную трубочку и все старался спрятать ее за спину.

Семен плюхнулся в кресло и буркнул:

— Твой протеже, Антон? Ты и разбирайся.

— Что случилось? — насторожился я.

Лас вовсе не выглядел виноватым. Так, слегка смущенным.

— Второй день стажировки, — сказал Семен. — Простейшие, элементарные поручения. Даже не связанные с магией...

— Ну? — подбодрил я.

— Попросил его встретить в аэропорту господина Сисукэ Сасаки из Токийского Дозора...

Я хмыкнул. Семен побагровел.

— Это обычное японское имя! Не смешнее, чем Антон Сергеевич!

— Да я понимаю, — согласился я. — Это тот самый Сасаки, что вел дело девочек-оборотней в девяносто четвертом?

— Тот самый. — Семен заерзал в кресле. Лас продолжал стоять у дверей. — Он проездом в Европу, но что-то собирался обсудить с Гесером.

442

— И что случилось?

Семен возмущенно посмотрел на Ласа. Откашлялся и сказал:

— Господин стажер очень интересовался у меня, знает ли уважаемый Сасаки русский. Я объяснил, что не знает. Тогда господин стажер отпечатал на принтере плакатик и отправился встречать японца в Шереметьево... Да покажи ты плакат!

Лас со вздохом развернул рулончик.

Очень крупным шрифтом были напечатаны иероглифы японского имени. Не поленился Лас, поставил японские драйвера.

А повыше — шрифтом чуть поменьше — было напечатано:

«Второй московский конгресс жертв насильственного заражения холерой».

Сохранить каменное лицо стоило мне огромных усилий.

— Зачем ты это написал? — спросил я.

— Я всегда так иностранцев встречаю, — обиженно сказал Лас. — И своих деловых партнеров, и родственников — у меня за рубежом родня есть... Если они по-русски ни слова — я крупно печатаю имя на их родном языке, а поменьше — что-нибудь смешное на русском. Например: «Конференция транссексуалов нетрадиционных ориентаций», «Европейский фестиваль глухонемых музыкантов и исполнителей», «Форум активистов всемирного движения за полное половое воздержание»... И стою с плакатиком вот так... поворачиваюсь во все стороны, чтобы все встречающие увидели...

— Это я уже понял, — сказал я. — Я другое хочу узнать — зачем ты все это пишешь?

— Когда человек из таможни выходит — уже всему залу интересно узнать, кто он такой, — невозмутимо пояснил Лас. — При его появлении все улыбаются, многие аплодируют, свистят, машут руками. Человек-то все равно не понимает, почему такая реакция! Он видит только то, что все ему радуются, замечает свое имя — и ко мне. А я плакат быстро свертываю, веду его в машину. Человек потом всем рассказывает — какие замечательные, дружелюбные люди в России! Его все встречали улыбками!

— Балда, — с чувством сказал я. — Это человек. А Сасаки — Иной. Высший Иной, между прочим! Он русского не знает, но смысл надписей воспринимает на понятийном уровне!

Лас вздохнул и потупился:

— Да понял уже... Ну, если виноват — гоните в шею!

— Господин Сасаки обиделся? — спросил я.

Семен пожал плечами.

— Когда я все объяснил, то господин Сасаки изволил долго смеяться, — сообщил Лас.

— Пожалуйста, — попросил я. — Не делай так больше.

— Вообще?

— Хотя бы с Иными!

— Конечно, не стану! — пообещал Лас. — Смысл шутки теряется.

Я развел руками. Посмотрел на Семена.

— Подожди меня в коридоре, — велел Семен. — Плакат оставь!

— Вообще-то я коллекцию... — начал было Лас, но плакат оставил и вышел.

Когда дверь закрылась, Семен усмехнулся, взял плакат и снова свернул. Сообщил:

— Пройдусь по отделам, повеселю народ... Ты как?

— Ничего. — Я откинулся в кресле. — Обживаюсь.

— Высший... — протянул Семен. — Ха... А говорили — выше головы не прыгнешь. Высший маг... Какую карьеру сделал, Городецкий!

— Семен... я-то тут ни при чем. Так получилось.

— Да знаю, знаю... — Семен встал, прошелся по кабинету. Маленький, конечно, кабинет, но все-таки... — Заместитель по кадрам... ха. Темные теперь станут мутить воду. С тобой и Светланой у нас четверо Высших. А у Дневного, без Саушкина, остался один Завулон...

— Пусть рекрутируют к себе кого-нибудь из провинции, — сказал я. — Я не против. А то дождемся нового визита Зеркала*.

— Мы теперь ученые, — кивнул Семен. — Мы на ошибках всегда учимся.

Он двинулся к двери, почесывая живот сквозь линялую футболку, — мудрый, добрый, усталый Светлый маг. Мы все становимся мудрыми и добрыми, когда устаем. У двери остановился, задумчиво посмотрел на меня:

— Жалко Саушкина. Хороший был парень, насколько это возможно... для Темного. Ты сам-то сильно переживаешь?

— У меня не было выбора, — сказал я. — И у него не было... и у меня.

Семен кивнул:

— И «Фуаран» жалко...

Костя сгорел в атмосфере через сутки после своего прыжка на орбиту. Все-таки это оказалась не слишком точная орбита.

И «дипломат» сгорел вместе с ним. Их держали в лучах локаторов до последней минуты. Инквизиция требовала организовать запуск шаттла, подобрать книгу, но для этого не хватило времени.

---

* Смотри: «Дневной Дозор», история вторая.

Что по мне — так и замечательно, что не хватило.

Возможно, он даже был жив, когда на высоте сотни километров его скафандр начал гореть под огненными поцелуями атмосферы. Все-таки он был вампир, и кислород для него не так важен, как для обычного Иного, — как и перегрев, и переохлаждение, и прочие прелести космоса, поджидающие космонавта в легком полетном скафандре. Я не знаю и не стану рыться в справочниках. Хотя бы потому, что никому не дано узнать, что страшнее — смерть от удушья или смерть в огне. Ведь никто не умирает дважды — даже вампиры.

«Смотри, я страшный бессмертный вампир! Я умею превращаться в волков и летучих мышей! Я летаю!»

Семен вышел, не сказав больше ни слова, а я долго сидел и смотрел в окно — на чистое безоблачное небо.

Небо не для нас.

Нам не дано летать.

И все, что мы можем, — это постараться не падать.

Июль 2002 — июль 2003 гг.

В тексте использованы фрагменты из песен групп: «Зимовье зверей», «Беломорс», «Белая гвардия», «Пикник», Александра Ульянова (Ласа), Зои Ященко и Кирилла Комарова.

Оглавление

Владимир Васильев
«ЛИК ЧЕРНОЙ ПАЛЬМИРЫ»

Знаете ли вы, что трилогией Сергея Лукьяненко о Ночном и Дневном Дозорах мир Иных не исчерпывается? Что Великие маги Гесер и Завулон и их подчиненные продолжают действовать в романе Владимира Васильева «Лик Черной Пальмиры»?

В Санкт-Петербург отсылается сборная команда украинского Дневного Дозора дабы приструнить зарвавшихся Темных Иных, не соблюдающих Договор и терроризирующих северную столицу России. Интриги высших магов и боевые столкновения Иных, разбуженные города, новые встречи с полюбившимися героями — читайте роман Владимира Васильева «Лик Черной Пальмиры»!

Книги издательства АСТ можно заказать по адресу:
107140, Москва, а/я 140 АСТ - "Книги по почте"

Издательство высылает бесплатный каталог

По вопросам оптовой покупки книг
издательства АСТ обращаться по адресу:
Звездный бульвар, дом 21, 7-й этаж
Тел. 215-43-38, 215-01-01, 215-55-13

Книги издательства АСТ можно заказать по адресу:
107140, Москва, а/я 140, АСТ – "Книги по почте"

Литературно-художественное издание

Лукьяненко Сергей Васильевич

Сумеречный Дозор

Художественный редактор О.Н. Адаскина
Технический редактор Н.К. Белова
Компьютерный дизайн: С.Б. Клещёв
Младший редактор Е.А. Лазарева

Общероссийский классификатор продукции
ОК-005-93, том 2; 953000 — книги, брошюры

Санитарно-эпидемиологическое заключение
№ 77.99.02.953.Д.000577.02.04 от 03.02.2004 г.

ООО «Издательство АСТ»
667000, Республика Тыва, г. Кызыл, ул. Кочетова, д. 28
Наши электронные адреса:
WWW.AST.RU E-mail: astpub@aha.ru

ОАО «ЛЮКС»
396200, Воронежская обл., п.г.т. Анна, ул. К. Маркса, д. 9

При участии ООО «Харвест».
Лицензия № 02330/0056935 от 30.04.04.
РБ, 220013, Минск, ул. Кульман, д. 1, корп. 3, эт. 4, к. 42.

Республиканское унитарное предприятие
«Издательство «Белорусский Дом печати».
220013, Минск, пр. Ф. Скорины, 79.